LE GUIDE DES SITES À DÉCOUVRIR

Québec

NATURE

Stéphane Champagne
Marie-France Létourneau

observation faune – flore – géologie
activités plein air
détente

ÉDITIONS
MICHEL
QUINTIN

Catalogage avant publication de Bibliothèque et Archives Canada

Champagne, Stéphane

Québec nature : le guide des sites à découvrir

(Guides nature Quintin)
Comprend des réf. bibliogr. et un index.

ISBN 2-89435-277-8

1. Loisirs de plein air - Québec (Province) - Guides. 2. Faune - Observation - Sites - Québec (Province) - Guides. 3. Botanique - Québec (Province) Guides. 4. Géologie - Québec (Province) - Guides. 5. Québec (Province) - Guides. I. Létourneau, Marie-France. II. Titre. III. Collection.

GV191.46.Q8C42 2005   796.5'09714   C2005-940076-5

Édition : Johanne Ménard
Conception graphique et infographie : Céline Forget
Révision linguistique : Serge Gagné
Préparation pour l'impression : Domino Design Communications

  Patrimoine   Canadian
canadien   Heritage

Gouvernement du Québec — Programme de crédit d'impôt pour l'édition de livres — Gestion SODEC

Les Éditions Michel Quintin bénéficient du soutien financier de la SODEC et du gouvernement du Canada par l'entremise du Programme d'aide au développement de l'industrie de l'édition (PADIÉ) pour leurs activités d'édition.

ISBN 2-89435-277-8
Dépôt légal — Bibliothèque nationale du Québec, 2005
                Bibliothèque nationale du Canada, 2005

© Copyright 2005
Éditions Michel Quintin

C.P. 340
Waterloo (Québec)
Canada J0E 2N0
Tél. : (450) 539-3774
Téléc. : (450) 539-4905
www.editionsmichelquintin.ca

Imprimé en Chine

Remerciements

Nous tenons à remercier tous les bénévoles, employés et directeurs des parcs, centres de la nature et autres endroits cités dans ce guide qui ont bien voulu répondre à nos nombreuses questions. Ils nous ont permis de mieux connaître leur coin du Québec.

Merci à Marc-André Boutin de la Société des établissements de plein air du Québec (SÉPAQ), ainsi qu'à tous les photographes (amateurs et professionnels) et différents intervenants qui nous ont aidés à illustrer ce guide.

Québec Nature n'aurait jamais vu le jour sans le concours de Michel Quintin et de Johanne Ménard. Leurs conseils et leurs encouragements ont grandement été appréciés. Ils sont l'étincelle à l'origine de notre démarche. Soulignons également le précieux travail de Céline Forget, responsable du design graphique et de la mise en page de cet ouvrage tout en couleurs, et les judicieux avis de Serge Gagné, réviseur linguistique. Nous les remercions tous.

Enfin, un merci tout spécial à nos familles et amis, qui ont su faire preuve de compréhension pendant la rédaction de ce guide.

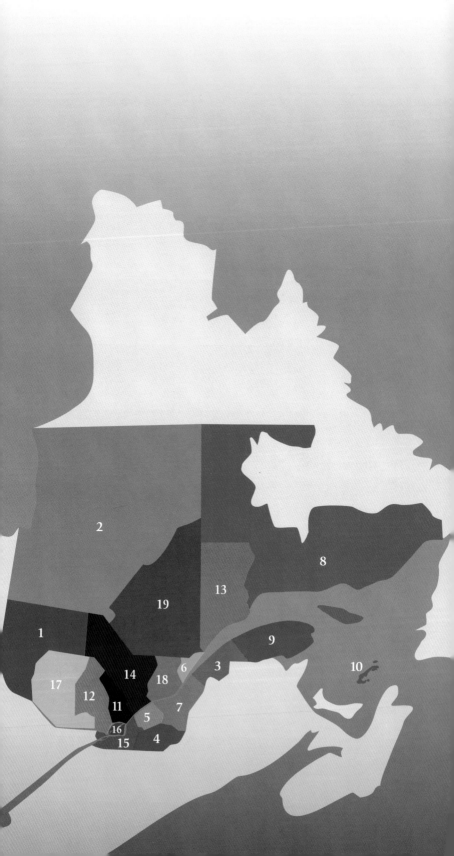

Table des matières

Introduction 7

1   Abitibi-Témiscamingue 9

2   Baie-James / Nord-du-Québec 23

3   Bas-Saint-Laurent 33

4   Cantons-de-l'Est 49

5   Centre-du-Québec..79

6   Charlevoix 89

7   Chaudière-Appalaches 101

8   Duplessis (Côte-Nord) 117

9   Gaspésie..127

10   Îles-de-la-Madeleine 145

11   Lanaudière..155

12   Laurentides 169

13   Manicouagan (Côte-Nord)...................................187

14   Mauricie..199

15   Montérégie..211

16   Montréal / Laval 231

17   Outaouais 249

18   Québec 263

19   Saguenay-Lac-Saint-Jean.....................................279

Liste des bureaux régionaux
d'information touristique 295

Bibliographie..297

Tableau des activités et services par site 298

Crédits photographiques 314

Index 316

Introduction

La nature, plus que jamais !

Généreuse, la nature québécoise n'a jamais été aussi précieuse. Avec ses parcs nationaux, régionaux ou urbains, ses réserves fauniques, ses centres de la nature, voire ses fiducies foncières et ses domaines privés, le Québec regorge de trésors naturels qu'il est fascinant d'explorer. D'où l'idée de publier le guide *Québec Nature*, qui répertorie près de 300 destinations nature à découvrir aux quatre coins du territoire québécois.

L'ouvrage cherche avant tout à mettre en lumière les richesses fauniques, florales et géologiques de chacun des sites répertoriés pour vous permettre de planifier vos périples en harmonie avec vos intérêts. Notre but : que vous goûtiez à la nature dans ce qu'elle a de plus merveilleux à offrir. En échange, un seul souhait : que chacun soit respectueux des lieux qu'il visitera.

Divisé en 19 chapitres suivant les différentes régions du Québec pour faciliter la consultation, le guide propose d'abord pour chaque région une série de sites « principaux », pour lesquels sont décrits plus en détail les divers attraits : observation faune-flore-géologie, activités de plein air, services... Les rubriques Coups de cœur et En un clin d'oeil permettent de repérer facilement les renseignements utiles. Pour chaque région, le guide propose ensuite la section Capsules nature, qui présente encore d'autres sites à découvrir. À la fin de l'ouvrage, un tableau récapitulatif indique les activités et services offerts pour chaque site. (Il est recommandé de valider les renseignements avant de vous déplacer, surtout s'il s'agit d'un périple de quelques jours.)

Cette première édition du guide *Québec Nature* n'a pas la prétention de répertorier TOUTES les destinations possibles, mais bien d'offrir un large éventail des richesses que recèle chaque région. Nous avons arrêté le choix des sites en tenant compte du potentiel d'observations, des activités de plein air qui y sont privilégiées, des services offerts ou simplement de la beauté des lieux. Notre objectif est avant tout (avec photos couleurs à l'appui) de vous donner le goût d'explorer le Québec et d'en apprécier ses beautés naturelles.

Alors, laissez-vous séduire par le Québec nature !

Stéphane Champagne et
Marie-France Létourneau

Les auteurs seront heureux de recevoir vos suggestions et commentaires afin d'améliorer une prochaine édition du guide *Québec Nature*. Écrivez-nous à : champ@endirect.qc.ca

1 **Parc national d'Aiguebelle**
2 **Refuge Pageau**
3 **Marais Antoine**
4 **Marais Laperrière**

5 **Centre éducatif forestier du lac Joannès**
6 **Îles Duparquet**
7 **Île aux Hérons**
8 **Collines Kékéko**
9 **Sentier de l'École buissonnière**
10 **Parc botanique À fleur d'eau**
11 **Centre thématique fossilifère**
12 **Musée minéralogique de l'Abitibi-Témiscamingue**

Abitibi-Témiscamingue

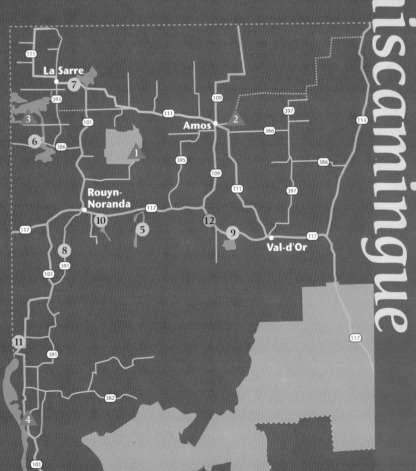

C'est dans ce parc national qu'on retrouve les plus anciennes roches d'Amérique du Nord. L'endroit abrite des formations géologiques, dont certaines ont atteint l'âge vénérable de… 2,7 milliards d'années. Coulées de lave, eskers, lacs glaciaires, marmites de géants (dont l'une mesure 5 m de diamètre sur 20 m de profondeur) et autres phénomènes géologiques vous en mettront plein la vue. Le secteur nord du parc (secteur Taschereau) est représentatif de la plaine argileuse de l'Abitibi, qui est en fait la plus vaste plaine québécoise après les Basses-terres du Saint-Laurent. Pour sa part, le secteur sud (secteur mont Brun) retient l'attention avec ses collines (collines Abijévis, culminant à 510 m) qui font partie des rares élévations de la plaine abitibienne.

Le castor, emblème animalier du parc, et l'orignal sont les espèces dominantes sur le territoire. Il y aurait plus de 450 barrages de castors. Le sentier l'Élan, situé au bout de la route 24, est un bon endroit pour observer l'orignal tôt le matin. Un camp rustique, où l'on peut dormir, se trouve à proximité du sentier, ce qui facilite les observations matinales. Des animaux à fourrure comme le lynx du Canada, l'ours noir et le renard roux sont également susceptibles d'être vus sur les 268 km² du parc. Pas moins de 138 espèces d'oiseaux composent l'avifaune de l'endroit, dont le mésangeai du Canada, le tétras à

queue fine, de même qu'une vingtaine d'espèces de parulines, dont la peu commune paruline à gorge grise. Le couvert forestier est majoritairement composé de résineux. Toutefois, fait intéressant à cette latitude, on trouve des feuillus sur les collines Abijévis.

Le parc national d'Aiguebelle compte également son lot d'activités de plein air : réseau pédestre de 60 km (sentiers faciles à difficiles) et environ 10 km de pistes cyclables. Activités nautiques et location d'embarcations (canot, kayak de mer et pédalo) aux lacs Loïs, Sault et La Haie. Rampe de mise à l'eau. Canot-camping et kayak-camping offerts aux plus aventureux. Le pont suspendu, haut de 22 m et long de 60 m, qui surplombe le lac La Haie est l'une des marques de commerce du parc. Vue spectaculaire du haut d'une ancienne tour (10 m) de garde-feu, accessible par un sentier historique. En hiver, raquette, ski de fond et ski nordique, pour un ou plusieurs jours, à partir du secteur mont Brun, qui comporte également un centre d'interprétation avec exposition et musée. Pour se loger, le parc offre deux terrains de camping (dans les secteurs nord et sud) totalisant 70 emplacements. Cela sans compter les sites de canot et kayak-camping. Trois chalets avec électricité et une dizaine de jolis camps rustiques en bois rond sont en location.

COUPS DE CŒUR

- ♥ Découvrir les nombreux phénomènes géologiques composés de roches vieilles de 2,7 milliards d'années.
- ♥ Emprunter le pont suspendu au-dessus du lac La Haie.
- ♥ Observer l'un des 450 barrages de castors, l'animal emblème du parc.

En un clin d'œil

🥾 **À faire :** Observation de la faune, de la flore et de phénomènes géologiques. Randonnée pédestre (60 km), vélo (10 km), activités nautiques (canot, kayak, pédalo). Activités d'interprétation de la nature. Raquette et ski (de fond et nordique).

🏠 **Services :** Deux postes d'accueil dans autant de secteurs, dont l'un (mont Brun) est ouvert toute l'année. Toilettes. Camping. Dépanneur. Chalets et camps rustiques. Guide naturaliste. Exposition. Location d'embarcations et d'équipements de plein air. Tour d'observation et pont suspendu, etc.

💲 **Tarifs :** Droits d'accès en vigueur dans les parcs nationaux : 3,50 $ par adulte et 1,50 $ par enfant. Droit d'accès annuel disponible. Prix pour familles et groupes. Frais supplémentaires pour le ski de fond, le camping, etc. Carte des sentiers disponible à l'entrée du parc.

🚗 **Accès :** De Rouyn-Noranda, se rendre jusqu'à d'Alembert par la route 101 nord. Se diriger ensuite vers Saint-Norbert-de-Mont-Brun et suivre les indications (vers le nord) menant au parc.

ℹ️ **Infos :** (819) 637-7322, 1-877-637-7344 (réservations) www.sepaq.com.

Abitibi-Témiscamingue

Endroit incontournable à visiter lors de votre passage en Abitibi, le Refuge Pageau doit sa notoriété au légendaire Michel Pageau, celui dont on dit qu'il parle aux animaux. Ancien chasseur et trappeur, Michel Pageau a accroché fusils et pièges il y a 30 ans pour se consacrer à la protection et la réadaptation des habitants des forêts abitibiennes. Ainsi, depuis plusieurs années, le refuge Pageau recueille cerfs de Virginie, lynx, ours noirs, orignaux, hiboux, pygargues à tête blanche et une flopée d'autres animaux blessés ou devenus orphelins en bas âge. La liste des pensionnaires change constamment.

Immense privilège donc de pouvoir visiter le refuge, lequel comprend un sentier de 1,5 km. Selon la saison, l'endroit peut abriter plus d'une cinquantaine d'espèces d'animaux. Soigneur émérite, Michel Pageau a établi un rapport intime des plus singuliers avec les animaux qui, pour la plupart, sont remis en liberté dès que leur état

le permet. Voir M. Pageau, un colosse, pénétrer dans une cage d'ours ou d'orignaux comme s'il entrait chez l'épicier du coin a quelque chose de surréaliste. Tellement, que ce docteur Dolittle abitibien a reçu la visite de médias sud-coréens et norvégiens complètement fascinés. Un documentaire financé par l'Office national du film a même été produit sur Michel Pageau sous le titre : « Il parle avec les loups ».

Une visite au Refuge Pageau dure au minimum une heure trente. Les enclos et les cages sont disséminés sur environ 25 acres. La visite se fait de façon autonome. Toutefois, des guides naturalistes vous attendent à différents endroits stratégiques le long du parcours. Organisme à but non lucratif, le Refuge Pageau est situé dans la municipalité d'Amos et est ouvert de juin à septembre. Possibilité de s'y rendre en dehors de la saison touristique, mais en groupe seulement et sur réservation.

COUPS DE CŒUR

- ♥ Observer une panoplie d'animaux en réadaptation, dont le cerf de Virginie, l'ours noir, l'orignal, etc.
- ♥ Rencontrer Michel Pageau (sauf les lundis), celui qui « parle » avec les animaux et à qui l'on doit ce refuge de réputation internationale.

À FAIRE : Visite d'une ferme de réhabilitation d'animaux sauvages dans un décor champêtre. Petit musée sur la vie et l'œuvre de Michel Pageau, fondateur du refuge.

SERVICES : Accueil, toilettes, vente de collations et de rafraîchissements, aires de pique-nique. Visites commentées. Après une visite des lieux, il est possible de garer son véhicule récréatif dans le stationnement du refuge et d'y passer la nuit.

TARIFS : Adultes, 12 $. Étudiants et âge d'or, 10 $. Enfants (3 à 11 ans), 6 $. Famille (2 adultes, 2 enfants de 11 ans ou moins), 32 $. Ouvert de juin à septembre. Possibilité de visiter le refuge en dehors de la saison touristique sur réservation et en groupe seulement.

ACCÈS : Le Refuge Pageau est situé à 8 km à l'est d'Amos, au 3991, chemin Croteau.

INFOS : (819) 732-8999
www.refugepageau.ca

Abitibi-Témiscamingue

13

Consacré exclusivement à l'observation de la faune, le marais Antoine est, au dire des gens de Canards Illimités, un site exceptionnel. Outre un terrain de stationnement, deux toilettes sèches, quelques bancs, un belvédère sur un cap rocheux et un sentier d'interprétation de 1,5 km, il n'y a que vous et la nature. Plus de 150 espèces d'oiseaux ont été recensées au fil des ans sur ce territoire de 284 hectares. En période de migration, la sauvagine y est omniprésente. Certaines espèces de canards (branchu, siffleur, colvert, noir, etc.) nichent d'ailleurs sur place. Le pygargue à tête blanche et le busard Saint-Martin côtoient entre autres la crécerelle d'Amérique, la grue du Canada et le râle jaune (une espèce susceptible d'être désignée menacée ou vulnérable).

Le marais Antoine abrite également une grande variété de reptiles et d'amphibiens, de même qu'une flore typique des milieux humides. Iris versicolores, rubaniers à gros fruits, nénuphars, sagittaires latifoliées sont parmi les végétaux de cet habitat faunique d'intérêt qui compte par ailleurs une passe migratoire pour le grand brochet. Castors du Canada, orignaux et petits rongeurs s'ajoutent à la liste des animaux du marais. Une douzaine de panneaux d'interprétation sont disséminés le long du sentier. En juin et juillet, un guide naturaliste se fera un plaisir de répondre à vos questions. Jumelles et lunettes d'approche sont disponibles durant les visites guidées.

L'entrée est gratuite. Il n'y a pas d'aires de pique-nique sur place, ni de poubelles. On recommande d'ailleurs aux visiteurs de casser la croûte dans le village de Roquemaure, où des tables de pique-nique, des toilettes, de l'eau courante et une aire de jeux sont à leur disposition. Le marais est situé à 6 km à l'ouest de Roquemaure. Il y a un café-couette à moins d'un kilomètre du marais, de même qu'un camping saisonnier de 118 emplacements (avec ou sans services) situé sur le bord du lac Abitibi et à environ 3 km du marais.

COUPS DE CŒUR

♥ Visiter un immense marais à l'état sauvage où pas moins de 150 espèces d'oiseaux ont été répertoriées.

♥ Observer le marais du haut d'un belvédère situé sur un cap rocheux.

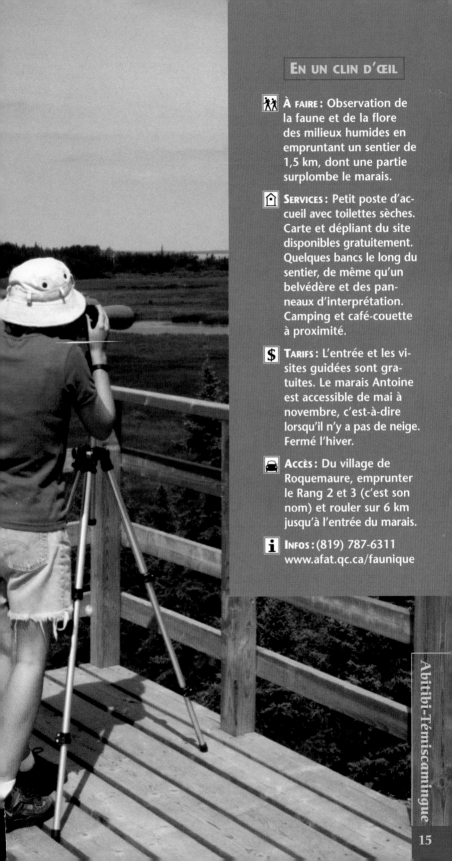

À FAIRE : Observation de la faune et de la flore des milieux humides en empruntant un sentier de 1,5 km, dont une partie surplombe le marais.

SERVICES : Petit poste d'accueil avec toilettes sèches. Carte et dépliant du site disponibles gratuitement. Quelques bancs le long du sentier, de même qu'un belvédère et des panneaux d'interprétation. Camping et café-couette à proximité.

TARIFS : L'entrée et les visites guidées sont gratuites. Le marais Antoine est accessible de mai à novembre, c'est-à-dire lorsqu'il n'y a pas de neige. Fermé l'hiver.

ACCÈS : Du village de Roquemaure, emprunter le Rang 2 et 3 (c'est son nom) et rouler sur 6 km jusqu'à l'entrée du marais.

INFOS : (819) 787-6311 www.afat.qc.ca/faunique

Abitibi-Témiscamingue

Le marais Laperrière est une station officielle de baguage d'oiseaux depuis 2003. Un nouveau centre d'interprétation offre aux visiteurs de se familiariser avec le baguage. Cette activité permet entre autres d'évaluer la diversité des espèces et leurs trajets de migration. Le marais Laperrière sert avant tout au baguage de passereaux (parulines, bruants, etc.). Avis aux intéressés : les responsables de l'établissement sont à la recherche de bénévoles, surtout pour travailler l'automne. Baguer des oiseaux, de jour ou de soir (où vous aurez peut-être la chance de manipuler la petite nyctale, notamment), est sans conteste une expérience inoubliable. Il n'y a que deux stations permanentes de baguage au Québec : celle de Tadoussac, la plus importante de la province, et celle du marais Laperrière. Les autres stations, saisonnières, sont exploitées par le Service canadien de la Faune.

Pas moins de 156 espèces d'oiseaux ont été répertoriées au marais Laperrière, une zone de protection acquise en 2000 par la municipalité de Duhamel-Ouest. Plongeon huard, grand héron, butor d'Amérique, pygargue à tête blanche figurent sur la liste. Les tortues peintes sont facilement observables en juillet et en août. Le marais abrite également toute une variété de plantes aquatiques. À la fin juin, les iris versicolores tapissent, malheureusement de façon trop éphémère, une partie des milieux humides. Quant aux mammifères actifs sur place, notons la présence de castors du Canada, porcs-épics d'Amérique, ratons laveurs, etc.

Deux kilomètres de sentiers pédestres, jalonnés de panneaux d'interprétation, permettent de faire le tour du marais. L'infrastructure sur place compte un petit pavillon en moustiquaires, une passerelle, une tour d'observation, des toilettes sèches près du poste d'accueil, de même que des tables de pique-nique, des bancs et des aires de repos le long du sentier. L'accès au site est gratuit, mais les contributions volontaires sont grandement appréciées, surtout lors des visites guidées. En hiver, le sentier est ouvert aux fondeurs. Dans le nouveau centre d'interprétation, toilettes et eau courante ainsi qu'un réfectoire sont à la disposition des visiteurs.

COUPS DE CŒUR

♥ Assister, voire participer, au baguage d'oiseaux comme des parulines ou la petite nyctale.
♥ Observer l'une des 156 espèces d'oiseaux qui fréquentent cette zone protégée.

À FAIRE : Observation de la faune et de la flore par le biais d'un sentier de 2 km bordant un marais. Baguage d'oiseaux (il faut donner son nom à l'avance). En hiver, ski de fond.

SERVICES : Bâtiment d'accueil avec toilettes et eau courante. Exposition. Visites guidées en saison. Abri en moustiquaires. Panneaux d'interprétation. Tour d'observation. Aires de repos et de pique-nique.

TARIFS : L'accès aux sentiers est gratuit, mais les contributions volontaires sont appréciées. Des frais d'entrée seront peut-être exigés pour accéder au nouveau centre d'interprétation.

ACCÈS : Le marais est situé sur le chemin Notre-Dame Sud à Duhamel-Ouest, à environ 2,5 km de Ville-Marie (accessible par la route 391 depuis Rouyn-Noranda).

INFOS : (819) 629-2522 www.temiscaming.net

Abitibi-Témiscamingue

Capsules nature

5 Centre éducatif forestier du lac Joannès

Endroit familial par excellence, ce centre éducatif forestier ne manque pas d'attraits et encore moins d'activités. Sept sentiers pédestres totalisant une dizaine de kilomètres vous feront traverser différents écosystèmes, dont une tourbière et une cédrière. Trois sentiers longent le lac Joannès, où il est possible d'observer entre autres le garrot à œil d'or et le plongeon huard. La famille des pics, dont le grand pic, est bien représentée sur le territoire. À ne pas manquer : le sentier des Pins où se trouve un esker. On note la présence de certains prédateurs, comme le lynx du Canada, attirés entre autres par une importante population de lièvres d'Amérique. Plusieurs variétés de mousses recouvrent le sol dans le sentier Pessières, où abondent les épinettes. Visites guidées offertes en saison. Exposition sur place. Panneaux d'interprétation, labyrinthe forestier et piste d'hébertisme. Rafraîchissements et collations vendus sur place. Environ 60 km de sentiers pour le vélo de montagne partent du lac Joannès, dont l'un, de 35 km, se rend jusqu'au lac Vaudray. Ouvert du 24 juin jusqu'à la fête du Travail, tous les jours de 10 h à 18 h. Dépliant-carte offert gratuitement au poste d'accueil. L'accès au centre est gratuit. Toutefois, il faut débourser 1 $ pour jouer au mini-golf (eh oui, il y en a un !). Pavillon d'accueil avec toilettes. Aire de pique-nique et plage. Le centre est situé sur le chemin des lacs Joannès-Vaudray, à McWatters, municipalité accessible de Rouyn-Noranda par la route 117. **Infos :** (819) 762-8867 ou www.afat.qc.ca

6 Îles Duparquet

Duparquet est le nom d'un lac de 12 km^2 qui compte un archipel d'environ 150 îles. Trois de ces îles ont le statut de réserve écologique et abritent des thuyas âgés de plus de 800 ans, ce qui en font les plus vieux arbres de l'est du continent. Il est interdit de fouler le sol de la réserve écologique des Vieux-Arbres. Toutefois, il est possible d'observer ces végétaux uniques (et tout rabougris) en faisant une visite guidée en rabaska, offerte en saison par la Pourvoirie à Fern, au prix de 60 $ l'heure, que vous soyez deux ou dix personnes. **Infos :** (819) 948-2566. Le lac Duparquet, qui a fait l'objet de plus de 30 ouvrages scientifiques, cache d'autres trésors, comme une héronnière de 35 nids, de même que la présence notable du pygargue à tête blanche et du balbuzard pêcheur, deux espèces dont les grands nids sont faciles à repérer. L'été, l'endroit reçoit la visite de plusieurs étudiants dans le cadre du programme de la Forêt d'enseignement et de recherche du lac Duparquet, affiliée à l'Université du Québec. La pourvoirie à Fern fait la location d'embarcations. Les services touristiques sont encore en développement. Il est néanmoins possible de se loger en s'adressant aux différents pourvoyeurs de l'endroit qui, soit dit en passant, vendent la carte topographique du lac et de ses îles. Projet d'aménagement de sentiers pédestres. Il y a un camping (Bonvent), tout près du village de Duparquet qui, lui, est situé sur la route 388, au nord-ouest de Rouyn-Noranda. **Infos :** (819) 333-3318 ou (819) 333-2214.

7 Île aux Hérons

Le lac Macamic est parsemé d'une quinzaine d'îles, dont l'une abrite une héronnière où nichent 75 hérons. Il est possible d'approcher l'île (mais pas d'y accoster) si vous possédez votre propre embarcation. On peut trouver une rampe de mise à l'eau dans le village de Macamic, situé au nord de Rouyn-Noranda. Un petit parc, le « Parc du grand héron », a été aménagé ces dernières années juste en face de l'île aux Hérons. Il s'y trouve un sentier de randonnée pédestre de 1,7 km. Un sentier forestier d'à peine 0,7 km mène directement au bord de l'eau. Apportez vos jumelles, les nids de hérons sont à quelques centaines de mètres devant. Un autre sentier mène sur un promontoire rocheux d'où il est possible d'apercevoir l'île du haut d'une tour de 13 m de haut, qui offre une vue complète de l'île, située à 1 km à vol d'oiseau. La tour d'observation est une œuvre d'ingénierie en soi, selon l'un des responsables de l'endroit. Le stationnement du parc est accessible par la route 111 à partir d'Amos. Environ 5 km après Macamic, prendre le chemin (à droite) qui mène à Chazel. Suivre les panneaux indicateurs.

Infos : (819) 782-4604.

⑧ Collines Kékéko

Petit massif culminant tout au plus à 100 m d'altitude, les collines Kékéko détonnent dans le paysage plat de l'Abitibi. Les feuillus à la base font place à la taïga au sommet des collines, lesquelles comptent plusieurs phénomènes géomorphologiques : crevasses, tourbière, abris sous roches. Un réseau de sentiers pédestres (faciles et intermédiaires) totalisant 32 km permet de découvrir toute la richesse des lieux. Le sentier panoramique Despériers (une boucle de 2,2 km) fera l'affaire des familles. Les randonneurs plus aguerris emprunteront le sentier Transkékéko (12 km pour l'aller seulement). De nombreux spécimens de sabot de la vierge se laissent admirer en juin dans le secteur du lac Despériers. Plusieurs espèces de parulines et le tangara écarlate fréquentent les collines Kékéko. En hiver, il est possible de faire de la raquette. Accès gratuit. Pour s'y rendre : de Rouyn-Noranda, prendre la route 391 Sud et rouler sur environ 10 km. Le terrain de stationnement, situé presque en face du lac Beauchatel, n'est pas indiqué ; soyez attentifs.
Infos : (819) 762-0931, poste 1243.

⑨ Sentier de l'École buissonnière

Situé dans la petite municipalité de Dubuisson, ce site compte environ 3 km de sentiers pédestres qui longent la rivière Piché. Les forêts mixtes et de conifères ainsi que les petites baies marécageuses le long des sentiers attirent une panoplie d'oiseaux. Le printemps est propice à l'observation de parulines, mais aussi de la sauvagine. Harle couronné, canard branchu, grand héron et grand cormoran font partie des visiteurs de l'École buissonnière. Un couple de grands pics y serait par ailleurs facilement observable depuis quelques années. Une petite passerelle d'une dizaine de mètres permet d'avoir une vue complète sur la rivière Piché. Selon l'un des responsables de l'endroit, certains spécimens d'épinettes blanches (dont le tronc a 80 cm de diamètre) méritent un détour. Très peu de services sont offerts sur place : terrain de stationnement et aire de pique-nique. Entrée gratuite. Accès : de Val-d'Or, prendre la route 117 Nord. Le site est situé sur le chemin des Explorateurs, environ 1 km avant le village de Dubuisson.
Infos : (819) 824-1333, poste 276.

⑩ Parc botanique À fleur d'eau

Ce parc botanique de 3,5 hectares abrite des centaines d'espèces de végétaux. Il est situé en bordure du lac Édouard, dans la ville de Rouyn-Noranda. Il est sillonné de sentiers pédestres de quelques kilomètres et comprend un jardin géologique avec panneaux d'interprétation. Casse-croûte, boutique souvenirs, etc. Entrée gratuite, mais frais exigés pour la visite guidée. Ouvert de mai à octobre. Le poste d'accueil est situé au 325, avenue Principale.
Infos : (819) 797-8753.

11 Centre thématique fossilifère

Exposition de fossiles et de roches représentant le milieu marin du Témiscamingue il y a 400 millions d'années. Visites de sites fossilifères. Expériences scientifiques pour les 7 à 77 ans. Ouvert du 24 juin au 6 septembre ou sur réservation le reste de l'année. Entrée payante. Situé au 5, rue Principale, à Notre-Dame-du-Nord.
Infos : (819) 723-2500 ou www.rlcst.qc.ca

En cas de pluie

12 Musée minéralogique de l'Abitibi-Témiscamingue

Un autre site qui permet de mieux connaître la riche géologie de l'Abitibi-Témiscamingue. Exposition à caractère familial. Présentation multimédia et animations interactives. Ouvert toute l'année, sauf les week-ends (sur réservation). Sinon, ouvert tous les jours du 1er juin au 15 septembre. Entrée payante. Le musée est situé au 650, rue de la Paix, à Malartic.
**Infos : (819) 757-4677
www.museemalartic.qc.ca**

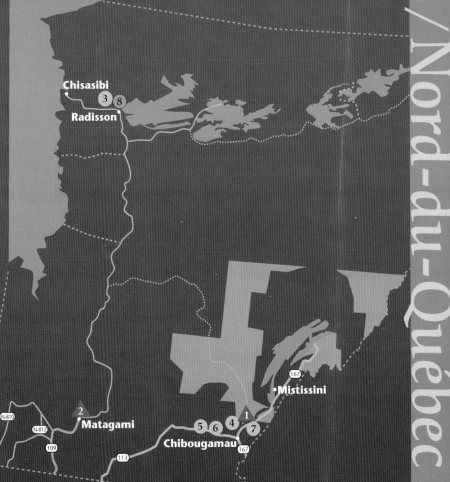

1 Réserves fauniques Assinica et
des Lacs Albanel-Mistassini-et-Waconichi

2 Zone récréative du lac Matagami

3 Sentier écologique de Radisson

4 Parc Obalski

5 Sentier du lac Cavan

6 Mont Springer

7 Centre d'intérêt minier de Chibougamau

8 Centre d'information de la centrale Robert-Bourassa

Baie-James / Nord-du-Québec

À elles seules, ces deux réserves fauniques, d'une superficie totale de 25 000 km^2, sont deux fois plus grandes que… la région touristique des Cantons-de-l'Est. Autre preuve de cette démesure : c'est là que se trouve le lac Mistassini, le plus grand lac naturel d'eau douce au Québec, d'une longueur de 175 km et d'une largeur qui atteint parfois 40 km. Une bonne partie des réserves n'est toutefois accessible qu'aux communautés autochtones en vertu de la Convention de la Baie-James et du Nord québécois. Même si elles ne sont ouvertes au public que deux mois par année, les réserves fauniques Assinica et des Lacs Albanel-Mistassini-et-Waconichi valent le détour. Vu l'immensité du territoire, il est obligatoire de s'enregistrer au poste d'accueil, ne serait-ce que pour une simple visite quotidienne.

Situé au nord de Chibougamau (là où le poste d'accueil principal a pignon sur rue), l'endroit n'est évidemment pas la destination familiale par excellence. Les mouches noires et les autres insectes voraces auront tôt fait de décourager les touristes du dimanche. Deux terrains de camping (73 emplacements au total) et 11 chalets sont offerts aux pêcheurs seulement. Il n'y a pas de réseau de sentiers pédestres, mais les nombreux chemins forestiers favorisent l'observation de l'une des 116 espèces d'oiseaux (plongeon huard, pygargue à tête blanche, autour des palombes, grand harle, etc.) ou des 31 espèces de mammifères terrestres (loup gris, loutre de rivière, martre d'Amérique, renard roux, vison d'Amérique, etc.) répertoriées à ce jour.

Parmi les quelques secteurs accessibles, mentionnons celui de la baie Pénicouane, une baie sablonneuse de 30 km donnant sur le lac Mistassini. Au sud du lac Albanel, sur la rivière Témiscamie, il est possible de visiter la Colline blanche, un important gisement de quartz. Plusieurs marmites de géants et une caverne attendent les visiteurs. Il faut cependant obtenir l'autorisation du Conseil de bande de Mistissini pour visiter la Colline blanche, classée site archéologique. Des excursions sont offertes sur réservation : (418) 923-3461.

Bien qu'aucun parcours ne soit proposé, il est également possible de faire du canot-camping sur le territoire des réserves. Les gens intéressés par cette activité doivent faire une demande écrite auprès de la Sépaq. Il faut être âgé d'au moins 18 ans. Plusieurs consignes de sécurité doivent être observées si vous vous rendez sur les lacs en embarcation.

COUPS DE CŒUR

♥ Parcourir les plus grandes réserves fauniques du Québec, dont la superficie totale est deux fois plus grande que celle de la région des Cantons-de-l'Est.

♥ Explorer le lac Mistassini, le plus grand lac naturel d'eau douce au Québec (d'une longueur de 175 km et d'une largeur qui atteint parfois 40 km).

En un clin d'œil

À faire : Observation de la faune et de certains phénomènes géologiques (falaises, marmites de géants et caverne). Promenade dans les chemins forestiers ou sur l'un des nombreux lacs.

Services : Poste d'accueil avec toilettes (à Chibougamau). Forfait de pêche avec hébergement en camping ou en chalet. Location d'embarcations, rampe de mise à l'eau, installation pour la conservation du poisson, boutique-nature, etc.

Tarifs : Il n'en coûte rien pour accéder aux réserves. Il est toutefois obligatoire de s'enregistrer au poste d'accueil de Chibougamau. Différents tarifs pour les forfaits de pêche. Excursions offertes sur la rivière Témiscamie. Les réserves sont accessibles du premier vendredi de juin au lundi de la fête du Travail.

Accès : L'accueil se fait à Chibougamau, municipalité située au nord du lac Saint-Jean et accessible par la route 167 Nord. De Montréal, compter environ neuf heures de route. À partir de l'Abitibi, on s'y rend par la route 113.

Infos : (418) 748-7748
www.sepaq.com
Aussi : Conseil de bande de Mistissini, (418) 923-3461.

La petite municipalité de Matagami, située au nord du 49ᵉ parallèle, est le point de départ de la route de la Baie-James, un chef-d'œuvre d'ingénierie long de 600 km qui mène aux plus grandes centrales hydroélectriques québécoises. Elle est également la porte d'entrée d'un vaste terrain de jeux de 1200 km² appelé «zone récréative de Matagami». L'endroit conserve les traces du plus vieux volcan en Amérique du Nord, lequel se trouve dans le massif du mont Laurier (483 m). Ce massif montagneux, né de la rencontre de deux microcontinents il y a 2,7 milliards d'années, détonne dans ce paysage plat qui se trouve à la jonction du plateau de la Rupert et de la plaine argileuse de l'Abitibi.

La flore locale, diversifiée il va sans dire, va du peuplement de feuillus à la pessière noire à mousse, en passant par la taïga. À certains endroits, des variétés de lichens sont plus que millénaires. Certains spécimens de lichens, qui rappellent la forme d'une fleur, atteignent deux mètres de diamètre. Plus de 300 espèces d'oiseaux ont été répertoriées à ce jour dans la zone récréative du lac Matagami, un important corridor migratoire. La faune (ours noir, orignal, lièvre d'Amérique, lynx du Canada, caribou des bois, etc.) y est riche. Toutefois, étant donné l'immensité du territoire, les populations animales ne sont pas très denses.

Le grand lac Matagami et ses affluents (la rivière Bell, notamment) offrent la possibilité de faire du kayak ou de se prélasser sur l'une des nombreuses plages de sable fin laissées en héritage par le passage des glaciers. Initiation au canot en eau vive sur la rivière Bell. Circuit de canot-camping. La rive nord du lac (accessible en embarcation seulement) abrite le parcours de Matisse. Les mousses au sol y offriraient un spectacle des plus colorés. La zone récréative du lac Matagami comprend plus de 60 km de sentiers pédestres dont 30 (intermédiaires et difficiles) sont balisés et jalonnés de panneaux d'interprétation. Les autres 30 km sont accessibles aux aventuriers munis d'une carte et d'une boussole. Camping d'été et d'hiver sont offerts. Un motel dans le village de Matagami est ouvert à longueur d'année.

Les visiteurs ont d'abord rendez-vous au bureau d'information touristique (ouvert toute l'année), situé au 100, Place du commerce. Sur place: service de location d'embarcations et d'équipement de plein air. Matagami est également le point de départ de nombreuses excursions permettant de découvrir le Nord du Québec, notamment les hardes de caribous des bois de la route Transtaïga ou du lac à l'Eau claire, un vaste cratère qui cache plusieurs phénomènes géologiques.

COUPS DE CŒUR

♥ Parcourir le massif du mont Laurier, lequel conserve les traces du plus vieux volcan en Amérique du Nord.

♥ Découvrir les particularités de la taïga, qui compte des variétés de lichens millénaires et dont certains spécimens atteignent deux mètres de diamètre.

EN UN CLIN D'ŒIL

À FAIRE : Observation de la faune, de la flore et de phénomènes géologiques par le biais de 60 km de sentiers pédestres (dont 30 sont balisés). Canot et kayak de mer sur le lac Matagami et ses nombreux affluents. Camping et canot-camping.

SERVICES : Accueil au bureau d'information touristique. Location d'embarcations et d'équipement de plein air. Activités guidées. Forfaits et excursions offerts. Service de navette. Panneaux d'interprétation.

TARIFS : L'accès à la zone récréative est gratuit. Toutefois, des frais sont exigés pour le camping, les locations et les activités guidées. Le territoire est accessible toute l'année.

ACCÈS : Matagami est située au nord de l'Abitibi. On accède à la zone récréative par la route de la Baie-James. Il y a plusieurs entrées le long de la route.

INFOS : (819) 739-2541
www.matagami.com

Baie-James/Nord-du-Québec

Capsules nature

③ Sentier écologique de Radisson

Si vous êtes de passage à Radisson pour visiter les grandes centrales hydro-électriques de la baie James, prenez le temps de parcourir ce sentier écologique de 2,5 km (de niveau facile) situé dans la taïga québécoise. En pleine zone de transition végétale et caractérisé par la pessière à lichens, l'endroit abrite plus de 500 espèces de plantes vasculaires et 300 types de mousses et lichens. Selon un document du Centre d'études nordiques de l'Université Laval, la région de Radisson compte 39 espèces de mammifères (coyote, loutre de rivière, lynx du Canada, ours noir, renard roux, etc.), dont les populations sont peu nombreuses. Selon le temps de l'année, quantité de volatiles (oies, bernaches, canards barbo-teurs et plongeurs, oiseaux de rivage) peuvent être observés aux abords du sentier écologique de Radisson, lequel est situé sur la rive nord de la Grande Rivière. Un belvédère offre une vue spectaculaire sur la rivière, mais aussi sur l'évacuateur des crues, aussi appelé «escalier de géants». Pas de services sur place, sinon un stationnement sur la rue des Groseillers. Un camping de 40 emplacements (tous avec eau cou-rante et certains avec électricité) se trouve à proximité. L'hiver, le sentier (tracé) est réservé aux fondeurs. Possibilité de faire de la raquette en bordure des pistes de ski. Entrée gratuite. À noter: Radisson est la seule communauté non autochtone du Québec au nord du 53ᵉ parallèle.
Infos: (819) 638-7777 ou www.radisson.org

④ Parc Obalski

Ce territoire situé dans la municipalité de Chibougamau comprend un réseau de sentiers pédestres d'une dizaine de kilomètres. Pour la plupart faciles et en poussière de roche, ces sentiers font le tour du lac Gilman et du Petit lac Gilman. Ils traversent une forêt d'épinettes et de mousse verte. Le réseau est accessible à vélo, sauf les sentiers, un peu plus raides, menant au mont Chalco (qui est aussi une petite station de ski alpin) et au mont Hélios, d'où l'on jouit d'une vue spectaculaire sur la région. Le site attire son lot de lièvres d'Amérique et de porcs-épics d'Amérique, de même que plusieurs espèces d'oiseaux, dont aucun recensement n'a cependant été effectué. Le parc est accessible à quatre endroits diffé-rents. Le plus facile est de se rendre à la plage municipale. Baignade surveillée en saison. Location d'embarcations. Nombreuses aires de repos avec bancs et tables de pique-nique le long des sentiers. Toilettes sèches au Relais de l'amitié (sur l'autre rive du lac Gilman). Ouvert toute l'année. L'accès au site est gratuit, sauf l'hiver, où il faut payer pour uti-liser les sentiers (tracés) de ski de fond. Relais chauffé.
Infos: (418) 748-6060.

5 Sentier du lac Cavan

Le lac Cavan (prononcez à l'anglaise) est situé à environ 7 km de Chapais. Un sentier linéaire (facile) de 5 km est aménagé sur la partie sud-ouest du lac. Le randonneur traversera tout d'abord une forêt de conifères, où il aura la possibilité de croiser des petits animaux. Une forêt où les feuillus dominent mène ensuite vers un promontoire dénudé qui permet d'embrasser la région d'un seul coup d'oeil. En hiver, le sentier accueille les fondeurs et les adeptes de la raquette. Ouvert toute l'année et accès gratuit. Pas de services offerts sur place. Des toilettes sèches se trouvent à la plage municipale (non surveillée) située à 0,5 km de là. Pour se rendre au terrain de stationnement donnant accès au sentier du lac Cavan, prendre la route 113 à partir de Chapais. Après le cimetière, tourner à gauche et rouler sur environ 5 km. Suivre les indications.
Infos : (418) 745-2511.

⑥ Mont Springer

Situé près de Chapais, le mont Springer (530 m) est l'une des rares montagnes de cette région au relief plutôt plat. Un sentier linéaire d'environ un kilomètre permet d'atteindre un belvédère au sommet, d'où l'on profite d'une vue imprenable sur Chibougamau et la région. Il faut être en assez bonne forme physique pour grimper. Des escaliers ont été aménagés par endroits. Le couvert forestier de la montagne est composé entre autres de peupliers faux-trembles et de bouleaux, ce qui détonne dans cet environnement peuplé majoritairement de conifères. Abondance de petit gibier qui, l'automne venu, attire les chasseurs. Soyez prudents! Des aires de repos avec bancs ont été aménagées le long du sentier. Entrée gratuite. Accessible toute l'année. Pour s'y rendre: de Chapais, emprunter la 1ʳᵉ avenue et continuer sur le chemin de gravier sur environ 7 km. Stationnement et toilettes sèches au départ du sentier. Cette route n'est pas déneigée en hiver. Autre option: un sentier multi-fonctionnel (pédestre et équestre) de 6 km, qui débute près des écuries situées au nord de Chapais, mène au pied du mont Springer.
Infos: (418) 745-2511.

⑦ Centre d'intérêt minier de Chibougamau

Découvrez tous les secrets de l'exploitation minière d'hier à aujourd'hui dans cette ancienne mine. Visite de galeries secondaires avec tout l'équipement de mineur. Spectacle son et lumière. Prévoir des vêtements chauds et de bonnes chaussures. D'avril à octobre. Entrée payante. Situé sur la route 167, à 10 km du centre-ville de Chibougamau.
Infos: (418) 748-6060.

En cas de pluie

8 **Centre d'information de
la centrale Robert-Bourassa**

Un passage obligé avant de visiter les
grandes centrales hydroélectriques du Nord
québécois. Exposition permanente sur le
territoire de la Baie-James, la production et
le transport de l'électricité. Entrée gratuite.
Ouvert à longueur d'année. Situé à Radisson,
au Complexe Pierre-Radisson.
Infos : **(819) 638-8486, 1-800-291-8486**
www.hydroquebec.com/visitez

Baie-James/Nord-du-Québec

1. **Parc national du Bic**
2. **Réserve nationale de faune de la baie de L'Isle-Verte**
3. **Archipel des Îles du Pot-à-l'Eau-de-vie et île aux Lièvres**
4. **Île aux Basques**
5. **Société écologique des battures du Kamouraska**

6. **Site ornithologique du marais de Gros-Cacouna**
7. **Sentiers d'interprétation du littoral et de la rivière Rimouski**
8. **Île Saint-Barnabé**
9. **Canyon des portes de l'enfer**
10. **Parc des Chutes et de la Croix lumineuse**
11. **Les Sept-Chutes de Saint-Pascal et la montagne à Coton**
12. **Sentier national**
13. **Centre d'interprétation de l'anguille**
14. **Animafaune, le moulin des découvertes**
15. **Aster, la station scientifique du Bas-Saint-Laurent**

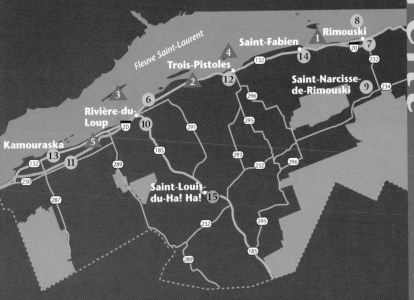

Parc national du Bic

Le parc national du Bic exerce un fort pouvoir d'attraction sur les adeptes du plein air et de la nature. Rares sont ceux qui y mettent les pieds et n'en gardent pas un souvenir impérissable. Le charme opère dès que les premières montagnes et les caps du parc, situé en bordure du fleuve Saint-Laurent, se profilent à l'horizon. Pour ajouter à l'attrait de l'endroit, chaque nom d'île, de cap ou de montagne (comme l'île aux Amours, le mont Chocolat ou le cap à l'Orignal) est inspiré d'une histoire ou d'une légende. Et les couchers de soleil compteraient parmi les plus beaux au monde.

L'intérêt ne se dément pas lorsqu'on part à la découverte du parc. Son animal emblème, le phoque commun, est facile à observer entre juillet et septembre. Accompagné du phoque gris, il a l'habitude de se reposer et de jouer, à marée basse, sur les rochers de l'anse aux Épinettes et de l'anse aux Bouleaux ouest. Le parc du Bic abrite aussi des colonies de goélands argentés et de cormorans à aigrettes. L'eider à duvet y niche.

Les oiseaux de proie sont par ailleurs nombreux à emprunter un étroit corridor en bordure du fleuve au printemps (avril-mai), lors de leur migration. Ils peuvent être observés depuis le belvédère Raoul-Roy. Des inventaires y sont régulièrement effectués. Ceux-ci ont permis de noter la présence abondante de buses à queue rousse et d'éperviers bruns. Au total, 232 espèces d'oiseaux ont été observées sur place. Le parc du Bic compte également une importante population de porcs-épics, dont la densité est de 40 individus par kilomètre carré. Le pékan, prédateur du porc-épic, a récemment fait son apparition dans le parc.

La flore est tout aussi riche et variée. La forêt de feuillus y côtoie la forêt boréale. Des plantes rares poussent sur le bord des caps. Les marais salés de la pointe aux Épinettes retiennent l'attention avec la présence de spartines, de joncs et de salicornes d'Europe. Du haut de ses 346 mètres, le pic Champlain est le point culminant du parc, qui compte 25 km de sentiers (faciles et intermédiaires pour la plupart) pour la randonnée pédestre. Environ 15 km de sentiers sont accessibles aux cyclistes. Des excursions en kayak (ou en pneumatique) et des randonnées en embarcation sont possibles dans certains secteurs du parc. Activités et randonnées d'interprétation en saison. Camping d'été et d'hiver. Ski nordique (15 km) et raquette (20 km) y sont pratiqués pendant la saison froide.

COUPS DE CŒUR

- ♥ Observer les phoques sur les rochers de l'anse aux Épinettes et de l'anse aux Bouleaux ouest.
- ♥ Se rendre au point culminant du parc, le pic Champlain, qui offre un des plus beaux points de vue.
- ♥ Emprunter le sentier Chemin-du-Nord qui longe le littoral du cap à l'Orignal.

En un clin d'œil

🚶 **À FAIRE :** Randonnée pédestre (25 km), vélo (15 km), excursions en kayak ou en pneumatique, ski nordique (15 km), raquette (20 km), randonnée pédestre sur neige. Camping d'été et d'hiver.

🏠 **SERVICES :** Bâtiment d'accueil, activités et randonnées d'interpréta-tion, causeries, visite en minibus, location d'équipement (jumelles, vélo, raquettes, tapis de sol, etc.), restauration, services de pre-miers soins. Bassin d'amarrage et rampe de mise à l'eau. Boutique nature. Navette jusqu'au sommet du pic Champlain (payante).

💲 **TARIFS :** Droit d'accès de 3,50 $ par adulte et 1,50 $ par enfant. Tarifs pour familles et groupes. Droit d'accès annuel vendu pour le parc ou le réseau. Carte des sentiers disponible au poste d'accueil.

🚗 **ACCÈS :** Le parc du Bic est situé sur la route 132, non loin de Rimouski. L'accès principal au parc est celui du Cap-à-l'Orignal.

ℹ️ **INFOS :** (418) 736-5035
www.sepaq.com

La réserve nationale de faune de la baie de L'Isle-Verte, déclarée site Ramsar à cause de la richesse de ses milieux humides, est un lieu de prédilection pour l'observation de canards barboteurs, le canard noir en particulier. C'est d'ailleurs pour protéger l'habitat de cette espèce qu'on a attribué à ce vaste territoire (le plus important marais à spartines du Québec méridional), qui s'étend en bordure du fleuve Saint-Laurent, le statut de réserve nationale de faune.

Outre le canard noir, on y observe entre autres la sarcelle d'hiver, la sarcelle à ailes bleues, le canard chipeau et le canard colvert. L'organisme responsable de la gestion de la réserve, la corporation PARC Bas-Saint-Laurent, organise le baguage de canards, habituellement de la fin août à la mi-septembre. Il est possible de participer à l'opération en petits groupes restreints durant une demi-journée ou une journée complète, moyennant certains frais. Les participants sont ainsi appelés à manipuler les canards. Des visites guidées en période de baguage sont aussi offertes. Le baguage permet entre autres de recueillir des informations sur la dynamique des populations et la longévité des canards. Environ 130 espèces d'oiseaux ont été dénombrées à la réserve, propriété du Service canadien de la faune (Environnement Canada). Parmi celles-ci, on retrouve : le faucon pèlerin et la pie-grièche migratrice, deux espèces en péril au Québec, de même que le bruant de Nelson et le hibou des marais, deux espèces susceptibles d'être désignées menacées ou vulnérables. Les oies des neiges et les bernaches du Canada y font halte lors des migrations.

Répartis sur quelques sites, des sentiers d'une dizaine de kilomètres au total, la plupart faciles, permettent aux visiteurs de partir à la découverte de cette riche avifaune. Certains sentiers longent les battures du fleuve, mais l'un d'entre eux, le Roitelet, traverse un milieu forestier composé principalement de conifères, où évoluent lièvres d'Amérique, porcs-épics d'Amérique, renards roux, ratons laveurs et visons d'Amérique. Le centre d'interprétation est accessible depuis la route 132. Exposition sur place.

Située juste en face, l'île Verte est un autre grand lieu d'intérêt pour l'observation des oiseaux et des mammifères marins. L'île abrite le plus vieux phare du Saint-Laurent. Sentiers de randonnée pédestre. Services de traversier et de bateau-taxi, selon les marées, offerts depuis la marina de l'Isle-Verte.

COUPS DE CŒUR

♥ Participer aux activités de baguage de canards de la fin août à la mi-septembre.

♥ Admirer la richesse du marais à spartines, habitat privilégié du canard noir.

♥ Fouler les sentiers le long des battures du fleuve Saint-Laurent.

EN UN CLIN D'ŒIL

À FAIRE : Une dizaine de kilomètres de sentiers de randonnée pédestre, la plupart faciles. Activité de baguage de canards en petits groupes restreints de la fin août à la mi-septembre : 50 $ pour une demi-journée et 70 $ pour la journée complète. Sinon, visite guidée d'environ deux heures en période de baguage : 10 $ par personne.

SERVICES : Centre d'interprétation et pavillon d'accueil. Exposition. Visite guidée (payante). Toilettes. Aires de pique-nique.

TARIFS : L'accès aux sentiers et au centre d'interprétation est gratuit. Carte des sentiers disponible au poste d'accueil. Fermé l'hiver.

ACCÈS : Le poste d'accueil est situé au 371, route 132 à l'Isle-Verte, à l'est de Rivière-du-Loup.

INFOS : (418) 898-2757
www.qc.ec.gc.ca/faune/faune.html/rnf_biv.html

Bas-Saint-Laurent

Ce petit archipel, accessible en bateau à partir de Rivière-du-Loup, est l'un des trésors naturels du Bas-Saint-Laurent. Il est la propriété de Duvetnor. Cette société privée, gérée par quatre biologistes, possède en fait huit îles qui portent toutes des noms évocateurs et colorés, comme l'île du Pot-à-l'Eau-de-vie, l'île aux Lièvres et l'île aux Fraises. La préservation et la conservation des lieux est l'une des priorités de Duvetnor. Les activités touristiques sont donc pratiquées en harmonie avec la nature.

De tout l'archipel, c'est l'île aux Lièvres, longue de 13 km, qui est la plus facilement accessible. Il est possible de faire l'aller-retour dans une même journée à partir de la marina de Rivière-du-Loup. Les horaires varient selon les marées. Excursions d'une durée de cinq ou neuf heures possibles. Également : coucher en chalet, en camping sauvage ou en auberge. Une fois sur place, les crèches des eiders à duvet, qui nichent autour des îles, se laissent observer. Bon nombre d'oiseaux forestiers aussi. Quelque 45 km de sentiers balisés (de faciles à difficiles) sont aménagés pour les randonneurs. Les observateurs découvriront avec ravissement les phoques sur les récifs à la pointe est de l'île. Le sentier du Jardin mène sur la trace de lichens et de sabots de la vierge, tandis que le sentier de la Corniche offre un point de vue sur Charlevoix. À noter : il n'y a aucun prédateur important sur l'île. Pas d'ours noirs, ni de mouffettes rayées, mais des lièvres d'Amérique dans la forêt, des souris sylvestres et quelques couleuvres. L'île au complet se laisse découvrir en trois jours.

Il est aussi possible de se rendre sur l'île du Pot-à-l'Eau-de-vie, mais uniquement en randonnée guidée ou dans le cadre d'un luxueux forfait qui permet une nuitée au phare. Il n'y a que trois chambres : tranquillité assurée. À cet endroit, ce sont les oiseaux marins qui volent la vedette : cormorans, guillemots, mouettes tridactyles, grands hérons, petits pingouins, etc.

Duvetnor organise aussi des excursions thématiques en mer (quelques-unes sans débarquement) pour chacune de ses îles. Au programme : observation des oiseaux et des mammifères marins, et interprétation du patrimoine naturel et historique. Les activités de Duvetnor s'étendent de la mi-mai au début octobre.

COUPS DE CŒUR

♥ Découvrir la beauté sauvage de l'île aux Lièvres.

♥ Admirer les couchers de soleil sur Charlevoix depuis le camping des Cèdres de l'île aux Lièvres.

♥ S'offrir un luxe : une nuitée magique au phare de l'île du Pot-à-l'Eau-de-vie.

À FAIRE : Randonnée pédestre sur l'île aux Lièvres (45 km de sentiers faciles à difficiles). Observation de la faune et de la flore. Excursions thématiques en mer autour des huit îles de la société Duvetnor.

SERVICES : Service de navette (horaire variable selon les marées), location de chalets, camping sauvage et nuitées en auberge sur l'île aux Lièvres. Interprétation de la nature. Service de restauration minimale sur l'île aux Lièvres. Liste des oiseaux disponible auprès de la société et sur son site Internet.

TARIFS : Navette vers l'île aux Lièvres pour excursions de cinq ou neuf heures : 35 $ aller-retour par adulte et 20 $ par enfant. Différents forfaits pour excursions en mer : de 25 à 60 $. Forfait « nuitée au phare de l'île du Pot-à-l'Eau-de-vie » : 195 $ par personne (occupation double en haute saison). Également offerts : séjours découvertes.

ACCÈS : Tous les départs pour l'archipel des Îles du Pot-à-l'Eau-de-vie et l'île aux Lièvres s'effectuent de la marina de Rivière-du-Loup, accessible par la route 132. Vérifier les horaires et les activités avant de s'y rendre.

INFOS : (418) 867-1660
www.duvetnor.com

Reconnue refuge d'oiseaux migrateurs, l'île aux Basques est l'un des fleurons de la Société Provancher, propriétaire des lieux depuis 1929. Pour y accéder, il faut passer par le gardien de l'île qui organise des visites quotidiennes de la mi-juin (après la période de nidification) au début de septembre. Y sont racontés : l'histoire de l'île, qui fut notamment un important comptoir d'échange des tribus amérindiennes et fréquentée par les pêcheurs basques, ainsi que l'éventail de ses richesses naturelles.

L'île n'est peut-être pas très grande (deux kilomètres de long sur 400 m de large), mais elle compte néanmoins 400 différents types de plantes. Environ 90 % du territoire est boisé ; le sapin baumier, l'épinette blanche et le bouleau à papier y dominent. Certains arbres sont plus que centenaires. De plus, les fraises, framboises, groseilles et champignons poussent allègrement sur l'île. Fait intéressant : la rigueur du climat et les vents violents du large favorisent la croissance d'une dizaine de plantes arctiques. L'île aux Basques, située à cinq kilomètres de Trois-Pistoles, compte peu ou pas de gros mammifères,

car son accès est limité. Un pont de glace ne relie l'île à la terre ferme que quelques jours par année. Les ornithologues amateurs y trouveront toutefois leur compte. Près de 230 espèces d'oiseaux, aquatiques et terrestres, ont été identifiées sur l'île. Parmi les plus couramment observées : le cormoran à aigrettes, le grand héron, l'eider à duvet, le goéland argenté et le goéland marin. Le balbuzard pêcheur y est présent. Il est aussi possible d'observer autour de l'île des mammifères marins, comme le béluga et le phoque commun.

Les visites guidées durent environ trois heures. Il est également possible de dormir sur l'île dans l'un des trois chalets à louer. Mais il faut absolument être membre de la Société Provancher (20 $ par personne) pour profiter de ce lieu riche en histoire qui compte des fours basques construits entre 1580 et 1630. Le site a d'ailleurs reçu le statut de lieu historique national du Canada en 2001. La conservation de l'île étant prioritaire, il est interdit de s'y rendre par ses propres moyens.

COUPS DE CŒUR

- ♥ Observer l'une des 230 espèces d'oiseaux aquatiques et terrestres de l'île.
- ♥ Apprendre la riche histoire des lieux, qui furent fréquentés par les pêcheurs basques et où il y avait jadis un important comptoir d'échange des tribus amérindiennes.

À FAIRE : Randonnée pédestre. Visite guidée de l'île et coucher en chalet possible pour les membres de la Société Provancher.

SERVICES : Service de guide assuré par le gardien de l'île. Trois chalets, sans électricité, en location.

TARIFS : Le tour guidé de l'île coûte 15 $ par personne et dure environ trois heures. Les tarifs de location des chalets débutent à partir de 80 $ par nuit. Il en coûte 20 $ par personne pour être membre de la Société Provancher.

ACCÈS : L'île aux Basques est accessible depuis la marina de Trois-Pistoles, située en bordure de la route 132.

INFOS : Auprès du gardien de l'île au (418) 851-1202 ou de la Société Provancher au (418) 877-6541 www.provancher.qc.ca.

5

La Société d'écologie de la batture du Kamouraska (SEBKA) est bien connue des adeptes d'escalade. Chaque saison, environ 7000 grimpeurs fréquentent les falaises de Saint-André. Plus de 100 voies d'escalade de tous les niveaux et des points de vue imprenables sur le fleuve s'offrent à eux. Il faut s'enregistrer au poste d'accueil au préalable. Mais l'escalade n'est pas la seule activité offerte par la SEBKA, un organisme sans but lucratif.

Environ 12 km de randonnée pédestre, principalement répartis en deux sentiers (la Halte écologique et l'Amphithéâtre) et les excursions en kayak de mer figurent aussi parmi les activités de prédilection de l'endroit. Les randonneurs ont l'occasion de longer le littoral et ses marais salés avec le sentier de la Halte, tandis que celui de l'Amphithéâtre, plus exigeant physiquement, permet d'admirer des grimpeurs en action. Les visiteurs peuvent lire des panneaux d'interprétation de la flore et emprunter des parcours autoguidés.

Comme au parc national du Bic, la présence du fleuve Saint-Laurent attire une grande variété d'oiseaux aquatiques, comme le canard noir, l'eider à duvet et le grand héron. Des phoques peuvent être observés à l'occasion. Les oies des neiges et les bernaches du Canada y sont de passage lors des migrations. Les oiseaux de proie aussi. Les différents écosystèmes (montagne, prairie, falaise) attirent également renards roux, ratons laveurs et porcs-épics d'Amérique.

De plus en plus prisées, les excursions guidées en kayak autour des îles de l'archipel de Kamouraska, moyennant certains frais, sont une autre façon de découvrir la faune et la flore aquatiques de l'endroit et d'entrer en contact avec le fleuve. Sur place : environ 50 sites de camping semi-sauvage, aires de piquenique et hébertisme. Visite guidée avec guide-naturaliste sur réservation. Nombreux belvédères et vue, par temps clair, sur Pointe-au-Pic, dans Charlevoix. Animaux de compagnie interdits.

COUPS DE CŒUR

- ♥ Découvrir la richesse de la faune et de la flore aquatiques par le biais d'une excursion guidée en kayak.
- ♥ Parcourir le sentier de la Halte écologique, sur le littoral.
- ♥ Admirer les grimpeurs en action en foulant le sentier de l'Amphithéâtre.

À FAIRE : Randonnée pédestre (12 km), escalade, excursions guidées en kayak, camping, interprétation de la nature.

SERVICES : Bâtiment d'accueil avec toilettes, parcours autoguidés d'interprétation de la nature (5 $ pour le guide d'exploration écologique), camping, visite guidée sur réservation, aires de pique-nique, hébertisme.

TARIFS : Les tarifs varient selon les activités pratiquées. Il en coûte 3 $ par adulte pour la randonnée pédestre et 1 $ pour les enfants de 13 ans ou moins. Gratuit pour les enfants de 6 ans ou moins. Carte annuelle de la Fédération d'escalade vendue 40 $. Aussi, carte de membre des Falaises de Saint-André (25 $).

ACCÈS : La Société est située au 273, route 132 Ouest à Saint-André de Kamouraska. Sortie 480 de l'autoroute 20.

INFOS : (418) 493-9984
www.sebka.ca

Bas-Saint-Laurent

Capsules nature

6 Site ornithologique du marais de Gros-Cacouna

À deux pas du port de Cacouna, le site ornithologique du marais de Gros-Cacouna permet d'observer le râle jaune, une espèce susceptible d'être désignée menacée ou vulnérable. L'endroit est également fréquenté par nombre de canards barboteurs et plongeurs, comme le grand harle, le harle couronné, des fuligules et des garrots. Très rare visiteur, l'ibis falcinelle a déjà été aperçu sur place. Des démarches ont été entreprises pour faire déclarer l'endroit réserve nationale de faune. Deux sentiers, qui totalisent 5 km, ont été aménagés : le sentier de la Savane (facile) et le sentier de la Montagne (intermédiaire). Ce dernier, qui permet de gagner un peu d'altitude, offre une fenêtre sur les paysages marins. Possibilité d'observer de là-haut des mammifères marins, comme le béluga et le petit rorqual. Panneaux d'interprétation de la nature. Tours d'observation et cache. Ouvert de mai à octobre. L'accès au site est gratuit. Toilette chimique. Aire de pique-nique. Situé sur la route de l'Île, à la sortie du village de Cacouna. Accessible par la route 132. Infos : (418) 898-2757.

7 Sentiers d'interprétation du littoral et de la rivière Rimouski

Très bien aménagés, les sentiers d'interprétation du littoral et de la rivière Rimouski représentent une zone protégée et offrent trois parcours d'environ cinq kilomètres chacun (faciles). Le plus populaire longe les marais salés du fleuve Saint-Laurent, tandis que les deux autres bordent la rivière Rimouski. Certains segments du réseau de sentiers sont également accessibles aux vélos. Environ 200 espèces d'oiseaux ont été dénombrées dans cet espace vert, propriété de la ville de Rimouski. Les oies des neiges et les bernaches du Canada fréquentent les lieux lors des migrations. Nombreux canards et hérons. L'iris versicolore, l'aster à grandes feuilles, l'actée rouge et l'épilobe embellissent les lieux durant l'été. L'hiver, l'endroit permet la pratique de la raquette et du ski de fond. Anecdote : le sentier du Littoral permet d'accéder au Rocher blanc, où l'explorateur Bernard Voyer a appris les rudiments de l'alpinisme. La carte des sentiers est disponible au bureau d'information touristique de Rimouski. Accessible aux personnes à mobilité réduite. L'accès aux sentiers est gratuit. Il y a 20 accès différents pour les sentiers à Rimouski, dont 11 avec stationnements. L'un de ceux-ci se trouve sur la rue des Vétérans. Suivre la signalisation.
Infos : Tourisme Rimouski, (418) 723-2322.

8 Île Saint-Barnabé

Juste en face de Rimouski, à 10 minutes en bateau, l'île Saint-Barnabé offre un joyeux dépaysement pour quelques heures ou une journée. Des orignaux ont d'ailleurs fait le trajet à marée basse ou par le pont de glace pour y établir leurs quartiers. Si bien que l'île compte maintenant de cinq à six orignaux qui s'y reproduisent. Les visiteurs peuvent aussi observer quelques phoques communs aux abords de l'île, qui

accueille 72 espèces d'oiseaux. Parmi les plus fréquentes : canards, cormorans et hérons. L'endroit abrite d'ailleurs une héronnière, qu'il faut éviter d'approcher. L'île à six kilomètres de long, mais avec les différentes boucles aménagées, les randonneurs ont accès à un réseau de sentiers, tous faciles, de 20 km. Guide naturaliste sur place. Aires de pique-nique, abris et toilettes sèches. Carte des sentiers gratuite au bureau d'information touristique de Rimouski. Traversées fréquentes à partir de la marina. Tarification : 14 $ par adulte et 9 $ par enfant. Prix pour familles et pour groupes. De la fin juin au début septembre. Rimouski est accessible par la route 132.

Infos : (418) 723-2322.

⑨ Canyon des portes de l'enfer

Situé au sud de Rimouski, le Canyon des portes de l'enfer voit grand avec ses parois de 90 m de haut, sa chute de 20 m (la chute Grand Sault), la plus haute passerelle suspendue au Québec (63 m) et l'un des plus grands ravages de cerfs de Virginie dans l'est du Québec. On y pratique la randonnée pédestre (14 km), le vélo de montagne et le camping sauvage (11 emplacements). Outre les cerfs de Virginie, il est possible de rencontrer des orignaux et des petits mammifères comme le renard roux et le raton laveur. Il y a deux terrains de stationnement à quelques kilomètres du centre d'accueil, d'où partent la plupart des sentiers. Points de vue sur le canyon. La descente aux enfers, avec son escalier de 300 marches, permet d'observer la rivière de plus près. Activités d'interprétation, en saison, sur la drave (pratiquée sur la rivière Rimouski jusqu'en 1935), les cerfs de Virginie et les castors d'Amérique. Petit service de restauration en saison. Aire de pique-nique. Ouvert de la mi-mai à la fin octobre. Consultez l'horaire. Entrée payante. Location de vélos et boutique souvenirs. Accès : de Rimouski, emprunter la route 232 jusqu'à Saint-Narcisse ou la sortie 610 de l'autoroute 20. Le Canyon est situé au 1280, route Duchénier.

Infos : (418) 735-6063 ou www.canyonportesenfer.qc.ca

⑩ Parc des Chutes et de la Croix lumineuse

Une oasis de verdure de 50 acres en milieu urbain, le parc des Chutes est situé au centre-ville de Rivière-du-Loup et compte trois secteurs. Parmi eux : le Platin, qui permet la découverte de plusieurs écosystèmes, comme un verger ancestral, un marais, une rivière et une cédrière. Des nichoirs à merlebleus de l'Est et à canards branchus y ont été aménagés. Dix kilomètres de sentiers, de faciles à difficiles, pour la randonnée pédestre. Les deux autres secteurs sont davantage des aires d'observation et de repos. À voir au parc des chutes : une forte chute de 33 m de haut et deux passerelles donnant accès aux rives de la rivière du Loup. Une centrale hydroélectrique centenaire restaurée peut être visitée, sur réservation. Au sommet d'un promontoire, le parc de la Croix offre un point de vue sur le fleuve et ses îles. Il tient son nom de la croix illuminée qui surplombe le parc. Entrée gratuite. Aires de pique-nique et toilettes. Accès : emprunter la rue Lafontaine au centre-ville et suivre la signalisation. **Infos : (418) 862-9810 ou www.ville.riviere-du-loup.qc.ca**

⑪ Les Sept-Chutes et la montagne à Coton

Situé dans la belle région de Kamouraska, Saint-Pascal offre deux sites aux amants de la nature. Le premier, les Sept-Chutes, est situé à l'extérieur de la ville. Détail : le sentier de 5 km ne permet pas de voir les sept chutes, mais plusieurs d'entre elles. La rivière Kamouraska a creusé son nid dans le schiste. Des escaliers mènent près de l'eau. Secteur boisé avec pins rouges et prairies. Également à Saint-Pascal, la montagne à Coton. Celle-ci tient son nom d'un ermite, le père Coton, qui aurait habité la montagne. Un court sentier permet d'atteindre en 30 minutes environ le sommet situé à 150 m d'altitude. Plusieurs belvédères. Du sommet, vue panoramique sur la région, le fleuve, les îles et, lorsque le ciel est dégagé, Charlevoix. Dépliants sur les deux sites disponibles en saison au bureau d'information touristique de Saint-Pascal. L'accès est gratuit. **Infos : (418) 492-7753 ou www.villesaintpascal.qc.ca**

⑫ Sentier national

D'une longueur de 144 km, le Sentier national sillonne le Bas-Saint-Laurent du nord au sud. Il va de Trois-Pistoles à Dégelis, à la frontière du Nouveau-Brunswick. Le réseau de sentiers (faciles et intermédiaires) qui traverse 10 municipalités est relié à une centrale d'appels. Les randonneurs peuvent ainsi s'informer des différents forfaits offerts et planifier leurs couchers, ce qui constitue une première pour le Sentier national. Ce projet est une collaboration de l'organisme PARC Bas-Saint-Laurent et de la Fédération québécoise de la marche. L'un des 12 tronçons, le tronçon Senescoupé, offre une panoplie de services allant de l'hébergement au service de guides. Les attraits naturels y sont nombreux : falaises escarpées, chutes et marmites, ainsi que différents peuplements forestiers, comme des érablières, une rare pinède rouge à pin blanc et une sapinière sèche à thuya et pin blanc. Lacs et rivières accessibles en

cours de route. Ravages de cerfs de Virginie. Points de vue sur le fleuve.
Raquette en hiver. Fermé durant la saison de la chasse.
Infos : (418) 867-8882 (PARC Bas-Saint-Laurent),
        (418) 963-7283 (Corporation touristique de Saint-Clément)
        www.leterroirbasque.ca/sentiernational.htm

⑬ Centre d'interprétation de l'anguille de Kamouraska

Pour en apprendre sur les techniques anciennes et nouvelles de pêche
à l'anguille. La propriétaire des lieux pratique ce métier traditionnel
depuis plus de 30 ans. Visite guidée et dégustation. Tous les jours du
début juin à la mi-octobre. Entrée payante. Situé au 205, avenue Morel,
à Kamouraska.
Infos : (418) 492-3935.

⑭ Animafaune, le moulin des découvertes

L'endroit permet de découvrir la faune de l'est du Québec. À partir d'une
passerelle en bois, admirez de près (et sans danger) : cerf de Virginie,
couguar de l'Est, etc. Expositions, jeux, présentations vidéo, etc. Entrée
payante. Tous les jours de la mi-juin à la mi-octobre. Situé au 34, route
132 à Saint-Fabien.
Infos : (418) 869-2222 ou www.animafaune.qc.ca

En cas de pluie

⑮ Aster, la station scientifique du Bas-Saint-Laurent

Initiation à l'astronomie. Planétarium, expositions commentées et télescope avec lequel
il est possible d'observer la voûte céleste.
Également : initiation à la géologie, la sismo-
logie, la météorologie, les énergies douces
(éolienne et solaire). Animation et visite
guidée. Tous les jours de la fin juin au début
septembre. Entrée payante. Situé au 59,
chemin Bellevue à Saint-Louis-du-Ha!-Ha!,
municipalité accessible de Rivière-de-Loup
par la route 185 Sud.
Infos : (418) 854-1898.

10 Station de montagne Au Diable Vert

11 Réserve écologique de la Vallée-du-Ruiter

12 Mont Pinacle (Frelighsburg)

13 Refuge naturel Baie-Missisquoi

14 Parc de la Gorge de Coaticook

15 Mont Hereford (East Hereford)

16 Centre de la nature de Farnham

17 Sentiers pédestres Cambior

18 Marais de la rivière Saint-François

19 Forêt habitée de Dudswell

20 Marais Duquette

21 Sentier de la promenade

22 Étang Streit (Saint-Armand)

23 Centre d'interprétation de la nature
    de l'étang Burbank

24 Marais Maskinongé

25 Parc écoforestier de Johnville

26 Bois Beckett

27 Sentier du Morne

28 Sentiers de l'Estrie

29 Zoo de Granby

30 Estrie-Zoo

31 Zoo et refuge d'oiseaux exotiques Icare

32 Mine Cristal Québec

33 Mines Capelton

34 Parc du Domaine-Howard

35 Arbre en arbre

36 Musée de la nature et des sciences de Sherbrooke

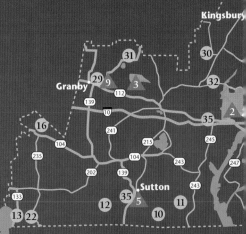

1 **Parc national du Mont-Mégantic**
2 **Parc national du Mont-Orford**
3 **Parc national de la Yamaska**
4 **Sentiers frontaliers**
5 **Parc d'environnement naturel de Sutton**
6 **Parc Harold F. Baldwin**
7 **Île du Marais**
8 **Mont Ham**
9 **Centre d'interprétation de la nature
 du Lac Boivin**

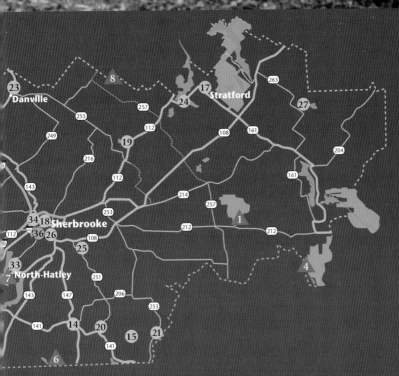

Au bout de la route 212, à l'est de Sherbrooke, se dresse le massif du mont Mégantic avec ses trois sommets culminant à plus de 1000 m chacun. Monts et vallées deviennent un terrain de jeux à l'état sauvage dans ce parc national. Les infrastructures et les services y sont impeccables. L'endroit est également reconnu pour ses observatoires. L'astronomie y occupe une place importante et est au cœur d'activités d'observation des étoiles fort courues, surtout les week-ends. Ces activités ont lieu à la base et au sommet de la montagne. Le parc compte plusieurs télescopes, dont l'un des plus puissants au Canada. Ce dernier, situé au sommet du mont Mégantic (1105 m), est utilisé par des chercheurs universitaires. Un rendez-vous avec la science et la nature. Et quelle nature ! Plus on grimpe, plus la faune et la flore changent. Sept sentiers de randonnée pédestre faciles à difficiles totalisant 50 km vous feront traverser des forêts de feuillus et de conifères. Les flancs du mont Mégantic sont particulièrement riches en lichens et mousses qui recouvrent tout sur leur passage (souches, rochers, bords de ruisseau, etc.). Fait à noter : il n'y a pas de rivière, ni de lac au parc, que des ruisseaux.

Outre l'orignal, présent en quantité notable, le cerf de Virginie, l'ours noir et plusieurs autres mammifères habitent le parc national du mont Mégantic. On y a répertorié environ 125 espèces d'oiseaux, dont le mésangeai du Canada, qu'il vaut mieux ne pas nourrir. Très difficile à observer, la grive de Bicknell est l'animal emblème du parc. Cette espèce, qui vit en altitude (900 m), est susceptible d'être désignée menacée ou vulnérable.

Le parc du mont Mégantic organise des activités d'interprétation à longueur d'année. Randonnée pédestre avec panneaux d'interprétation sur l'étagement de la végétation le long du sentier du mont Saint-Joseph, au sommet duquel se trouvent une chapelle et un refuge. Pour les plus costauds, un classique : le sentier des trois sommets offre 15 km de ravissement et de labeur. Prévoir entre cinq et huit heures pour cette randonnée. Sinon, les autres escapades varient entre 40 minutes et deux heures. Certains sentiers sont ouverts aux vélos de montagne. En hiver, la neige est abondante dans la région : glissade, raquette (26 km), ski de randonnée (28 km) et ski hors piste (18,6 km). Le paysage est féerique. Les conifères croulent littéralement sous la neige. Treize sites de camping rustique, six refuges (dont certains sur les sommets) et quatre tentes de prospecteur sont offerts en location.

COUPS DE CŒUR

♥ Admirer la vue sur les montagnes environnantes et, la nuit venue, la voûte étoilée lors d'une activité à l'observatoire.

♥ Compléter les 15 km du sentier des trois sommets (Mégantic, Saint-Joseph et Notre-Dame).

♥ Observer les forêts denses et pleines de mousses sur les flancs du mont Mégantic.

À FAIRE : Cinquante kilomètres de sentiers de faciles à difficiles pour la randonnée pédestre et, sur certains segments, le vélo de montagne. Ski de randonnée (28 km), ski hors piste (18,6 km) et raquette (26 km). Activités entourant l'astronomie au sommet du mont Mégantic et près du poste d'accueil principal. Réservations obligatoires.

SERVICES : Visites guidées dans le parc en haute saison. Camping, tentes de prospecteur et refuges. Bâtiment d'accueil, toilettes, casse-croûte, exposition permanente, salle multimédia, aires de pique-nique. Location de skis et de raquettes en hiver.

TARIFS : Droit d'accès de 3,50 $ par adulte et de 1,50 $ par enfant. Prix pour familles et groupes. Abonnement annuel disponible. La carte des sentiers est vendue 2,30 $ au poste d'accueil. Certains frais s'ajoutent selon les activités pratiquées.

ACCÈS : De Sherbrooke, prendre la route 112 Est en direction de Cookshire. De là, emprunter la route 212 jusqu'au village de Notre-Dame-de-Bois. Dans le village, suivre les indications jusqu'au parc.

INFOS : Parc national du Mont-Mégantic, 1-866-888-2941 www.sepaq.com ou www.astrolab.qc.ca

Cantons-de-l'Est

Des lacs, des plages, un chapelet d'étangs, 120 km de sentiers, une forêt mature d'érables et des pistes cyclables, vraiment, le parc national du Mont-Orford a de quoi rassasier les amateurs de nature et de plein air. Cette zone de conservation et de loisirs de 58 km^2 est notamment reconnue pour la diversité de son herpétofaune (reptiles et amphibiens). Quatre étangs (Fer-de-lance, Martin, du Milieu et aux Cerises) sont accessibles aux visiteurs. La salamandre pourpre (une espèce susceptible d'être désignée menacée ou vulnérable) s'y réfugie, de même que plusieurs autres espèces de salamandres, de grenouilles, de couleuvres et, bien sûr, de tortues.

Vers la fin mai, quand le temps s'adoucit, les nombreuses tortues du parc sortent de leurs étangs à la recherche d'un sol graveleux (comme on en retrouve sur le bord de la route) pour pondre leurs œufs. Résultat : le chemin qui relie l'entrée du parc au camping Stukely est littéralement pris d'assaut durant cette période. On invite d'ailleurs les automobilistes à la vigilance. Il est interdit de se stationner sur l'accotement. Cette consigne s'applique aussi l'été sur le bord de l'étang Huppé, où se trouvent neuf nids de grands hérons. Selon les endroits, on peut observer dans le parc différentes espèces d'oiseaux dont le plongeon huard et la chouette rayée. Celle-ci est d'ailleurs l'animal emblème du parc.

De mai à octobre, les quelque 460 places de camping (secteurs Stukely et Fraser), les 21 plates-formes de camping rustique et les trois refuges attirent des milliers de vacanciers qui ont soif de connaissances. Activités guidées et d'interprétation offertes tous les jours en saison et sporadiquement en hiver. La famille préférera fréquenter l'une des deux plages du parc ou emprunter le sentier (facile) d'auto-interprétation menant à l'étang Fer-de-lance. Les aventuriers considéreront La longue randonnée (difficile), longue de 23,1 km, qui emprunte les sentiers des Crêtes et du mont Chauve. Vue superbe depuis le Pic de l'ours. Ce sentier relie les routes 112 et 220. Sinon, le mont Chauve (difficile, 3 heures de marche aller-retour depuis le secteur Stukely) permet de faire une belle promenade. En septembre et octobre, c'est la flambée des couleurs dans les forêts matures dominées par l'érable à sucre. En hiver, le parc offre 80 km de sentiers de ski de fond (pas classique ou pas de patin), de même que 16 km pour la raquette en montagne. Certains sentiers sont fermés en hiver. Renseignez-vous.

COUPS DE CŒUR

♥ Observer les reptiles, les amphibiens et les oiseaux autour de l'un des quatre étangs accessibles au public.
♥ Faire du ski ou de la raquette en hiver.
♥ Se prélasser sur les plages des lacs Stukely et Fraser en été.

À FAIRE : Baignade, randonnée pédestre (120 km), activités d'interprétation de la nature, vélo, camping. L'hiver : ski de fond (80 km), raquette de montagne (16 km), camping.

SERVICES : Vaste camping aménagé (461 emplacements dans deux secteurs), 21 plates-formes pour camping rustique, trois refuges pour hébergement communautaire. Casse-croûte et épicerie de dépannage. Blocs sanitaires. Location d'embarcations (canots, kayaks, chaloupes et pédalos) et, en hiver, de raquettes. Boutique nature.

TARIFS : 3,50 $ par adulte et 1,50 $ par enfant de 6 à 17 ans. Tarifs pour familles et groupes. Coûts additionnels pour certaines activités. Abonnement annuel disponible. Frais de stationnement lorsque la plage est surveillée. Carte détaillée vendue 2,30 $ au poste d'accueil Le cerisier.

ACCÈS : Sortie 115 ou 118 de l'autoroute 10. Des panneaux vous guident jusqu'au centre d'accueil du parc.

INFOS : (819) 843-9855, 1-800-665-6527
www.sepaq.com

Longtemps méconnu, le parc national de la Yamaska gagne en popularité. L'endroit a été aménagé de toutes pièces en 1977 par le gouvernement du Québec, qui souhaitait créer une réserve d'eau potable pour la ville de Granby, située à une dizaine de kilomètres de là. Pour y arriver, il a fallu inonder le village de Savage Mills. Le tronçon nord de la rivière Yamaska, contenu par deux digues, a donné naissance au réservoir Choinière. La présence de ce plan d'eau de 4,75 km² attire quantité de goélands à bec cerclé et de canards. Durant les migrations (printemps et automne), les bernaches du Canada et les oies des neiges font de l'endroit une de leurs haltes de prédilection. Les observateurs avertis peuvent également observer pygargues à têtes blanches, martins-pêcheurs d'Amérique et balbuzards pêcheurs dans le secteur de l'embouchure de la rivière Yamaska nord.

Selon la documentation officielle, le parc de la Yamaska compte 34 essences d'arbres (dont plusieurs feuillus bicentenaires), 38 espèces d'arbustes et 430 espèces de plantes herbacées. Pas moins de 234 espèces d'oiseaux y ont été recensées. Il n'est pas rare non plus de tomber sur un cerf de Virginie, une gélinotte huppée, un raton laveur ou, si on a de la chance, un renard roux, au détour d'un sentier.

Le parc de la Yamaska exerce un fort pouvoir d'attraction l'été à cause de sa grande plage surveillée. Les amants de la nature ne sont toutefois pas en reste. Les activités y sont nombreuses. Le parc compte un réseau de sentiers de randonnée pédestre de 18 km. Ce même réseau accueille aussi les bicyclettes. Il est ainsi possible de faire le tour du réservoir Choinière, mais également de joindre les pistes cyclables la Campagnarde et la Granbyenne. Un camping de 109 places a été aménagé dans le parc en 2002, ce qui a fait augmenter l'offre des activités d'interprétation de la nature. L'été, on peut louer canots, kayaks et pédalos pour partir à la découverte de la faune aquatique. Bloc sanitaire et casse-croûte sur place.

L'hiver, un magnifique réseau entretenu de 28 km attend les fondeurs, tandis que les adeptes de la raquette ont 15 km de sentiers à découvrir. Relais chauffés.

COUPS DE CŒUR

♥ Se promener, à pied, en skis ou en raquettes parmi les érables bicentenaires ou les thuyas.
♥ Observer la faune et la flore aquatiques du réservoir Choinière dans une embarcation louée.
♥ Camper sur l'un des 109 sites.

À FAIRE : Canot, kayak et pédalo sur un lac de presque 5 km². Près de 20 km de sentiers pédestres et cyclables. Baignade (plage surveillée). Ski (28 km) et raquette (15 km). Activités d'interprétation à longueur d'année.

SERVICES : Camping (109 places). Bâtiment d'accueil, toilettes, casse-croûte, dépanneur, exposition permanente, boutique nature. Des centaines de tables de pique-nique face au réservoir. Location d'embarcations en été et de raquettes en hiver.

TARIFS : Droit d'accès de 3,50 $ par adulte et de 1,50 $ par enfant. Tarifs additionnels pour la plage et le camping en été, et pour le ski de fond en hiver. Prix pour familles et groupes. Abonnement annuel disponible. La carte du parc et des sentiers est offerte gratuitement à la guérite ou au bâtiment d'accueil.

ACCÈS : Autoroute 10, sortie 68, suivre la route 139 et les panneaux indicateurs ; ou autoroute 10, sortie 74, boulevard Pierre-Laporte en direction de Granby, joindre la route 112, puis le rang Ostiguy. De Granby, prendre le 8ᵉ rang ouest, accessible par la 139 ou la rue Dufferin. Le 8ᵉ rang mène directement au parc. Suivre les panneaux.

INFOS : (450) 776-7182
www.sepaq.com

Cantons-de-l'Est

Un massif de la trempe des monts Chics-Chocs à une heure de Sherbrooke, juste au sud du mont Mégantic : voilà ce qu'offrent les Sentiers frontaliers, un territoire sauvage qui longe la frontière du Maine. Plus de 110 km de sentiers balisés qui traversent le mont Saddle et la montagne de Marbre, mais aussi le majestueux mont Gosford qui, avec ses 1193 m, occupe le quatrième rang des sommets du Québec. La tour d'observation au sommet offre un panorama sur 360 degrés. Dépaysement garanti. Sur un autre sommet, le Cap frontière près de Woburn, le randonneur est littéralement à califourchon sur le Canada et les États-Unis. Forêts de feuillus et de résineux, rivières, étangs, ruisseaux et vues à couper le souffle sur les montagnes du Maine et du New Hampshire.

La diversité des milieux traversés est garante de découvertes. Plusieurs espèces d'oiseaux y nichent, dont la grive de Bicknell, une espèce susceptible d'être désignée menacée ou vulnérable. Observations fréquentes de cervidés et de gélinottes huppées. Des lynx du Canada y sont présents. L'accès aux sentiers est gratuit, et on peut emprunter ceux-ci à partir de différents endroits. Voir la carte des sentiers disponible à l'entrée de la zone d'exploitation contrôlée (ZEC) Louise-Gosford, au parc du mont Mégantic ou à la municipalité de Woburn. Circuits de randonnée pédestre de quelques heures ou de plusieurs jours. Plus de 35 km de chemins forestiers pour le vélo. En automne, durant la saison de la chasse, les sentiers sont sporadiquement fermés pour des raisons de sécurité. Été comme hiver, il faut débourser 5 $ pour stationner sa voiture sur le site de la ZEC Louise-Gosford, donc sur le territoire du mont Gosford.

On trouve à l'entrée un bâtiment d'accueil avec toilettes et services. Il existe aussi un refuge de 10 places avec poêle à bois tout près de l'entrée de la ZEC. Ski et raquette hors piste en hiver. Sur le site de Gosford, location de deux tentes de prospecteur et de deux abris à trois faces. Il y a aussi plusieurs plates-formes de camping un peu partout le long des 110 km de sentiers. Possibilité d'amener son chien.

COUPS DE CŒUR

- ♥ Se retrouver en milieu sauvage.
- ♥ Grimper le mont Gosford qui, du haut de ses 1193 m, est plus élevé que le mont Albert dans les Chics-Chocs, en Gaspésie.
- ♥ Admirer les vues du haut des nombreux sommets, mais aussi la beauté des lieux (étangs, ruisseaux, forêts).

À FAIRE : Plus de 110 km de sentiers pédestres, faciles à difficiles, en forêt et en montagne. Vélo sur chemins forestiers. Camping. Raquette et ski hors piste.

SERVICES : Stationnement. Camping nature ou sur plates-formes. Tentes de prospecteur et abris à trois faces. Il n'y a pas de réservations : premier arrivé, premier servi.

TARIFS : Accès gratuit aux sentiers. Toutefois, stationnement payant de 5 $ par véhicule à la ZEC Louise-Gosford. Camping (les prix varient de 3 $ à 12 $ par nuit, par personne). Carte des sentiers vendue 4 $ à l'entrée de la ZEC Louise-Gosford.

ACCÈS : De Montréal, prendre l'autoroute 10 jusqu'à Sherbrooke. Suivre la route 108 jusqu'à Cookshire, puis la 212 jusqu'à Woburn. Avant le village, tourner sur le rang Tout-de-Joie et rouler sur environ 6 km.

INFOS : Municipalité de Woburn, (819) 544-4211, poste 223
www.foretgosford.ca
www.sentiersfrontaliers.qc.ca

Cantons-de-l'Est

Connu pour sa station de ski, le massif des monts Sutton (968 m) compte aussi un intéressant réseau de sentiers pour la randonnée pédestre et la raquette. Plus de 80 km de plaisir et de découvertes. Les randonneurs découvriront à la base du Parc d'environnement naturel de Sutton (PENS) une forêt de feuillus et, au sommet, un habitat typique des régions nordiques (conifères, mousses sur des arbres, etc.). Le tout jalonné de deux lacs et de nombreux ruisseaux. Une impressionnante variété de champignons attire également l'attention.

Cerfs de Virginie et pics y sont régulièrement observés, tandis que les plus chanceux pourront croiser un orignal (sur le sentier Dos d'orignal) mais également voir des ours noirs (peu fréquents), des coyotes, des loutres de rivière, des castors du Canada, etc. L'endroit compte plusieurs espèces d'oiseaux de proie et de parulines, de même que quantité d'amphibiens (salamandres et grenouilles).

Le sentier menant au sommet Rond (*Round Top*; environ deux heures trente de marche aller-retour depuis le terrain de stationnement, altitude 520) est le plus fréquenté. Mais certains passages peuvent être plus ardus pour les jeunes enfants. Par temps clair, l'imposant mont Washington, dans les montagnes Blanches du New Hampshire, est visible. À moins d'être un marathonien, vous en avez pour quelques jours avant d'avoir tout vu. Il n'y a qu'un refuge dans toute la montagne (altitude 840). En hiver, fermé aux randonneurs, le refuge devient un casse-croûte pour les clients de la station de ski Sutton. Sinon, un petit abri (un toit avec un mur de protection) se trouve au lac Spruce. Capacité d'accueil : de cinq à sept personnes. Les sentiers du Dos d'orignal, du lac Mohawk ou du mont Gagnon, quant à eux, offrent d'assez longues escapades (de quatre à sept heures).

Le PENS offre une programmation d'activités d'animation ainsi que des visites guidées (consulter le site Internet). Il est possible de camper en tout temps de l'année sur l'une des quatre plates-formes installées près du Nombril. Réservation auprès du PENS. Il faut s'y prendre à l'avance. On prévoit la construction d'un bâtiment d'accueil avec tous les services à altitude 520. C'est à cet endroit que les sentiers commencent. Les chiens sont tolérés.

COUPS DE CŒUR

♥ Admirer la vue exceptionnelle sur les Appalaches au bout du sentier menant au sommet Rond (*Round Top*), surtout en automne quand les feuillus explosent de couleurs.
♥ Pique-niquer sur le bord des lacs Spruce et Mohawk.
♥ Partir à la découverte du mont Gagnon, peu fréquenté, et de sa flore boréale.

EN UN CLIN D'ŒIL

À FAIRE : Environ 80 km de sentiers, faciles à difficiles, pour la marche et la raquette. Panneaux d'interprétation (sentiers Dos d'orignal et lac Spruce). De nombreux points de vue spectaculaires ; visites guidées de jour ou de nuit en montagne (selon la programmation).

SERVICES : Toilette sèche à Alt 520. Refuge de 20 places à Alt 840. En hiver, ce refuge, situé près des pistes de ski, est transformé en casse-croûte pour les skieurs. Abri ouvert au lac Spruce. Quelques terrains de camping près du Nombril.

TARIFS : Droit d'accès quotidien : 4 $ par adulte ; 2 $ par enfant. Abonnement annuel disponible. Stationnement gratuit. Carte des sentiers disponible pour 4 $ à Alt 520, au Bureau d'information touristique de Sutton (situé à côté de l'hôtel de ville), ou dans une boutique de plein air près de chez vous.

ACCÈS : Le village de Sutton est accessible par la route 139 Sud (sortie 68 de l'autoroute 10). En plein cœur du village, tourner à gauche, sur la rue Maple. Suivre les indications jusqu'à la station de ski. Début des sentiers au stationnement altitude 520 (Alt 520).

INFOS : PENS : (450) 538-4085 ou www.parcsutton.com ; Bureau d'information touristique de Sutton : 1-800-565-8455 ou www.sutton-info.qc.ca

Très beau site peu fréquenté, le parc Harold F. Baldwin est surtout apprécié des ornithologues amateurs comme lieu de nidification du faucon pèlerin, une espèce vulnérable. Pour les amateurs de sensations fortes, la montagne, un gigantesque bloc de granit, offre de belles falaises d'escalade surplombant le lac Lyster. Des alpinistes de partout s'y donnent rendez-vous.

L'endroit compte 7,9 km de sentiers pédestres, faciles à difficiles. Les randonneurs avec enfants peuvent compter une heure pour atteindre le sommet du mont Pinacle (665 m). Attention de ne pas confondre avec la montagne qui se dresse près de Frelighsburg et qui porte également le nom de mont Pinacle. Un sentier d'interprétation de 1 km comptant 22 arrêts permet aux curieux d'en apprendre davantage sur les nombreux phénomènes de la nature. Pour un contact direct avec le roc de la montagne, empruntez le sentier numéro trois, où un important éboulement est survenu vers 1900. C'est le sentier qu'empruntent les alpinistes pour accéder au pied des falaises. Au sommet de la montagne, le randonneur, perché sur d'énormes galettes de granit, peut observer les Appalaches. Une vue différente sur les monts Orford, Owl's Head et certains sommets des montagnes Vertes du Vermont.

Le parc abrite entre autres la chouette rayée et la mésange à tête brune. Une biologiste a dressé une liste de toutes les espèces fauniques et florales du parc. Entre autres résultats : 179 espèces de plantes, dont 19 variétés de fougères. Au printemps, assistez à l'éclosion des plus belles fleurs printanières du Québec : le trille ondulé, le sabot de la vierge et l'habénaire papillon. Une vingtaine d'espèces de mammifères et près d'une dizaine d'espèces d'amphibiens et de reptiles peuvent être observées dans ce parc peuplé de feuillus et de conifères matures.

Abri et tables de pique-nique ont été disposés au début des sentiers. Il n'y a pas de toilettes. L'accès est gratuit, mais il faut respecter certaines consignes : les chiens sont tolérés, mais en laisse ; vous devez rapporter vos déchets ; le camping et les feux sont interdits ; de même que la circulation en vélo ou en moto. Le parc est ouvert de mai à novembre. L'été, pour les amants de la baignade, il y a une jolie plage dans le village de Baldwin Mills. De la plage, la vue sur les falaises du mont Pinacle vaut à elle seule le détour. Il existe un « lac de tête », l'étang Baldwin, situé sur l'autre versant de la montagne. Ce petit lac paisible en zone protégée, qui ne fait pas partie du parc Harold F. Baldwin, est l'endroit idéal pour une promenade relaxante en chaloupe. Moucherolle à ventre jaune, pic à dos noir et plongeon huard y ont été observés. Location d'embarcations sur place en saison.

COUPS DE CŒUR

- ♥ Observer le faucon pèlerin du haut du mont Pinacle.
- ♥ Admirer la vue spectaculaire sur les Appalaches et sur le lac Lyster.
- ♥ Retenir son souffle en voyant les alpinistes faire de la haute voltige sur les falaises de granit.

À FAIRE : Huit kilomètres de sentiers faciles à difficiles. Interprétation de la nature (sentier de 1 km). Alpinisme pour les initiés. Début des sentiers à côté du magasin général dans le village, rue Mary, ou depuis la station piscicole, à la sortie du village

SERVICES : Visites guidées de jour en forêt et en montagne. Abri et aires de pique-nique en saison. Pas de toilettes. Rapportez vos déchets.

TARIFS : Accès et stationnement gratuits. La carte des sentiers est vendue au magasin général de la rue Mary.

ACCÈS : Baldwin Mills est accessible par le village de Barnston, situé sur la route 141. Cette route peut être empruntée en direction de Coaticook depuis l'autoroute 55. Dans le village, vous verrez les indications menant au début des sentiers.

INFOS : Bureau d'information touristique de Coaticook, (819) 849-6669 http://parchfbaldwin. regioncoaticook.qc.ca

Cantons-de-l'Est

L'île du Marais est une fiducie foncière privée qui a vu le jour en 1984. Elle appartient à une poignée de bénévoles qui veulent préserver la beauté et la richesse de cette zone marécageuse située au sud du lac Magog près de la petite municipalité de Sainte-Catherine-de-Hatley (autrefois Katevale). La fiducie permet aux visiteurs de fréquenter les lieux gratuitement. Il y a près de cent ans, une bonne partie des terres entourant le lac Magog a été inondée par la construction d'une digue, plus haut sur la rivière Magog près de Rock Forest, ce qui a donné naissance à un milieu humide de 150 hectares. La fiducie représente environ 30 % des lieux. Son objectif avoué : acheter tout le site marécageux. Les contributions volontaires sont donc très appréciées, voire essentielles.

L'équilibre des lieux est perturbé par les eaux trop fertilisées du lac Magog et les embarcations à moteur qui circulent trop près de l'île aux Castors, située à l'entrée du marais. C'est pourquoi le gestionnaire de la fiducie veut protéger l'endroit. Pas moins de 230 espèces d'oiseaux y ont été observées à ce jour, dont 190 annuellement.

Parmi les habitués : petit blongios, gallinule poule-d'eau, carouge à épaulettes, canard colvert, martin-pêcheur d'Amérique, etc. Le marais abrite également de nombreux mammifères (castor du Canada, musaraigne cendrée, raton laveur), reptiles (tortue peinte, couleuvre rayée) et amphibiens (grenouilles verte et des bois). Même si la pêche y est interdite, vous pourriez observer des espèces comme le grand brochet et la barbotte brune.

Le domaine comprend près de 4 km de sentiers, aménagés sur une ancienne voie ferrée, de même qu'un quai, une tour d'observation et un belvédère. Les services ne sont offerts qu'en saison (avril à novembre). Il n'y a pas d'aire de pique-nique comme telle. Toutefois, il y a possibilité de manger à la pointe de l'île aux Castors si vous apportez votre pique-nique. N'oubliez pas de rapporter vos déchets, car il n'y a pas de poubelles. Des visites guidées sont offertes sur réservation. Les promenades en canot à certains endroits sont tolérées ; il faut toutefois s'informer préalablement auprès des responsables de la fiducie.

COUPS DE CŒUR

♥ Admirer les couchers de soleil dans la partie nord de l'île aux Castors, où l'on peut également pique-niquer.
♥ Observer les quelque 190 espèces d'oiseaux qui fréquentent le site.
♥ Apprécier la richesse du marais depuis la tour d'observation.

EN UN CLIN D'ŒIL

À FAIRE : Quatre kilomètres de sentiers faciles. Interprétation de la nature

SERVICES : Visites guidées sur réservation. Toilettes sèches et cabanon d'accueil en saison. Rapportez vos déchets. Fermé l'hiver.

TARIFS : Accès et stationnement gratuits, mais contributions volontaires appréciées.

ACCÈS : Par l'autoroute 55, prendre la sortie North Hatley. Suivre la route 108. Peu avant le village de Sainte-Catherine de Hatley, à hauteur du ruisseau Noir, emprunter le chemin du Ruisseau jusqu'à la rue des Sapins. Le terrain de stationnement se trouve juste après l'entrée du parc.

INFOS : Fiducie de l'Île du Marais, (819) 868-0033

S ans doute le secret le mieux gardé des Cantons-de-l'Est, le mont Ham vous réserve des surprises. Très peu exploitées et comptant à peu près toutes les essences, les forêts qui ceinturent la montagne sont magnifiques, à commencer par l'érablière, presque tricentenaire. Avant d'arriver au sommet (713 m), où une riche flore alpine vous attend, observez la forêt de vieux conifères trapus. De véritables bonsaïs. On trouve ici à peu près la même faune qu'ailleurs dans les Cantons-de-l'Est. La famille des pics y est bien représentée et plusieurs espèces de bruants habitent cette réserve de 70 acres. Le cerf de Virginie y est omniprésent.

Fait intéressant : le randonneur n'a environ que 360 m à gravir avant d'atteindre le sommet ; le chalet à la base de la montagne étant déjà situé à 350 m d'altitude. Isolé des autres montagnes de la région, le mont Ham offre une vue magnifique, un panorama de 360 degrés, sur les Cantons-de-l'Est. Une dizaine de sentiers pour la marche et la raquette totalisent près d'une vingtaine de kilomètres. Le versant

nord est particulièrement agréable au printemps, quand les cascades jaillissent des falaises. Le sentier l'Intrépide mène en ligne droite vers le sommet, mais il présente un bon niveau de difficulté. Sinon, il est possible d'emprunter les sentiers du Button ou Panoramique qui offrent d'intéressants points de vue.

Le site, géré par la Corporation de développement du mont Ham Sud, est en phase de développement intensive, mais compte déjà plusieurs services, dont un grand bâtiment d'accueil. Des activités d'animation et d'interprétation sont offertes sur place. Pas de casse-croûte qui vend des hot-dogs, mais plutôt un restaurant qui sert des mets régionaux biologiques. On y vend aussi des produits équitables. Le samedi soir, il y a projection de films au chalet principal. Pas de blockbusters américains, que des films étrangers. Différent comme endroit, dites-vous ? Il est possible de camper au mont Ham, sur l'un des 10 sites de camping sauvage ou dans l'un des tipis pouvant accueillir entre six et huit personnes. Interdit l'été, le camping au sommet est toléré en hiver.

COUPS DE CŒUR

- ♥ Se promener dans les forêts de feuillus, dont une érablière presque tricentenaire.
- ♥ Observer le cerf de Virginie, en nombre très élevé.
- ♥ S'offrir une vue spectaculaire au sommet du mont Ham (713 m).

À FAIRE : Près de 20 km de sentiers pour la randonnée pédestre et la raquette. Activités d'animation et d'interprétation de la nature. L'hiver, patinoire sur un anneau de glace derrière le chalet, ski de fond, traîneaux à chiens (sur réservation) et carriole tirée par des chevaux (sur réservation).

SERVICES : Chalet au pied de la montagne avec tous les services : toilettes, restaurant, vente de produits équitables. Camping d'été et d'hiver dans des tipis ou sur l'un des 10 sites de camping sauvage.

TARIFS : Droit d'accès de 3,75 $ par adulte et 1,75 $ par enfant. Prix pour groupes. La carte des sentiers est fournie gratuitement au chalet principal.

ACCÈS : De Sherbrooke, prendre la route 216 en direction de Stoke et Saint-Camille. Se rendre jusqu'à la municipalité de Saint-Joseph-de-Ham-Sud. De Victoriaville, emprunter la route 161 en direction de Mégantic. Bifurquer sur la route 216 jusqu'à Saint-Adrien et prendre la route 257.

INFOS : Corporation de développement du mont Ham-Sud, (819) 828-3608 www.montham.qc.ca

Cantons-de-l'Est

Une zone marécageuse extrêmement riche, des centaines d'oiseaux, une flore diversifiée : avec tous ces attraits, le Centre d'interprétation de la nature du Lac Boivin (CINLB) est un incontournable si vous êtes de passage dans la région de Granby. L'endroit est très prisé des familles à la recherche d'une sortie plein air simple, mais riche en observations. On y contemple très régulièrement des rats-musqués communs, différents amphibiens, des tortues, des grands hérons et des familles de canards colverts à la queue leu leu.

Les oiseaux sont au rendez-vous en grand nombre. Sur les 250 espèces répertoriées à ce jour, les ornithologues amateurs en observent près de 200 bon an mal an. Geai bleu, oriole de Baltimore, parulines, pics, sittelles sont parmi les espèces les plus communes. Au printemps et à l'automne, une grande variété de canards fréquentent le plan d'eau. Les mésanges à tête noire mangent dans la main des visiteurs, au plus grand plaisir des petits et des grands.

La forêt mixte du CINLB est en pleine régénération. Près de 125 000 arbres de différentes essences y ont été plantés ces dernières années. Quatre sentiers totalisant 13 km mènent notamment au cœur d'une prucheraie (sentier du même nom) et d'une partie marécageuse (sentier Le marais, qui surplombe la zone humide) où poussent allégrement les quenouilles. On peut y effectuer une courte randonnée de moins d'une heure ou y passer facilement trois heures.

Deux tours d'observation enrichissent les lieux. Il y a des tamias rayés et des écureuils partout, qui ne se gênent pas pour vous approcher, car ils ont été habitués à quémander une arachide ou des graines de tournesol. Nous vous suggérons de ne pas les nourrir ; quelqu'un d'autre l'aura fait avant vous. La piste cyclable (pour patins et vélos) reliant Granby au parc national de la Yamaska, la Granbyenne, ceinture le CINLB. Bâtiment d'accueil avec toilettes ouvert à longueur d'année, tous les jours de 9 h à 16 h. Machines distributrices, boutique nature, salle de conférences et expositions en permanence (photos et peintures). Quelques aires de pique-nique dans les environs du bâtiment d'accueil. Accès et stationnement gratuits. Contributions volontaires appréciées. Activités guidées (et payantes) selon les saisons (observation de la voûte céleste, mycologie, appel du hibou, etc.). Activités pour les enfants, à Pâques et à Noël en particulier. S'informer de la programmation.

COUPS DE CŒUR

♥ Emprunter le sentier du Marais et sa plate-forme qui surplombe l'une des zones humides du centre.
♥ Observer une partie du marécage du haut d'une tour de 10 m située à deux pas du centre d'accueil.
♥ Participer à la Marche de Noël, une activité familiale de nuit dans la forêt.

À FAIRE : Randonnée pédestre. Piste cyclable à proximité.

SERVICES : Bâtiment d'accueil avec toilettes, salle d'exposition et de conférences, boutique nature, machines distributrices, activités pour les petits et les grands, aires de pique-nique. Tours d'observation.

TARIFS : Stationnement et accès gratuits, mais contributions volontaires appréciées.

ACCÈS : À Granby, suivre la rue Principale en direction du lac Boivin. Le centre de la nature est situé sur la rue Drummond, à la sortie de la ville.

INFOS : (450) 375-3861
www.cinlb.org

Cantons-de-l'Est

Capsules nature

⑩ Station de montagne Au Diable Vert

Au Diable Vert est une station de montagne privée d'environ 1 km² située sur le flanc sud du massif Sutton, à deux pas de la frontière américaine. Elle comprend environ 12 km de sentiers pour la randonnée, le ski et la raquette. À voir : de nombreux cerfs de Virginie et beaucoup d'oiseaux de proie. Vue impressionnante sur les montagnes Vertes américaines. Falaises de roche quartzifère. Couleurs flamboyantes en automne. Activités de plein air et récréatives. Excursions guidées (de jour ou à la pleine lune) en raquettes ou en kayak. Camping d'hiver et d'été. Pour les amants de la nature plus douillets et plus frileux : une maison centenaire et deux petits studios sont disponibles. Entrée payante. Location de skis, de raquettes et de refuges. Idéal avec des enfants.
Infos : 1-888-779-9090. www.audiablevert.qc.ca

⑪ Réserve écologique de la Vallée-du-Ruiter

Cette réserve écologique de 1,7 km² située sur le flanc sud du mont Echo, dans une vallée encaissée, abrite plusieurs espèces animales : cerfs de Virginie, lynx roux, orignaux, ours noirs, coyotes, etc. À ceux-ci s'ajoute une grande variété d'insectes, dont une importante population de papillons lunes. L'endroit sert de refuge à plus d'une centaine d'espèces d'oiseaux, dont la chouette rayée, le grand pic, la paruline bleue et le viréo aux yeux rouges. Accessible aux randonneurs, aux skieurs et aux adeptes de la raquette, la réserve écologique de la Vallée-du-Ruiter offre plus de 30 km de sentiers (faciles à très difficiles) qui traversent une forêt mature de bois durs (érable, frêne, ostryer, etc.). L'altitude de la réserve varie de 300 à 550 m. Le site permet aussi l'observation d'amphibiens et de reptiles, dont la grenouille des bois, le crapaud d'Amérique et la salamandre pourpre, espèce susceptible d'être désignée menacée ou vulnérable. L'accès à la réserve est gratuit. On s'y rend par le chemin du ruisseau Ruiter dans le hameau de Dunkin, situé chemin de la Vallée-Missisquoi (qui longe la frontière américaine entre les villages d'Abercorn et de Mansonville). Carte des sentiers disponible auprès de la fiducie responsable de la réserve.
Infos : (450) 292-3454 ou www.valleeruiter.org

⑫ Mont Pinacle (Frelighsburg)

Un inventaire réalisé il y a une dizaine d'années au mont Pinacle a permis de déceler la présence de quelques espèces animales (pygargue à tête blanche et salamandre pourpre) ou végétales (ail des bois) susceptibles d'être désignées menacées ou vulnérables. Situés à mi-chemin entre les villages d'Abercorn et de Frelighsburg, les sentiers de cette fiducie foncière donnent accès à une forêt de feuillus dominée par l'érable à sucre. L'endroit compte près de 70 espèces d'oiseaux, la plupart nicheurs. Accessibles du 1er mai au 31 octobre, les sentiers sont jalonnés de plusieurs panneaux d'interprétation. Quelques boucles sont possibles et sont accessibles à tous, comme le sentier de la Saulaie, d'une longueur de 2 km. Détail important : les sentiers ne donnent pas accès au sommet,

une propriété privée. Plusieurs activités sont organisées de façon ponctuelle par les responsables de la fiducie foncière. Le début des sentiers est situé en bordure du chemin Pinacle, à 6 km de la route 213 à Frelighsburg et à 9 km de la route 139 à Abercorn. L'accès aux sentiers est gratuit, mais les contributions volontaires sont appréciées. La carte des sentiers est disponible sur Internet, mais aussi aux bureaux d'information touristique de Frelighsburg, Dunham et Sutton. Attention de ne pas confondre ce mont Pinacle-ci avec celui qu'on retrouve au Parc Harold F. Baldwin.

Consultez le site Internet : www.montpinacle.ca

13 Refuge naturel Baie-Missisquoi

Ce minuscule site est voué à la protection de la tortue-molle à épines, une espèce menacée. L'endroit, propriété depuis 2001 de Conservation de la nature Canada, comprend un sentier de 1 km jalonné de quelques panneaux d'interprétation. Le dépaysement en vaut la peine. Il n'y a que l'eau, la nature et vous. Si vous avez de la chance, vous pourriez observer, entre juillet et septembre, quelques tortues-molles à épines ou la grande aigrette, une rare visiteuse. Le site est interdit d'accès au printemps, saison de la ponte des tortues oblige. Plusieurs espèces de canards y trouvent refuge durant les flux migratoires du printemps et de l'automne. En novembre, il y a des oies partout. Reptiles et poissons à observer. Pour y accéder, on stationne (gratuitement) à l'entrée du camping de la municipalité de Philipsburg. Il faut traverser le camping à pied. Entrée gratuite.

Infos : (450) 248-7745

14 Parc de la Gorge de Coaticook

Une profonde gorge de 60 m de profondeur héritée de la dernière période de glaciation traverse la municipalité de Coaticook. Au fond coule la rivière du même nom. Vue impressionnante sur ce phénomène géologique. Deux tours d'observation. Grotte à explorer. Cascades naturelles jaillissant du roc. Sentiers boisés (de niveau intermédiaire) d'environ 10 km. Aussi : vélo, ski de fond et raquette. Franchissez le plus long pont suspendu au monde (169 m). Campings rustique et aménagé. Activités familiales. Entrée payante. Ouvert d'avril à novembre. Infos : 1-888-LAGORGE; www.gorgedecoaticook.qc.ca

15 Mont Hereford (East Hereford)

En quatre heures d'observation, un ornithologue y a déjà recensé 15 espèces de parulines. Plus haut que le mont Orford, le mont Hereford (864 m) est sillonné par des sentiers de randonnée pédestre et de raquette sur une dizaine de kilomètres. Plusieurs oiseaux de proie y transitent au printemps et à l'automne. Le sommet a ceci de particulier qu'il est accessible par deux sentiers. Le début du premier se trouve à East Hereford, l'autre à Saint-Herménégilde. Les familles trouveront leur compte sur le sentier (5,5 km) qui part de East Hereford. Comptez deux heures et demie de marche aller-retour. Les experts s'éclateront sur le sentier (5 km) partant de Saint-Herménégilde. Forêt de conifères, ruisseaux, chutes et observation de cervidés. Le site est ouvert toute l'année, sauf durant la saison de la chasse (octobre et novembre). L'accès aux sentiers est gratuit. Infos : (819) 844-2463.

Cantons-de-l'Est

16 Centre de la nature de Farnham

Un centre de la nature en pleine zone industrielle peut cacher son lot de surprises. Surtout s'il longe la rivière Yamaska, à Farnham. Les trois sentiers qu'on y trouve totalisent 3 km et traversent une érablière, une forêt en régénération et un milieu marécageux. Oriole de Baltimore, butor d'Amérique, tangara écarlate et une centaine d'autres espèces d'oiseaux y vivent ou y transitent. L'été, l'endroit devient le dortoir des carouges à épaulettes, des vachers à tête brune et d'autres espèces. Importante population d'amphibiens et de reptiles. Immenses feuillus en bordure de la Yamaska. Nombreuses aires de pique-nique. Toilettes chimiques. Panneaux d'interprétation. Stationnement et entrée gratuits. Vraiment, l'habit ne fait pas le moine. Ouvert toute l'année. L'hiver, ski et raquette hors piste. **Infos : Ville de Farnham, (450) 293-3178.**

17 Sentiers pédestres Cambior

Cette ancienne mine de cuivre est devenue un lac d'environ 1 km² au centre duquel se trouve une héronnière. Les lunettes d'approche sont donc de mise pour observer les grands hérons et leur progéniture. Plusieurs oiseaux aquatiques fréquentent l'endroit, dont le plongeon huard, qu'on peut entendre chanter presque tous les jours. Six panneaux d'interprétation ont été installés sur les quelque 4 km de sentiers accessibles aux randonneurs et aux cyclistes. Le site est ouvert de mai à septembre et est accessible par la route 161, environ 1 km avant le village de Stratford. Aucun service. Stationnement et entrée gratuits. **Infos : Municipalité de Stratford, (418) 443-2307.**

18 Marais de la rivière Saint-François

Ce marais d'eau douce était menacé d'assèchement lorsque la corporation CHARMES et Canards Illimités Canada y ont construit une digue en 1995. Résultat : le marais de la rivière Saint-François, situé à moins de 10 minutes du centre-ville de Sherbrooke, est plus que jamais en vie. Environ 2 km de sentiers en forêt et autour du marais. Un site de 40 hectares où grands hérons, grandes aigrettes, butors d'Amérique et une multitude d'autres oiseaux nichent. Une famille de canards branchus y a élu domicile. Tour d'observation, belvédères et panneaux d'interprétation, notamment sur les nombreuses quenouilles et l'herpétofaune observées sur le site. Entrée gratuite. Ouvert à l'année pour la promenade et l'observation. Toilettes chimiques. Stationnement à l'angle de la rue Lévesque et du boulevard Saint-François. **Infos : CHARMES, (819) 821-5893.**

⑲ Forêt habitée de Dudswell

Cette ancienne carrière de marbre est située sur le bord du lac d'Argent près de la municipalité de Marbelton, à proximité des routes 112 et 255. Sept sentiers, faciles et intermédiaires, totalisent 10 km. On peut y observer la faune propre à la région : cerfs de Virginie, renards roux, lièvres d'Amérique, gélinottes huppées, etc. Vue sur les montagnes environnantes à partir d'une tour d'observation et d'un belvédère situé à 300 m d'altitude (sentier intermédiaire). L'accès au site est gratuit. Ouvert de mai à octobre. Présentation de spectacles en été dans l'ancienne carrière, où l'acoustique serait parfaite, nous dit-on.

Infos : **Association touristique et culturelle de Dudswell (ATCD), (819) 887-6093.**

⑳ Marais Duquette

Ce joli petit marais est traversé par la route 251 près de Saint-Herménégilde. On peut y observer de nombreuses espèces d'oiseaux aquatiques, dont la bécassine des marais, présente en grand nombre de la fin mai à la mi-juillet. Aussi : quelques variétés d'orchidées. Il y a un sentier d'environ 1 km de long qui mène à une tour d'observation. L'accès est gratuit. Un petit terrain de stationnement a récemment été aménagé en bordure de la route, près du petit pont.

Infos : **Tourisme Coaticook, 1-866-665-6669.**

㉑ Sentier de la promenade

Un sentier de 5 km le long duquel les paysages ne cessent de changer : prairies, feuillus, conifères. De toute beauté ! Aménagé sur une ancienne voie ferrée, il longe la rivière Hall et relie East Hereford et Saint-Venant-de-Paquette. Des oiseaux de tous les milieux (pics, bruants, parulines) s'y réfugient, notamment la paruline tigrée. Accès gratuit. On emprunte le site par le chemin Grégoire, à East Hereford. Stationnement sur le bord de la route. Il s'agit de terres privées auxquelles les amants de la nature ont néanmoins accès. Il n'y a aucun service.

Infos : **Tourisme Coaticook, 1-866-665-6669.**

㉒ Étang Streit (Saint-Armand)

L'étang Streit, c'est une forêt d'ormes d'Amérique et de frênes noirs avec une colline et un petit marais fréquenté par le héron vert, le canard branchu, le petit butor, de même que 180 autres espèces d'oiseaux. Cet étang (aussi appelé refuge Montgomery) est une propriété privée gérée par la Société québécoise de protection des oiseaux. Contribution volontaire demandée pour l'entretien du site. On y accède de deux façons : par la route 133 Sud, prendre la sortie Saint-Armand et rouler sur le chemin Quinn (qui devient le boulevard Saint-Armand). Parcourir 0,6 km et prendre l'étroit chemin de gravier à droite. Cette portion marais, au bas d'une grande prairie et au pied d'une petite falaise, compte une cache. Pour l'autre entrée, prendre la route 133 Sud et, juste

après la sortie Saint-Armand, se stationner derrière le stationnement du Motel Frontière. Le début du sentier est plus loin derrière. De cette entrée, vous avez accès à quelques kilomètres de sentiers pédestres. Il y aussi une aire de pique-nique et une tour d'observation.

Infos : Ville de Saint-Armand, (450) 248-2344.

23 Centre d'interprétation de la nature de l'étang Burbank

Ce marais d'eau douce situé à Danville regorge d'une flore particulièrement riche, dont l'utriculaire et la brasénie de Schreber sont d'intéressants représentants. Plus d'une centaine d'espèces d'oiseaux peuvent y être observées, comme le grèbe à bec bigarré, le grand héron, le butor d'Amérique, le moucherolle des saules, le balbuzard pêcheur et plusieurs espèces de canards. Rat-musqué commun, vison d'Amérique, hermine et loutre de rivière fréquentent aussi l'étang Burbank, tout comme quantité de grenouilles, de tortues et de couleuvres d'eau et rayées. Différents aménagements facilitent l'observation de cette vie animale : nichoirs pour canards branchus, nichoirs à chauves-souris, piège à insectes, etc. Deux sentiers totalisent 3,6 km. Tour d'observation et panneaux d'interprétation. Les randonnées commencent au bâtiment d'accueil, qui occupe une partie de l'hôtel de ville de Danville. Stationnement et accès gratuits. Exposition permanente sur place, dont insectarium et vivarium. Bancs, abri et aires de pique-nique. Ski de fond et patin l'hiver. Toilettes à l'intérieur du bâtiment d'accueil ; également, toilettes chimiques à l'extérieur. À Danville, emprunter la route 255 Sud et parcourir environ 1,4 km jusqu'à l'hôtel de ville, situé au 150, rue Water.

Infos : (819) 839-2771 ou www.villededanville.com

24 Marais Maskinongé

Ce marais d'eau douce, situé dans les terres humides du lac Aylmer (près du parc national de Frontenac), a été inauguré en 2003. Une oasis de calme (comme le qualifie l'un des bénévoles de l'endroit) qui comprend 1,4 km de sentiers en milieu marécageux de même qu'une tour d'observation de 8 m de hauteur et un belvédère. Les habitués du site : canards branchus et colverts, grands hérons, rats-musqués communs, différents amphibiens, etc. Panneaux d'interprétation. Nouvelle plantation d'arbres indigènes. Entrée gratuite. Le site est situé entre Saint-Gérard et Stratford. De Sherbrooke, prendre la route 112 jusqu'à Saint-Gérard. Voir les indications pour se rendre au Domaine Aylmer. Emprunter le chemin qui mène au restaurant.

25 Parc écoforestier de Johnville

Ouvert depuis 2003, le parc écoforestier de Johnville abrite une étonnante tourbière et la végétation qui est propre à cet écosystème, comme la sarracénie pourpre (plante insectivore), présente en grande quantité. Pas moins de 34 types de mousses et plus de 400 espèces de plantes vasculaires y ont été identifiées. Il y a quantité d'oiseaux à observer, dont la paruline à couronne rousse, le bruant de Lincoln, le busard Saint-Martin et plusieurs espèces de canards. L'hiver, s'y réfugient des espèces qu'on retrouve plus au nord, comme le pic à dos noir et le mésangeai du Canada. On observe également les allées et venues de l'orignal, de l'ours noir, du renard roux, du castor du Canada et du porc-épic d'Amérique. Quatre kilomètres de sentiers sont aménagés. L'hiver, ce nombre grimpe à 4,8 km pour la pratique du ski de fond et de la raquette. Stationnement et accès gratuits. Panneaux d'interprétation. Aire de pique-nique à proximité du terrain de stationnement et toilettes chimiques. À l'entrée du village de Johnville par la route 251, tourner à gauche sur le chemin North. L'entrée du parc est située à environ 1 km. **Infos : Corporation de conservation du boisé de Johnville (CCBJ), (819) 569-9388 ou www.parc-johnville.qc.ca**

26 Bois Beckett

Ce parc urbain de 140 acres qui compte 6,5 km de sentiers pédestres est l'un des rares endroits au Québec à avoir été désigné «forêt ancienne» par le ministère des Ressources naturelles. Une partie du bois Beckett abrite en effet des conifères et des feuillus dont l'âge varie entre 250 et 300 ans. Un exploit, étant donné que ce parc est situé en plein cœur de la ville de Sherbrooke. On accède au secteur de la forêt ancienne par le sentier 5A. Le cerf de Virginie y est omniprésent. Les membres des nombreux clubs d'ornithologie qui fréquentent le site y ont répertorié à ce jour plus de 120 espèces d'oiseaux. Le grand pic est un habitué de l'endroit, de même qu'un couple de chouettes rayées. Le bois Beckett est ouvert toute l'année, du lever au coucher du soleil. L'accès y est gratuit, de même que la carte des sentiers, offerte dans un présentoir à l'entrée du bois. Pas de vélos dans les sentiers. Les chiens (en laisse) sont admis. Pour s'y rendre, emprunter le boulevard Jacques-Cartier vers le nord. Tourner sur la rue Beckett et parcourir une centaine de mètres. On se stationne en bordure de la rue, aux endroits où c'est permis. Au début des sentiers, il y a un distributeur de sacs en plastique pour les excréments des chiens.

Infos : (819) 565-5857.

27 Sentier du Morne

Même si ce site offre un peu moins de 2,5 km de sentiers pédestres, il est néanmoins digne d'intérêt. À commencer par la vue splendide qui s'offre aux randonneurs au sommet du mont Saint-Sébastien (820 m). De là-haut, par temps clair, on y voit à 150 km à la ronde. Pour se rendre au sommet, le dénivelé est d'environ 200 m. De niveau intermédiaire, la randonnée prend environ trois quarts d'heure. Le sentier du Morne, d'où l'on peut voir des urubus à tête rouge, est aussi l'endroit pour avoir un contact direct avec le granit, dont est composé le mont Saint-Sébastien (et le mont Morne, son voisin). Le massif montagneux daterait de plus de 350 millions d'années. Une quarantaine de panneaux d'interprétation, construits à même des plaques de granit, enrichiront votre visite. Le site est ouvert toute l'année, du lever au coucher du soleil. L'hiver, on peut parcourir les sentiers en raquettes. L'entrée est gratuite. Pas de service, ni de carte des sentiers. On y accède par la route 263, au nord du Lac Mégantic. Le stationnement est situé entre Lac-Drolet et Saint-Sébastien. **Infos : (418) 483-5524.** Pour les férus de géologie, il y a, en face du terrain de stationnement, un centre d'interprétation sur le granit (La Maison du granit). On y offre des visites guidées.

28 Sentiers de l'Estrie

Un réseau de 150 km reliant Kingsbury (près de Richmond) et la frontière américaine (près de Sutton), voilà ce qu'offrent les Sentiers de l'Estrie, le plus ancien et le plus long corridor de randonnée pédestre au Québec. La création de ce sentier a commencé en 1971 avec la réalisation d'un premier tronçon entre Kingsbury et le parc national du Mont-Orford. Au fil des ans, de nouvelles sections se sont ajoutées, entre autres celles des monts Glen, Bolton, Écho et Sutton, grâce à des ententes de droit de passage conclues avec les propriétaires de ces terrains privés. En conséquence, seuls les membres des Sentiers de l'Estrie peuvent les parcourir. À découvrir : magnifiques forêts, sommets dénudés, vues imprenables et rencontres fortuites avec tout ce que les Cantons-de-l'Est peuvent compter en matière de faune ailée et terrestre. Les sentiers sont accessibles à divers endroits. Il en coûte 40 $ par famille pour devenir membre et recevoir le topoguide ainsi que les cartes topographiques du réseau (30 $ sans la documentation).

Infos : (819) 864-6314 ou www.lessentiersdelestrie.qc.ca

29 Zoo de Granby

Le zoo de Granby est le plus vieux jardin zoologique au Québec. À découvrir : plus de 800 spécimens de 163 espèces animales. Entrée payante. Restauration. Parc aquatique. Ouvert de fin mai à début octobre. Autoroute 10, sortie 68 ou 74.
Infos : 1-877-472-6299 ou www.zoodegranby.com

30 Estrie-Zoo

L'Estrie-Zoo est le plus petit parc faunique du Québec. Situé à Valcourt dans un décor boisé, l'endroit compte plus de 130 locataires qui représentent une cinquantaine d'espèces. Aires de pique-nique. Le parc est situé au 2581, Montée Gagnon, à Valcourt. Entrée payante.
Infos : (450) 532-3666 ou www.estriezoo.ca

31 Zoo et refuge d'oiseaux exotiques Icare

Refuge abritant plus de 450 oiseaux exotiques, ce site unique au Québec possède une oisellerie, de même qu'une pouponnière, toutes deux accessibles au public. Entrée payante. Ouvert de juin à mi-octobre. Adresse : 2699, route 139, Roxton Pond.
Infos : (450) 375-6118 ou www.zooicare.com

32 Mine Cristal Québec

Il s'agit d'une des rares mines de cristal de quartz au Canada. On peut y faire des visites guidées et assister à des concerts sur instruments de cristal. Aires de pique-nique. Entrée payante. Ouvert de juin à septembre. Adresse : 430, 11e rang, Bonsecours.
Infos : (450) 535-6550 ou www.sanctuaireducristal.com

33 Mines Capelton

Situées près du pittoresque village de North Hatley, ces anciennes mines de cuivre vous permettent une incursion au cœur de la terre parmi les stalactites, les stalagmites… et les chauves-souris. Entrée payante. Ouvert de mai à octobre. Adresse : 800, route 108, North Hatley.
Infos : (819) 346-9545 ou www.minescapelton.com

34 Parc du Domaine-Howard

À découvrir au centre-ville de Sherbrooke : le parc du Domaine-Howard avec ses jardins extérieurs, étangs, serres (ouvertes toute l'année) et bâtiments historiques. Aires de pique-nique. Gratuit. Accès par la rue de Vimy ou de l'Ontario.
Infos : (819) 821-1919 ou 1-800-561-8331.

35 Arbre en Arbre

Les Cantons-de-l'Est comptent deux sites d'Arbre en arbre, l'un à Sutton et l'autre à Eastman. Entrée payante. À Sutton, le site est ouvert à longueur d'année, mais il est réservé aux groupes sur réservation durant l'hiver. Situé près du centre de ski, rue Maple. **Infos : (450) 538-6464 ou www.cimesutton.com.** Le site d'Eastman est ouvert du début mai à la fin octobre. Réservations nécessaires. Sortie 106 de l'autoroute 10. **Infos : 1-866-297-2659 ou www.arbreaventure.ca**

En cas de pluie

36 Musée de la nature et des sciences de Sherbrooke

Ce musée, qui occupe de nouveaux locaux depuis 2002, est en fait l'ancien Musée du séminaire de Sherbrooke qu'on a réaménagé. Différentes expositions permanentes et temporaires sur les nombreux phénomènes naturels. Herbiers, collection de fossiles, animaux naturalisés, etc. Entrée payante. Ouvert à l'année. Adresse : 225, rue Frontenac. **Infos : (819) 564-3200 www.mnes.qc.ca**

1 **Centre d'interprétation de Baie-du-Febvre**
2 **Centre de la biodiversité du Québec**

3 **Passerelle écologique de l'Anse-du-Port**
4 **Boisé du Séminaire**
5 **Parc du Mont Arthabaska**
6 **Lac du réservoir Beaudet**
7 **Parc écologique Godefroy**
8 **Parc régional de la rivière Gentilly**
9 **Parc Marie-Victorin**
10 **Centre d'interprétation de la canneberge**
11 **Musée de l'érable**

Centre-du-Québec

Désigné site Ramsar pour son écosystème d'intérêt mondial, ce site, un incontournable pour les ornithologues amateurs, est la plus importante halte migratoire au Québec de l'oie des neiges, dont la population atteint facilement le demi-million au printemps. En fait, c'est près d'un million d'oiseaux que Baie-du-Febvre attire sur les berges du lac Saint-Pierre inondées par la fonte des neiges. Avec ses dizaines de milliers de bernaches du Canada et ses nombreuses espèces de canards barboteurs et plongeurs, Baie-du-Febvre compte la plus forte concentration de sauvagine au Québec.

Le territoire, composé de marais, de prairies humides et de marécages, couvre environ 10 km^2 le long de la route 132, sur les bords du lac Saint-Pierre (plan d'eau issu de l'élargissement du fleuve Saint-Laurent). Des espèces peu communes y sont régulièrement observées, comme le phalarope de Wilson ou la remarquable érismature rousse. Un pélican (très rare à cette latitude) y a été vu à l'automne 2003.

Outre les nombreuses espèces d'oiseaux, dont plusieurs oiseaux de proie comme le harfang des neiges (au printemps) et la chouette rayée, le visiteur a également des chances d'apercevoir un cerf de Virginie ou un orignal au détour d'un des sentiers aménagés. En automne, Baie-du-Febvre est surtout fréquenté par les bernaches du Canada.

Il n'en coûte rien pour accéder à l'ensemble du site, qui compte six terrains de stationnement identifiés le long de la route 132. Il faut toutefois payer pour profiter des installations du Centre d'interprétation de Baie-du-Febvre, ouvert de mars à novembre. Exposition permanente sur la migration printanière de l'oie des neiges et présentation vidéo sur la faune. Des vivariums intérieurs (poissons et reptiles) et une petite volière extérieure (oies, canards) vous feront mieux connaître la richesse et la diversité de cet endroit. En septembre et en octobre, durant la période de la chasse, il est recommandé de téléphoner au centre avant d'emprunter les sentiers.

COUPS DE CŒUR

- ♥ S'extasier au lever du jour quand un quart de million d'oies des neiges s'envolent pour aller se nourrir dans les champs.
- ♥ Observer une centaine d'autres espèces d'oiseaux dans les marais, prairies humides et marécages.

🚶 **À FAIRE :** Près d'une dizaine de kilomètres de sentiers pédestres pour l'observation d'une faune et d'une flore très riches. Tour d'observation en bordure du lac Saint-Pierre. Centre d'interprétation avec exposition permanente de mars à novembre. Ski de fond et raquette en hiver.

🏠 **SERVICES :** Visites guidées. Toilettes sèches, aires de pique-nique. Liste des espèces d'oiseaux offerte au centre d'interprétation.

💲 **TARIFS :** L'accès aux sentiers et aux six terrains de stationnement est gratuit, mais il en coûte 6 $ par adulte et 2 $ par enfant de moins de 12 ans pour accéder au centre d'interprétation. Tarifs pour groupes avec ou sans guide.

🚗 **ACCÈS :** Emprunter l'autoroute 30 jusqu'à Sorel, puis prendre la route 132 jusqu'à Baie-du-Febvre. De l'autoroute 20, par la sortie 181, emprunter la route 255 en direction nord.

ℹ️ **INFOS :** (450) 783-6996
www.oies.com

Centre-du-Québec

Ce petit centre d'interprétation, qui fait l'éloge de la biodiversité faunique et florale du Québec, s'intéresse plus particulièrement au lac Saint-Pierre, la plus grande plaine inondable du fleuve Saint-Laurent. Le visiteur est invité à voir, toucher et sentir cette biodiversité. L'endroit relève donc plus du laboratoire nature que du parc ou de la réserve faunique. Le Centre de la biodiversité du Québec compte néanmoins un réseau de sentiers pédestres totalisant 4 km. Ces sentiers traversent huit écosystèmes (érablière, prucheraie, marais, zone marécageuse, etc.). On peut y rencontrer cerfs de Virginie, grands pics, gélinottes huppées, canards noirs, etc. Les sentiers sont ponctués de panneaux d'interprétation. Le site compte même un verger d'environ 200 pommiers où l'autocueillette est permise en septembre et en octobre. Aussi : jardins thématiques.

L'intérêt du centre d'interprétation, ouvert depuis 1997 et situé à Sainte-Angèle-de-Laval, près de Bécancour, repose surtout sur ses nombreuses salles d'expositions interactives, accessibles de mai à octobre. Pour les visiteurs, les jeunes surtout, l'expérience peut s'avérer très riche, notamment grâce au coin consacré aux reptiles, dont certaines espèces peuvent être touchées. Les naturalistes expliquent entre autres comment les amphibiens font pour survivre à nos hivers rigoureux.

Également au programme : la salle safari, où une forêt a été reconstituée avec des animaux naturalisés, dont un castor du Canada de taille impressionnante. À ne pas manquer : l'aquarium où évoluent des espèces vivant dans le lac Saint-Pierre. Autre nouveauté : le bio-train, un mini-train électrique qui permet à de petits groupes de sillonner les lieux et d'en apprendre sur la flore sans faire de bruit ni polluer. Expositions thématiques annuelles. Durée moyenne d'une visite au centre : deux heures. L'endroit est ouvert de mai à octobre. Les visites guidées quotidiennes ont lieu à 11 h, 13 h et 15 h, de la fin juin au début septembre. Jeux interactifs et présentations audiovisuelles également offerts.

COUPS DE CŒUR

♥ Voir, toucher et sentir la biodiversité du Québec par le biais d'expositions et d'activités interactives.

♥ Effleurer certaines espèces de reptiles, comme la couleuvre brune.

♥ Observer dans un aquarium certaines espèces marines du lac Saint-Pierre.

À FAIRE : Quelques salles d'exposition sur la faune et la flore du Québec et une salle de projection. Environ 4 km de sentiers pédestres avec panneaux d'interprétation. Promenade en train électrique dans la forêt. Autocueillette de pommes en automne.

SERVICES : Bâtiment d'accueil avec machines distributrices, toilettes et boutique souvenir ouverts de mai à octobre. Aires de pique-nique.

TARIFS : 8 $ par adulte, 6 $ par enfant de 6 à 12 ans, gratuit pour les enfants de moins de 5 ans. Prix pour familles ou groupes.

ACCÈS : Le centre est situé au 1800, avenue des Jasmins, à Sainte-Angèle-de-Laval. On y accède par la sortie Bécancour de l'autoroute 30 ou par la route 132, sortie Sainte-Angèle.

INFOS : (819) 222-5665, 1-866-522-5665 (sans frais)
www.biodiversite.net

Centre-du-Québec

Capsules nature

③ Passerelle écologique de l'Anse-du-Port

Ce site, situé à Nicolet, à moins de 15 minutes de Baie-du-Febvre, compte deux imposantes passerelles de bois (sur pilotis) d'une longueur totalisant plus de 1 km. Depuis un terrain de stationnement, en bordure de la route 132, on accède immédiatement aux zones humides qui mènent plus loin au lac Saint-Pierre. On y trouve aussi des aires de repos, des panneaux d'interprétation et une tour de 9 m de hauteur. De là-haut, les couchers de soleil sur le fleuve Saint-Laurent sont extraordinaires en été. Le site se distingue par sa forêt mature qui compte une érablière argentée et de vieux noyers. Au printemps, l'endroit est en partie inondé et regorge d'oiseaux, mais aussi d'énormes carpes et brochets qui viennent frayer dans à peine 35 cm d'eau. Le reste de la saison on y voit grands hérons, gallinules poules-d'eau, canards souchets et sarcelles. En été, la végétation est luxuriante. Les passerelles sont également accessibles aux gens en fauteuil roulant. Ouvert toute l'année, du lever au coucher du soleil. Entrée gratuite. Les chiens en laisse sont tolérés. Infos : (819) 293-6901 ou www.ville.nicolet.qc.ca

④ Boisé du Séminaire

Ce petit bois de 5 hectares, dont l'histoire remonte à 1770, est le poumon de Nicolet. Le site étonne par ses arbres matures, dont un gigantesque pin blanc bicentenaire de plus de 3 m de circonférence qui fait partie des arbres « notables » de la province. Petits mammifères, geais bleus, et parfois grands pics, figurent parmi les habitants de ce parc urbain qui compte deux étangs, deux passerelles et un arboretum. On y trouve quelques tables de pique-nique et un dôme où s'abriter en cas de pluie. Il n'y a pas d'autres services. Faire le tour du sentier prend environ 30 minutes. L'hiver, on peut aussi faire du ski de fond. Les chiens, même en laisse, ne sont pas admis. Ouvert toute l'année ; entrée gratuite. Le boisé est situé au centre-ville de Nicolet, derrière la cathédrale et près du séminaire. La communauté religieuse propriétaire des lieux a fait une demande au ministère de l'Environnement du Québec pour que le Boisé du Séminaire soit rattaché aux forêts voisines (Des Sœurs et Saint-Joseph). Une réserve naturelle privée serait ainsi créée. Infos : (819) 293-6212.

⑤ Parc du Mont Arthabaska

Le Mont Arthabaska est l'un des rares sommets dans la région de Victoriaville, pays des Bois-Francs. Une montagne d'à peine 150 m de haut, mais qui fait néanmoins partie d'un couloir migratoire et qui, au printemps et à l'automne, attire des centaines d'oiseaux de proie : aigles, éperviers, faucons. Des ornithologues amateurs en ont dénombré plus de 70 en une heure. Sept sentiers de faciles à difficiles, totalisant 10 km, traversent une érablière. L'ours noir et le cerf de Virginie y ont également été observés. Outre la randonnée pédestre, les sentiers du parc du mont Arthabaska servent également pour le vélo de montagne et, en hiver,

pour le ski de fond et la raquette. Certains sentiers, dont celui menant au sommet, sont plus raides par endroits et ne sont pas balisés. Accès gratuit. Bistro au sommet. Le parc est situé sur le boulevard des Bois-Francs Sud à Victoriaville, accessible par le route 116 de Sherbrooke ou depuis la sortie 210 de l'autoroute 20. Le boulevard mène directement au sommet du mont, mais il est aussi possible de garer sa voiture au pied des sentiers, rue Girouard.

Infos: (819) 357-8247.

6 Lac du réservoir Beaudet

Réservoir d'eau potable de Victoriaville, le lac Beaudet est visité par près de 100 000 oies des neiges au printemps et à l'automne, ce qui en fait un site de plus en plus prisé des ornithologues amateurs. Parmi les 243 espèces d'oiseaux qu'on y a répertoriées, on compte plusieurs espèces de canards et autres oiseaux aquatiques, surtout dans la partie marécageuse du plan d'eau. En avril et en octobre, une importante quantité d'oiseaux de proie transitent par le réservoir. Un sentier de quelques kilomètres (au deux tiers asphalté) fait presque le tour du plan d'eau. Marcheurs, cyclistes et amateurs de patins à roulettes de tous âges s'y donnent rendez-vous. Ce sentier rejoint le réseau cyclable de La Route verte. Mis à part un terrain de stationnement et un petit bâtiment où l'on fait (en saison) la location de canots, de kayaks et de pédalos, il n'y a aucun autre service. Baignade interdite. Accès gratuit. Le lac du réservoir Beaudet est situé en bordure de la zone industrielle de Victoriaville, en face de l'usine de Lactancia.

Infos: (819) 357-8247.

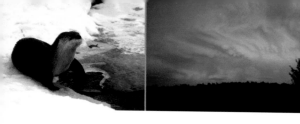

⑦ Parc écologique Godefroy

Ce parc écologique, en partie inondé tous les printemps, longe la rivière Godefroy sur quelques kilomètres, à l'endroit où celle-ci se jette dans le fleuve Saint-Laurent, près du pont Laviolette, à Trois-Rivières. Boisé sur plus de 95 % de sa superficie, l'endroit abrite de magnifiques érables (dont le caryer ovale avec son écorce en forme de lambeaux retroussés), mais aussi de grands pins blancs et des peupliers à grandes dents. Selon la saison, pygargues à tête blanche (une espèce vulnérable), parulines des pins, hérons verts et canards branchus fréquentent le site, qui compte trois sentiers d'interprétation allant de 1 à 3 km de long. Renards roux, loutres de rivière et rats-musqués communs, entre autres, complètent le tableau faunique. Une tour d'observation de 10 m de haut offre une vue intéressante sur la rivière Godefroy et la partie marécageuse du parc. En hiver, on y pratique la raquette et on dispose d'un anneau de glace en forêt pour le patin ainsi que de 15 km de sentiers de ski de fond (avec deux relais chauffés) qui relient le parc Godefroy au Centre de la biodiversité du Québec. Accès gratuit aux sentiers, sauf pour le ski de fond. Le parc, accessible par la route 132, est situé au 17105 boulevard Bécancour, près du golf et de l'Auberge Godefroy. Bureau d'information touristique et toilettes en saison.
Infos : 1-866-522-5665.

⑧ Parc régional de la rivière Gentilly

Traversé par les rivières Gentilly et Beaudet, ce parc chevauche les municipalités de Sainte-Marie-de-Blanford et de Bécancour, au sud de Gentilly. Il comprend des sentiers pédestres, de niveau facile à difficile, d'une longueur totale de 21 km. On peut parcourir certains segments à vélo de montagne. Dans les forêts mixtes : orignaux, cerfs de Virginie, renards roux, ratons laveurs, ours noirs (un premier aperçu en 2004) et… chevaux. En effet, le parc accueille les cavaliers. L'endroit dispose d'ailleurs de 10 sites de camping spécialement aménagés pour ceux-ci et leur monture. Les adeptes de plein air ont accès à 48 sites de camping, la plupart sans services. Aussi, deux tentes de prospecteur en location. Baignade permise dans la rivière, mais sans surveillance. Le parc est ouvert de la fin mai à la mi-octobre. Il en coûte 2 $ par personne pour accéder au site. Projet d'ouverture du parc en hiver, mais les lieux sont entre-temps accessibles pour la pratique du ski de fond et de la raquette hors piste. Bâtiment d'accueil à Sainte-Marie-de-Blandford, toilettes et aires de pique-nique. À la sortie 235 de l'autoroute 20, suivre les panneaux indicateurs.
Infos : 1-866-522-5665 ou www.rivieregentilly.com

9 Parc Marie-Victorin

Les Jardins Marie-Victorin se trouvent dans le parc du même nom à Kingsey Falls. Cinq jardins thématiques à contempler : jardins des cascades, des oiseaux, des plantes utiles, des milieux humides et des découvertes. Visites guidées ($) offertes les week-ends de mai à septembre et tous les jours de la mi-juin au début septembre. Entrée payante. Situé au 385, rue Marie-Victorin (route 255).
Infos : (819) 363-2528, 1-888-753-7272 ou www.parcmarievictorin.com

10 Centre d'interprétation de la canneberge

Le centre est ouvert uniquement durant la période de la récolte de la canneberge, soit de la fin septembre à la fin octobre. Il permet non seulement de se familiariser avec la culture de cette baie comestible, mais aussi avec sa spectaculaire récolte. Entrée payante. Le centre est situé au 80, rue Principale à Saint-Louis-de-Blandford. Sortie 228 ou 235 de l'autoroute 20.
Infos : (819) 364-5112 ou www.canneberge.qc.ca

En cas de pluie

11 Musée de l'érable

Un endroit idéal pour découvrir les traditions du temps des sucres, de l'époque amérindienne à nos jours. L'érable n'aura plus de secrets pour vous. Entrée payante. Tarifs pour familles et pour groupes. Ouvert tous les jours de l'année de 10 h à 16 h. Visite guidée et boutique souvenir. Le musée est situé au 1280, rue Trudelle à Plessisville.
Infos : (819) 362-9292 ou www.erable.org

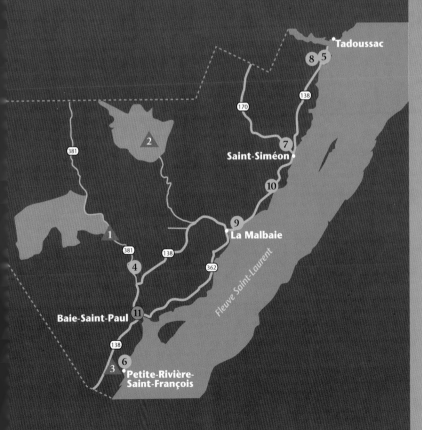

1 **Parc national des Grands-Jardins**

2 **Parc national des Hautes-Gorges-de-la-Rivière-Malbaie**

3 **Sentier des Caps**

4 Traversée de Charlevoix

5 Sentiers de Baie Sainte-Catherine

6 Sentiers à Liguori

7 Parc d'Aventure en montagne Les Palissades

8 Centre d'interprétation et d'observation de Pointe-Noire

9 Jardins Cap-à-l'Aigle

10 Centre écologique de Port-au-Saumon

11 Centre d'histoire naturelle de Charlevoix

Charlevoix

Tadoussac

8 5

138

170

2

381

7

Saint-Siméon

10

381

1

9 La Malbaie

381

138

362

4

Fleuve Saint-Laurent

11

Baie-Saint-Paul

138

3 6

Petite-Rivière-Saint-François

Des tapis de lichens, une végétation nordique étonnante à cette latitude, des feux de forêt qui ont laissé leur marque : le parc national des Grands-Jardins, situé à une heure et demie de Québec, se distingue des autres parcs du réseau québécois par ses paysages de taïga uniques et inoubliables. L'endroit est d'ailleurs reconnu comme l'une des aires centrales de la Réserve mondiale de la biosphère de Charlevoix.

Pour bien des visiteurs, la randonnée du mont du Lac-des-Cygnes (980 m) est le premier contact avec le parc : un parcours de 5,2 km aller-retour (intermédiaire et difficile) qui offre un coup d'œil incomparable sur Charlevoix et permet, au sommet, de côtoyer de plus près cette fragile flore alpine. Six espèces de plantes arctiques alpines y ont été identifiées et font l'objet d'une grande attention de la part des autorités du parc. Il est donc strictement interdit de quitter les sentiers.

Autre manifestation de cet écosystème particulier : une harde d'environ 70 caribous des bois, qui se nourrissent de lichens, a fait du parc des Grands-Jardins son habitat. Les caribous des bois ont en fait été réintroduits au parc à la fin des années 1960. Leur population serait toutefois en décroissance depuis 1992, notamment à cause des ours noirs et des loups gris qui évoluent aussi sur ce territoire de 310 km^2. Si les caribous sont difficiles à observer, ce n'est pas le cas des ours, qui se tiennent toutefois loin des aires de camping et des refuges. Oiseau emblème des Grands-Jardins, le tétras du Canada se laisse pour sa part facilement zieuter l'été en bordure des sentiers (faciles) Boréal et La Pinède.

En plus de régénérer les forêts, les feux ont pour effet de créer des habitats recherchés, entre autres par le pic à dos noir. Une centaine d'espèces d'oiseaux peuvent être observées au parc, dont le mésangeai du Canada, bien peu farouche, et le plongeon huard. Le réseau de randonnée pédestre totalise 30 km. Parmi les autres activités pratiquées : canot, kayak, escalade (deux parois inscrites auprès de la Fédération québécoise de la montagne et de l'escalade) et vélo de montagne. Le parc des Grands-Jardins compte un réseau d'environ 80 lacs. Les activités sont plus réduites l'hiver, mais on peut y pratiquer le ski de randonnée (40 km) et la raquette. Camping et coucher en chalet.

COUPS DE CŒUR

♥ Atteindre le sommet du mont du Lac-des-Cygnes pour y admirer la végétation arctique alpine et le panorama.

♥ Participer à une randonnée guidée (10 $ par personne) dans la taïga pour découvrir la richesse de cet écosystème.

♥ Découvrir le réseau de lacs où le plongeon huard y va de quelques vocalises.

En un clin d'œil

À faire : Randonnée pédestre (30 km de sentiers faciles à difficiles), canot, kayak, vélo de montagne, escalade. Interprétation de la nature. L'hiver, ski de randonnée (40 km) et raquette.

Services : Poste d'accueil et toilettes. Activités d'interprétation (guidées ou non) en haute saison. Camping, refuge, location d'équipement (canot, kayak, vélo), dépanneur, boutique nature, aire de pique-nique.

Tarifs : 3,50 $ par adulte et 1,50 $ par enfant. Prix pour familles et groupes. Droit d'accès annuel. Frais supplémentaires pour certaines activités. Carte détaillée des sentiers vendue 2 $ au poste d'accueil.

Accès : Le parc national des Grands-Jardins est situé au nord de Baie Saint-Paul. De la route 138 est, prendre la route 381 en direction du village de Saint-Urbain.

Infos : (418) 439-1227, 1-866-702-9202
www.sepaq.com

Charlevoix

Les plus hautes parois rocheuses de l'est du Canada se trouvent dans ce parc, situé non loin du parc national des Grands-Jardins. Pour ajouter à la beauté de l'endroit, la rivière Malbaie coule au creux d'impressionnantes gorges. Le point culminant du parc, que l'on peut joindre par le sentier l'Acropole des draveurs, atteint 1000 m d'altitude. Le paysage a été façonné par les mouvements de la croûte terrestre et les périodes de glaciation. Ces phénomènes géologiques ont laissé d'autres traces derrière eux, comme des cirques glaciaires, des vallées suspendues et des auges glaciaires.

Présents dans le parc national des Grands-Jardins, quelques caribous des bois fréquentent des secteurs isolés du parc des Hautes-Gorges-de-la-Rivière-Malbaie. Gardez l'œil ouvert au sommet de l'Acropole des draveurs. Le territoire est aussi propice à l'observation d'autres mammifères, certains plus gros comme l'orignal et l'ours noir, et d'autres plus petits comme la marmotte commune, le lièvre d'Amérique et le vison d'Amérique. Animal emblème du parc, la martre d'Amérique fait aussi sentir sa présence. Le parc ayant été créé en 2000, une liste sommaire de 47 espèces d'oiseaux a été dressée. Certaines espèces, comme l'aigle royal et le pygargue à tête blanche, retiennent l'attention.

Le parc abrite par ailleurs la réserve écologique des Grands-Ormes. Cette dernière a été créée pour protéger la grande diversité végétale qu'on retrouve sur une distance de 3,5 km et à des altitudes variant de 200 à 1000 m. Ce secteur comprend entre autres une pinède rouge à épinette noire, une pessière noire et une érablière sucrière à orme. La toundra est aussi présente en hauteur. L'accès à cette réserve est limité, mais celle-ci est longée en partie par le sentier l'Érablière.

Le réseau de randonnée pédestre est long de 15 km. Plusieurs sentiers sont faciles. L'Acropole des draveurs, avec ses 800 m de dénivelé, demeure le plus difficile. La longue randonnée est également possible, car le sentier de la Traversée de Charlevoix passe dans le parc. Deux parcours de 8 km chacun sont aménagés pour la bicyclette. La rivière Malbaie offre 20 km d'eau calme pour le canot et le kayak. Les paysages spectaculaires se laissent aussi admirer par le biais d'une croisière en bateau-mouche d'une durée d'une heure et demie. À noter : la circulation automobile est limitée dans le parc. Un service de navette permet aux visiteurs de joindre, depuis le terrain de stationnement principal, les points de départ des sentiers, les aires de camping et le centre de services Le Draveur.

COUPS DE CŒUR

- ♥ Admirer les plus hautes parois rocheuses de l'est du Canada.
- ♥ Gravir le sentier l'Acropole des draveurs (11 km aller-retour, difficile) pour admirer la vallée de la rivière Malbaie.
- ♥ Garder l'œil ouvert pour apercevoir le pygargue à tête blanche et l'aigle royal.

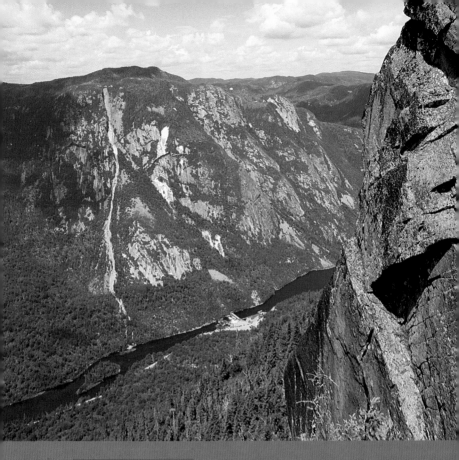

EN UN CLIN D'ŒIL

À FAIRE : Randonnée pédestre (15 km), longue randonnée (Traversée de Charlevoix), vélo (deux parcours de 8 km), canot et kayak (20 km), croisière en bateau-mouche et pêche. Interprétation de la nature. L'hiver, le ski est possible dans le sentier de la Traversée de Charlevoix.

SERVICES : Poste d'accueil principal et toilettes au Centre d'interprétation et de services Félix-Antoine-Savard. Expositions. Centre de services Le Draveur avec salle à manger, dépanneur et boutique nature. Location d'équipements (canot, kayak, bicyclette et remorque pour bagages). Navette obligatoire pour circuler dans le parc. Activités guidées.

TARIFS : 3,50 $ par adulte et 1,50 $ par enfant. Prix pour familles et groupes. Droit d'accès annuel. Frais supplémentaires pour certaines activités. Carte détaillée des sentiers vendue 2 $ au poste d'accueil principal, qui est ouvert de la fin mai à la mi-octobre.

ACCÈS : De la route 138, se rendre au village de Saint-Aimé-des-Lacs. Le parc se trouve à environ une demi-heure de route au nord du village.

INFOS : (418) 439-1227, 1-866-702-9202
www.sepaq.com

Ce sentier, qui sillonne une série de caps, relie la réserve nationale de faune du Cap Tourmente, dans la région de Québec, et le village de Petite-Rivière-Saint-François, dans la région de Charlevoix. De là-haut, le fleuve Saint-Laurent et les 21 îles de l'archipel de l'île aux Grues se laissent admirer dans toute leur splendeur. Même chose pour les voiliers d'oies des neiges qui sillonnent la région au printemps et à l'automne, de même que les oiseaux de proie qui planent au-dessus des caps. Une trentaine de belvédères ont été aménagés le long du sentier.

Le sentier des Caps, un des tronçons du Sentier national, s'étire sur 51 km (segments de niveaux intermédiaire et difficile). Les amateurs de longues randonnées le parcourent en quatre jours ou plus et dorment en refuge ou sous la tente. De plus courtes boucles de quelques kilomètres (de niveau facile à difficile) peuvent aussi être complétées par ceux et celles qui préfèrent les randonnées d'une journée.

Au cours de cette sortie nature, les randonneurs ont l'occasion de traverser plusieurs écosystèmes. Par exemple, le départ à Cap-Tourmente s'effectue dans une forêt laurentienne qui se modifie peu à peu avec l'altitude pour laisser place aux conifères. Les feuillus reprennent leurs droits au village de Petite-Rivière-Saint-François. À noter : la forêt du secteur de Cap-Rouge a été désignée forêt ancienne par le ministère des Ressources naturelles du Québec à cause de la présence de plusieurs bouleaux jaunes tricentenaires.

Les fleurs printanières sont abondantes dans les sous-bois au retour de la saison chaude. Des randonnées guidées sont offertes moyennant certains frais. Le sentier des Caps peut aussi être arpenté l'hiver en skis de fond (64,9 km), en skis nordiques ou en raquettes (48 km). Location d'équipement (skis et raquettes) au sommet du Massif de Petite-Rivière-Saint-François et à Saint-Tite-des-Caps. Services de refuges et de camping. Possibilité de faire transporter votre sac à dos et votre voiture. Le poste d'accueil est situé à Saint-Tite-des-Caps. Fermé durant un mois à la fonte des neiges.

COUPS DE CŒUR

♥ Admirer le panorama du belvédère du cap Gribane qui offre un coup d'œil sur les montagnes environnantes, Saint-Tite-des-Caps, le pont de l'île d'Orléans et l'île aux Grues.

♥ Contempler la forêt du secteur de Cap-Rouge, qui compte plusieurs bouleaux jaunes tricentenaires.

À FAIRE : Observation de la faune et de la flore. Randonnée pédestre (51 km entre Cap-Tourmente et Petite-Rivière-Saint-François et quelques boucles d'une journée, de faciles à difficiles). Ski de fond (64,9 km), ski nordique et raquette (48 km).

SERVICES : Accueil. Randonnées guidées (payantes), location d'équipement (skis de fond et raquettes), refuges, camping, transport de sacs à dos et de voitures.

TARIFS : 5 $ par adulte, gratuit pour les enfants de moins de 12 ans. Certains frais s'ajoutent pour le camping et les nuitées en refuge. Carte des sentiers gratuite au poste d'accueil.

ACCÈS : Le bureau d'accueil est situé à Saint-Tite-des-Caps, au 2, rue Leclerc, à deux pas de la route 138.

INFOS : (418) 823-1117, 1-866-823-1117
www.sentierdescaps.com

Charlevoix

④ Traversée de Charlevoix

La Traversée de Charlevoix est le segment le plus populaire du Sentier national ; il convient aux randonneurs et aux fondeurs aguerris, adeptes de longues randonnées. Le réseau de sentiers de la Traversée, de niveau tantôt intermédiaire, tantôt difficile, s'étire sur 100 km. La région étant vallonnée, les montées et les descentes y sont nombreuses et certains segments sont assez abrupts ; ces derniers peuvent cependant être contournés à l'occasion. Les forêts sont composées à 50 % de feuillus et à 50 % de résineux. Le début des sentiers est aux limites du parc national des Grands-Jardins. Ils traversent le parc national des Hautes-Gorges-de-la-Rivière-Malbaie sur 10 km et se terminent au mont Grand-Fonds. Accès à de nombreux lacs. Vues sur la rivière Malbaie et la rivière du Gouffre. À observer : orignaux, cerfs de Virginie, ours noirs (plus rares), et nombreux oiseaux. La traversée s'effectue en sept jours. Possibilité d'itinéraire avec deux ou trois couchers. Six refuges et six chalets offerts en location. Service de transport de sacs, de vivres et de voitures. Le poste d'accueil principal de la Traversée, où on peut se procurer la carte des sentiers, se trouve au 841, rue Saint-Édouard (route 381), à Saint-Urbain. Le début des sentiers est 24 km plus au nord. Également possible : vélo de montagne pour experts. Ceux qui fréquentent la Traversée aiment beaucoup l'arpenter à skis en hiver et en raquettes au printemps.
Infos : (418) 639-2284 ou www.charlevoix.net/traverse

⑤ Sentiers de Baie Sainte-Catherine

Des points de vue sur le fleuve Saint-Laurent et sa faune marine, un barrage de castors du Canada, une cascade, une intéressante forêt mixte : les deux sentiers balisés de Baie Sainte-Catherine permettent de belles randonnées. Le premier, celui des Chutes (3 km), est facile, tandis que le second, le sentier des Castors (7 km), est de niveau intermédiaire. Le terrain est vallonné. On peut y croiser le renard roux, entre autres mammifères. L'accès aux sentiers est gratuit. Il n'y a aucun service. Il n'y a pas d'activité offerte l'hiver. On accède à la municipalité de Baie Sainte-Catherine par la route 138. Le départ des sentiers est situé près du centre des loisirs.
Infos : Municipalité de Baie Sainte-Catherine, (418) 237-4271.

6 Sentiers à Liguori

Les sentiers à Liguori sont situés dans le village de Petite-Rivière-Saint-François, au pied du massif du même nom. Peu connu, l'endroit comprend 22 km de sentiers pour la randonnée pédestre et, en hiver, pour la raquette. Il fait aussi office de centre d'interprétation naturel et culturel de Charlevoix. Un sentier d'hébertisme avec 15 obstacles et un sentier adapté aux personnes à mobilité restreinte ont été aménagés. À découvrir : de grandes érablières et des forêts propices à l'interprétation des champignons. Parmi les variétés identifiées dans les sentiers à Liguori : l'amanite tue-mouche, le pleurote en forme d'huître et la morille conique. Panneaux d'identification des essences forestières au début du sentier La Simard. Le réseau de sentiers, qui permet de rejoindre le Sentier des Caps, est traversé par deux rivières. Accès à des ruisseaux avec cascade où la baignade est permise. Dans les forêts : orignaux, ours noirs, cerfs de Virginie, lièvres d'Amérique. Le site appartient au ministère des Ressources naturelles du Québec, mais il est géré par un organisme sans but lucratif. Accueil, toilettes, aire de pique-nique et nombreux belvédères. Droits d'accès : 5 $ par adulte, gratuit pour les enfants de 12 ans ou moins. Le début des sentiers se trouve au bout du village de Petite-Rivière-Saint-François, où se dresse une imposante croix. Après celle-ci, tournez à droite.

Infos : (418) 632-5551 ou www.petiteriviere.com/a_sentierligori.htm

⑦ Parc d'Aventure en montagne Les Palissades

L'escalade est l'une des activités principales pratiquées au parc Les Palissades, autrefois connu sous le nom de Centre éducatif et forestier Les Palissades. Avec sa paroi qui atteint 400 m de hauteur (et qui compte 100 voies d'escalade), l'endroit est un paradis de la grimpe. Formations d'escalade et parcours de «via ferrata» (sentier guidé en montagne avec câbles de sécurité) offerts sur réservation. Le site comprend néanmoins 15 km de sentiers pour la randonnée pédestre. Vues panoramiques et accès au Sentier national, secteur l'Orignac. Le centre porte encore des traces de sa vocation première. Il y a de nombreux panneaux d'interprétation, entre autres sur la faune et les nombreuses essences d'arbres (pins blanc, rouge et gris, épinettes, etc.). Près d'une centaine d'espèces d'oiseaux ont été observées sur place, dont 18 espèces de parulines. Lac glaciaire au pied de la falaise. Blocs erratiques. Points de vue sur le fleuve Saint-Laurent. Entrée payante. Le parc est situé à Saint-Siméon, au 1000, route 170.
Infos : 1-800-762-4967.

⑧ Centre d'interprétation et d'observation de Pointe-Noire

Le centre est situé au confluent du fleuve Saint-Laurent et du fjord du Saguenay dans le parc marin du Saguenay-Saint-Laurent. Coup d'œil étonnant sur les falaises escarpées du fjord et observation de mammifères marins, comme le petit rorqual et le béluga. Sentier panoramique et belvédères avec télescopes. Naturalistes sur place. Aire de pique-nique. Prix d'entrée de 5 $ par famille. Ouvert de la mi-juin à la mi-octobre. Situé sur la route 138 à Baie-Sainte-Catherine.
Infos : (418) 237-4383 ou (418) 235-4703

⑨ Jardins de Cap-à-l'Aigle

Cap-à-l'Aigle a été fusionné avec La Malbaie en 2000, mais le petit village est demeuré, avec ses jardins, l'un des secteurs les plus fleuris de la nouvelle ville. À voir : une importante collection de lilas et des jardins thématiques. Vente de lilas. Conférences et ateliers d'horticulture. Exposition. Café-terrasse. Entrée payante. Ouvert du début juin à la mi-octobre. Situé sur la rue Saint-Raphaël.
Infos : (418) 665-2127.

⑩ Centre écologique de Port-au-Saumon

Ce site, situé en bordure du Saint-Laurent, offre des visites guidées de sentiers écologiques en juillet et en août. Départs à 10 h et à 14 h. Au programme : la faune et la flore de Charlevoix. Bassins-contacts avec des organismes marins : anémones, crabes, étoiles de mer, oursins, etc. Entrée payante. Situé sur la route 138 à La Malbaie.
Infos : (418) 434-2209.

En cas de pluie

11 Centre d'histoire naturelle de Charlevoix

Situé à même le bureau d'information touristique de Charlevoix, à Baie-Saint-Paul, ce petit centre raconte l'événement qui a façonné le paysage de la région : l'impact d'un météorite. Le cratère ainsi formé serait l'un des plus grands de la planète. Exposition et animation. Contributions volontaires appréciées. Ouvert toute l'année, mais sur demande de la mi-octobre à la mi-mai.
Situé au 444, boul. Mgr-de Laval
(route 138)
Infos : (418) 435-6275.

1. **Parc national de Frontenac**
2. **Parc régional Massif du Sud**
3. **Parc régional des Appalaches**
4. **Sentiers pédestres des 3 Monts de Coleraine**
5. **Battures de l'Isle-aux-Grues**

6. **Centre des migrations de Montmagny**
7. **Domaine Joly-De-Lotbinière**
8. **Parc des Chutes-de-la-Chaudière**
9. **Domaine de la Seigneurie**
10. **Sentier de la Haute Etchemin et lac Caribou**
11. **Mont Grand Morne**
12. **Pavillon de la faune**
13. **Ferme la Colombe**
14. **Musée minéralogique et minier de Thetford Mines**

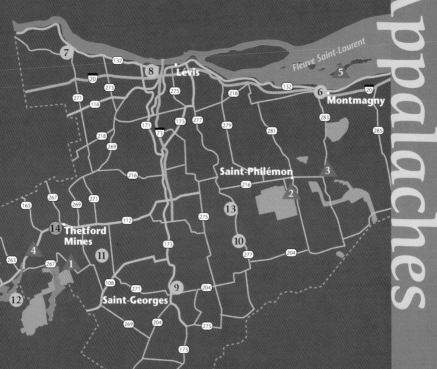

À cheval sur les régions des Cantons-de-l'Est et de Chaudière-Appalaches, le parc national de Frontenac se distingue par son territoire nautique (le lac Saint-François) entouré de forêts. Ce terrain de jeu de 155 km² compte un lac de 51 km² serti de baies, de plages, de pointes, de même que d'un quai et d'une rampe de mise à l'eau. Dans le nord du parc, le secteur Saint-Daniel est occupé en grande partie par le lac Saint-François. Ce secteur compte également une tourbière où on peut admirer plantes insectivores et orchidées. Une boucle de 4,5 km traverse cet environnement singulier. À voir dans le secteur sud du parc : une grande baie (la baie Sauvage, un prolongement du lac Saint-François) et sept lacs situés au pied du petit massif de Winslow.

Le grand héron, emblème aviaire du parc, est partout entre mai et septembre. Selon la documentation officielle, environ 100 héronneaux sont nés sur le territoire de la réserve en 2003. Parmi les 175 espèces d'oiseaux observées se trouvent le balbuzard pêcheur, le tétras du Canada et le pygargue à tête blanche. Frontenac a le privilège d'être un lieu de nidification du pygargue, une espèce vulnérable. Le lac des Îles et le lac à la Barbue, situés dans le secteur sud, abritent une plante rare : la peltandre de Virginie, qu'on retrouve normalement plus au sud, près de la Floride. En juillet, au lac à la Barbue, les plantes aquatiques en floraison ont de quoi étonner.

Le parc comprend environ 225 emplacements de camping, répartis dans quatre secteurs aménagés. Sinon, possibilité de faire du canot-camping (une trentaine de places) sur la baie Sauvage, le lac des Îles et le lac à la Barbue. Au total, les secteurs nord et sud comptent 11 sentiers de randonnée pédestre (environ 60 km, faciles et intermédiaires) autour des baies, le long des rivières, dans la tourbière (dont 3,5 km sur pilotis) et dans des chemins forestiers. Le secteur Saint-Daniel compte aussi une piste cyclable d'environ 16 km aller-retour. L'hiver, l'ensemble du réseau, sauf le sentier de la tourbière, est accessible aux fondeurs et raquetteurs. Randonnées guidées (la plupart payantes et en saison) à pied ou en canot rabaska. Aussi en été : activités familiales et soirées-causeries. Le parc compte par ailleurs une multitude de panneaux d'interprétation.

Seule ombre au tableau : en été, le secteur Saint-Daniel, parce que scindé par le lac Saint-François, offre un peu moins de quiétude à cause des nombreuses embarcations motorisées que certains riverains utilisent. Près de la moitié du lac est située à l'extérieur des limites du parc.

COUPS DE CŒUR

♥ Partir à la découverte du lac Saint-François et de ses nombreuses baies.

♥ Admirer en plein été la floraison des nombreuses plantes aquatiques colorées au lac à la Barbue.

À FAIRE : Environ 60 km de sentiers pédestres (incluant les allers-retours), dont une cinquantaine de kilomètres pour le vélo. Baignade, activités d'interprétation et activités nautiques (canot, kayak, rabaska) de juin à septembre. L'hiver, quelque 40 km pour le ski. La raquette est praticable sur l'ensemble du réseau, sauf dans la tourbière.

SERVICES : De mai à octobre : deux postes d'accueil, camping (environ 200 emplacements) et canot-camping (environ 30 emplacements), location de chalets, casse-croûte, dépanneur, location de vélos et d'embarcations (canots, kayaks, pédalos). Boutique nature et panneaux d'interprétation.

TARIFS : Droits d'accès quotidien en vigueur dans les parcs nationaux : 3,50 $ par adulte, 1,50 $ par enfant. Droit d'accès annuel disponible. Prix pour familles et groupes. Frais supplémentaires pour certaines activités. Carte des sentiers disponible gratuitement à l'entrée du parc.

ACCÈS : Secteur Saint-Daniel : route du parc à Saint-Daniel (ouvert de mai à octobre). Prendre l'autoroute 10, puis la route 112 jusqu'à Disraëli. De là, prendre le chemin du barrage Allard (rang 6), puis la 267. Secteur Sud (ouvert à l'année) : 599, chemin des Roy à Lambton. Prendre l'autoroute 10, puis la route 112 jusqu'à East Angus ; ensuite la route 214, puis la route 108 jusqu'à la route 263.

INFOS : (418) 486-2300
www.sepaq.com

Chaudière-Appalaches

Le parc régional Massif du Sud se résume ainsi : montagnes, vallées, ruisseaux, marécages en altitude et phénomènes géologiques, dont un canyon, un cirque glaciaire et des abris sous roches créés par des éboulements de schiste. Le site (120 km²) est relativement éloigné des grands centres, mais il vaut amplement le déplacement. Le massif compte trois sommets, dont le mont du Midi, qui culmine à 915 m, et les monts Chocolat et Saint-Magloire. La face nord du mont du Midi fait office de station de ski en hiver et tard au printemps.

La végétation du parc est riche et diversifiée. À noter à la base du massif montagneux : des forêts de feuillus, dont des merisiers (bouleaux jaunes) presque tricentenaires dans certains secteurs. Sur les sommets : des sapinières à oxalides dignes des forêts résineuses boréales. Cette grande diversité végétale engendre une activité faunique hors du commun. Orignaux, cerfs de Virginie, pékans et martres d'Amérique y côtoient lynx roux, lynx du Canada et polatouches (écureuils volants). Le tétras du Canada y est facilement observable, ne craignant pas la présence humaine. De nombreux hiboux, chouettes et pics sont aussi omniprésents sur le site. Les ruisseaux du parc abritent quantité de truites.

L'endroit offre plus de 80 km de sentiers pédestres et multifonctionnels (de faciles à difficiles), dont 30 km pour le vélo de montagne (location sur place) et l'équitation. Le réseau de sentiers et le chalet d'accueil sont accessibles de mai à octobre. En hiver, la station de ski prend la relève et accueille les aficionados de la glisse (ski alpin et de fond) et de la raquette. Dix plates-formes de camping rustique et quatre refuges permettent de séjourner facilement quelques jours au parc. L'été, des guides d'interprétation vous attendent pour vous livrer tous les secrets sur la faune, la flore et les phénomènes géologiques du parc.

À faire en famille : la très prisée, mais quand même difficile, randonnée des abris sous roches, c'est-à-dire dans une gorge et dans les quelques tunnels créés par les éboulements de roc. Bonnes chaussures essentielles. La Chute du bassin mérite un détour pour son eau cristalline et fraîche. Plusieurs panneaux d'interprétation et belvédères jalonnent les différents sentiers du parc. Le Massif du Sud peut satisfaire les familles et les contemplatifs, mais aussi les randonneurs exigeants.

COUPS DE CŒUR

♥ Découvrir les très vieilles forêts de feuillus, et la faune qu'elles abritent, au pied du massif montagneux.

♥ Explorer les tunnels créés par les éboulements de roc et les autres phénomènes géologiques du parc.

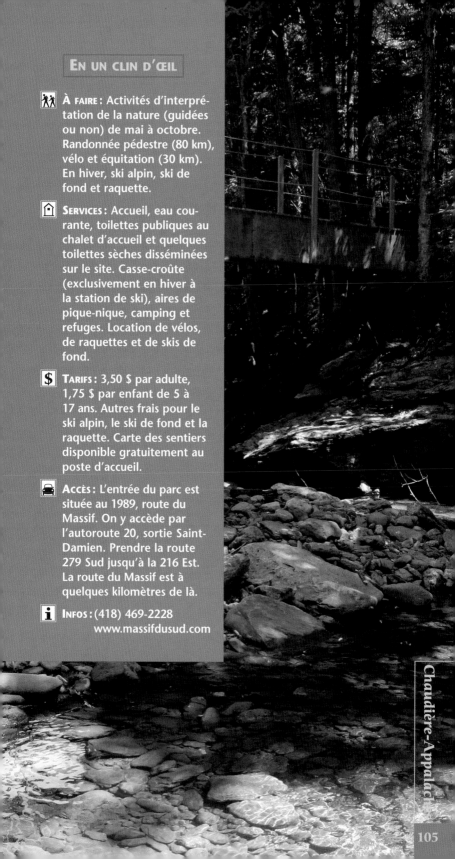

EN UN CLIN D'ŒIL

À FAIRE : Activités d'interprétation de la nature (guidées ou non) de mai à octobre. Randonnée pédestre (80 km), vélo et équitation (30 km). En hiver, ski alpin, ski de fond et raquette.

SERVICES : Accueil, eau courante, toilettes publiques au chalet d'accueil et quelques toilettes sèches disséminées sur le site. Casse-croûte (exclusivement en hiver à la station de ski), aires de pique-nique, camping et refuges. Location de vélos, de raquettes et de skis de fond.

TARIFS : 3,50 $ par adulte, 1,75 $ par enfant de 5 à 17 ans. Autres frais pour le ski alpin, le ski de fond et la raquette. Carte des sentiers disponible gratuitement au poste d'accueil.

ACCÈS : L'entrée du parc est située au 1989, route du Massif. On y accède par l'autoroute 20, sortie Saint-Damien. Prendre la route 279 Sud jusqu'à la 216 Est. La route du Massif est à quelques kilomètres de là.

INFOS : (418) 469-2228
www.massifdusud.com

Chaudière-Appalaches

Fragmenté est le mot juste pour décrire ce parc qui compte 10 sites répartis dans huit municipalités rurales. Cet ensemble de sites naturels couvre un corridor nord-sud de 90 km² allant de Montmagny, sur le bord du fleuve Saint-Laurent, jusqu'à la frontière du Maine. Le parc régional des Appalaches compte notamment les monts Sugar Loaf (650 m) et de la Grande Coulée (une ancienne station de ski ; 853 m). À cela s'ajoutent des lacs (dont le lac Carré), des rivières (dont la rivière Noire avec ses rapides où débutants et experts peuvent s'éclater en canot ou en kayak), des chutes, un esker, ainsi qu'une tourbière. Décrire les 10 sites du parc en si peu d'espace relève de l'impossible. Une courte visite au **www.parcappalaches.com** est donc de mise.

Plus on approche de la frontière du Maine, plus on a de chances d'observer un orignal, une espèce dominante dans l'ensemble du parc. Plus difficile à voir, le lynx roux est néanmoins, lui aussi, un habitué des lieux. Fondé en 1997, le parc est encore jeune et ne dispose donc pas d'une liste exhaustive des oiseaux observés à ce jour. Chose certaine, le parc abrite une héronnière, qu'il vaut mieux ne pas approcher même si vous découvrez où elle se trouve.

Quantité de hérons sont observables un peu partout sur le territoire. Les plans d'eau et les forêts mixtes du parc, dont certaines ont été affectées par les coupes forestières, sont l'hôte de la gélinotte huppée, du mésangeai du Canada, ainsi que de nombreuses autres espèces comme la petite buse, le plongeon huard, le martin-pêcheur d'Amérique, etc.

Plus de 100 km de sentiers pédestres et de voies cyclables, aux trois quarts reliés, permettent d'explorer tous les recoins de ce parc régional. Sites de camping rustiques et aménagés, de même que plusieurs refuges et chalets à louer. Le site le plus prisé est assurément celui de Sainte-Lucie-de-Beauregard, dans l'extrême-sud du parc. Sur place : location de canots et de kayaks, croisières en ponton, canot-camping (tentes ou refuges) sur la rivière Noire, début des sentiers qui mènent au mont Sugar Loaf, cinq ponts suspendus, etc. Le parc est ouvert à longueur d'année, mais le poste d'accueil de Sainte-Lucie ne l'est que de juin à octobre. En hiver, le parc offre 60 km de sentiers de ski de fond, dont 16 km pour le pas de patin et neuf sentiers de raquette totalisant 80 km (hors piste compris).

COUPS DE CŒUR

- ♥ Observer la vie dans la tourbière par le biais d'un nouveau parcours cyclable de 15 km.
- ♥ S'offrir une vue à couper le souffle du haut du mont Sugar Loaf (650 m).

 **À FAIRE :** Observation de la faune, de la flore et de phénomènes géologiques à partir de plus de 100 km de sentiers de randonnée pédestre couvrant une dizaine de sites. Canot et kayak sur lacs et rivières. Vélo. Ski de fond et raquette.

SERVICES : Postes d'accueil et information touristique. Toilettes. Casse-croûte. Camping et refuges. Croisière. Location de chaloupes, canots et kayaks. Aires de jeux et de pique-nique. Quai et rampe de mise à l'eau.

TARIFS : L'entrée au parc est gratuite. Selon les sites visités, il se peut qu'il y ait des frais de stationnement. Autres tarifs pour la location d'embarcations, de même que pour le camping et les refuges. Dépliant (avec cartes des sentiers) offert gratuitement aux postes d'accueil.

ACCÈS : De l'autoroute 20, à la hauteur de Montmagny, prendre la route 283 Sud. Les différents sites du parc régional des Appalaches sont situés de part et d'autre de cette route.

INFOS : 1-877-827-3423
www.parcappalaches.com

Chaudière-Appalaches

107

Ce territoire de 12 km², qui abrite l'une des rares réserves écologiques accessibles au public, est caractérisé par trois sommets : le mont Oak (460 m), la colline Kerr (494 m) et le mont Caribou (558 m). Mais au-delà du relief montagneux, le Territoire de conservation des trois Monts de Coleraine, de son vrai nom, cache des trésors. Le site est l'un des seuls endroits au Québec, avec le mont Albert en Gaspésie, où l'on retrouve la serpentine, une roche riche en magnésium qui favorise la présence de plantes peu communes comme l'aspidote touffue et l'adiante des Montagnes vertes.

Le site compte aussi une importante colonie d'urubus à tête rouge. Ce gros oiseau charognard qui niche sur place peut être observé de mai à octobre. L'avifaune des lieux compte près d'une centaine d'espèces, dont le pic à tête rouge et une vingtaine d'espèces de parulines. Quantité de ruminants (cerfs de Virginie et orignaux) fréquentent aussi le site. Les pourtours du mont Oak abritent une forêt de pins rouges, ainsi qu'une forêt de chênes rouges centenaires. Cette dernière a été désignée écosystème forestier exceptionnel par le gouvernement du Québec. Mentionnons également la présence en altitude du lac Johnston et de l'étang Dry.

Un total de 34 km de sentiers pédestres s'offrent aux visiteurs. Toilettes sèches, belvédères, panneaux d'interprétation de la nature, sites de camping et refuges sont situés le long du réseau de sentiers. Les familles avec jeunes enfants opteront pour la boucle de 4 km (facile) autour du mont Oak. Les pros de la marche emprunteront le parcours de 22 km permettant de fouler les trois sommets du site. En hiver, les sentiers sont utilisés pour la raquette et le ski de fond. Le parc est ouvert toute l'année, ainsi que son poste d'accueil, situé sur la route 112, à un jet de pierre de la municipalité de Saint-Joseph-de-Coleraine. Un pavillon thématique sur les attraits du parc est accessible près de l'entrée. Visites guidées offertes sur demande. Plusieurs vestiges miniers datant du XIXᵉ siècle, époque où des mines de chrome étaient exploitées, sont encore visibles. Il est interdit de pénétrer à l'intérieur des vieilles galeries.

COUPS DE CŒUR

♥ Admirer la forêt exceptionnelle de chênes rouges autour du mont Oak, de même que les plantes rares comme l'aspidote touffue.

♥ Observer, depuis la colline Kerr, la falaise fréquentée par plusieurs urubus à tête rouge.

Sentiers pédestres des 3 Monts de Coleraine

Chaudière-Appalaches

En un clin d'œil

- **À faire :** Environ 35 km de sentiers pédestres (faciles à difficiles) pour observer une faune, une flore et une géologie diversifiées. Ski de fond et raquette. Activités d'interprétation.

- **Services :** Poste d'accueil et pavillon thématique. Toilettes (sèches dans les sentiers et au poste d'accueil). Onze plates-formes de camping sur trois sites et deux refuges en location. Machines distributrices. Visites guidées sur demande. Panneaux d'interprétation.

- **Tarifs :** Adultes : 4 $. Étudiants : 3,50 $. Enfants (de 6 à 10 ans) : 1,50 $. Tarif de 10 $ par famille. Carte des sentiers offerte gratuitement au poste d'accueil.

- **Accès :** De l'autoroute 10, prendre la route 112 Est jusqu'à Coleraine, qui est situé peu avant Thetford Mines.

- **Infos :** (418) 423-3351
  http://pagesglobetrotter.net/sentierspedestres3monts

Chaudière-Appalaches

Avec ses 21 îles, l'archipel de l'Isle-aux-Grues est situé juste en face de Montmagny, dans le secteur du fleuve Saint-Laurent où l'eau douce devient salée. L'Isle-aux-Grues est la seule île habitée toute l'année et la plus vaste de l'archipel. Elle est caractérisée par un marais sauvage de 530 hectares (5,3 km²) qui serait l'un des plus grands du genre dans le nord-est de l'Amérique du Nord. Ce marais est situé dans la partie est de l'île, de part et d'autre du chemin de la Batture, une route de 7 km qui relie l'Isle-aux-Grues à l'Isle-aux-Oies. Il y a cependant une barrière, au bout du chemin, juste avant d'arriver à l'Isle-aux-Oies, qui est une propriété privée. Territoire ouvert, où le temps semble s'être arrêté, le chemin de la Batture est inondé sporadiquement par les hautes marées (les plus puissantes du fleuve, dit-on) et les marées équinoxiales. Les battures restent donc accessibles la plupart du temps.

L'endroit, que les insulaires ont baptisé «battures de l'Isle-aux-Grues», est un site remarquable pour l'observation de l'oie des neiges et du busard Saint-Martin (très commun), mais aussi du bécasseau semipalmé, du hibou des marais et du râle jaune, une espèce peu commune et susceptible d'être désignée menacée ou vulnérable. Sur les battures et le reste de l'île, quelque 200 espèces d'oiseaux ont été observées. Ce qui est déjà plus que la population humaine de l'île, qui compte environ 150 insulaires.

Quelques panneaux d'interprétation vous renseigneront sur les caractéristiques fauniques et florales de ce milieu riche en scirpes d'Amérique, un végétal dont les oies raffolent et qu'on retrouve aussi à Cap-Tourmente, dans la région de Québec. Il n'y a aucun service sur le chemin de la Batture. Vous trouverez casse-croûte, toilettes, etc., à environ 3 km de là, au quai principal.

Visites guidées offertes par les Croisières Lachance et Ornitour, qui gèrent un service de navette sur l'île. Le service de traversier entre Montmagny et l'Isle-aux-Grues est offert gratuitement d'avril à décembre. Vous pouvez l'utiliser, mais il est suggéré de ne pas traverser sa voiture. L'île se laisse parcourir à pied ou à vélo. Attention : pour éviter d'être momentanément coincé sur l'île, consultez l'horaire des marées.

COUPS DE CŒUR

♥ Observer, sur le chemin de la Batture, le busard Saint-Martin, le hibou des marais ou encore, le très peu commun râle jaune.

♥ Parcourir à pied ou à vélo cette île qui fut autrefois habitée par le célèbre peintre Jean-Paul Riopelle.

À FAIRE : Observation de la faune ailée et de la flore sur un total d'environ 10 km (chemin de la Batture et chemin de la Grève, ce dernier étant accessible près du quai). Promenade à bord de l'éco-train.

SERVICES : Traversier (gratuit) de mai à décembre. Croisières guidées (payantes) dans l'archipel et service de navette sur l'Isle-aux-Grues. Panneaux d'interprétation sur le chemin de la Batture. Camping au centre de l'île. Casse-croûte et information touristique au quai principal. Boutique d'artisanat.

TARIFS : Il n'en coûte rien pour sillonner l'île. Frais exigés pour les croisières ou le service de navette. Carte de l'île offerte gratuitement à Montmagny ou au quai de l'Isle-aux-Grues.

ACCÈS : Par le traversier de Montmagny ou le quai de Berthier-sur-Mer, tous deux situés sur la route 132, qui longe le fleuve Saint-Laurent.

INFOS : (418) 241-5117, Croisières Lachance au 1-888-476-7734, Ornitour au (418) 241-5368
www.isle-aux-grues.com

Chaudière-Appalaches

Capsules nature

⑥ Centre des migrations de Montmagny

La région de Montmagny est un site privilégié pour l'observation de l'oie des neiges et de la sauvagine, au même titre que Baie-du-Febvre et Cap-Tourmente. Au printemps et à l'automne, c'est par centaines de milliers que bernaches, oies et canards se réunissent le long du fleuve Saint-Laurent dans la région Chaudière-Appalaches, en bordure de la route 132. Le grand rassemblement des oies débute à une vingtaine de kilomètres de Lévis, près du village de Saint-Vallier, et s'étend jusqu'à l'Islet. C'est à vélo, par le biais de la Route verte, le long de la route 132, que cette faune aquatique se laisse le mieux observer. À Montmagny, une dizaine de points d'observation sont accessibles à pied. Parmi ceux-ci, un marais aménagé par Canards Illimités Canada où l'on peut observer, entre autres, la gallinule poule-d'eau, le grèbe à bec bigarré et la sarcelle à ailes bleues. Le marais est accessible depuis le quai par le Sentier de l'oie blanche. Quelques kilomètres de sentiers supplémen-taires près du bâtiment du Centre des migrations (entrée payante). Expositions, films et volière sur place. L'automne, rendez-vous au quai principal, où les oies sont très faciles à observer. Du quai, traversier pour l'Isle-aux-Grues. Consultez l'horaire des marées. Camping près du Centre des migrations. Montmagny est située à environ 50 km à l'est de Québec.
Infos : 1-800-463-5643 ou www.cotedusud.ca

⑦ Domaine Joly-De-Lotbinière

Le marais de Pointe-Platon à Sainte-Croix est une réserve écologique qui appartient au ministère de l'Environnement du Québec. Le hic, c'est que seules les personnes autorisées peuvent accéder à ce site voué à la conservation de la nature. Le marais est toutefois contigu au Domaine Joly-De-Lotbinière, endroit qui ne manque pas d'attraits. Le domaine compte plus de six kilomètres de sentiers pédestres, dont un conduit au fleuve et permet de découvrir les abords du marais et l'activité qui y règne. Bécasseaux et bécassines s'y nourrissent. La sauvagine y effectue aussi un arrêt lors des flux migratoires pour se restaurer et se reposer. Le paysage est composé d'impressionnantes falaises de schiste. La forêt du Domaine Joly-De-Lotbinière est pour sa part reconnue comme forêt exceptionnelle du Québec. Certains arbres ont presque deux siècles d'existence. Les essences y sont nombreuses : peupliers de Lombardie, chênes rouges, hêtres à grandes feuilles, frênes noirs, érables, bouleaux jaunes, etc. Également à découvrir : de magnifiques jardins et un manoir historique. De nombreuses activités culturelles sont organisées au domaine. Ouvert de mai à octobre. Service de restauration sur place. Entrée : 10 $ pour les adultes et 7 $ pour les étudiants. Accessible de l'autoroute 20 par la sortie 278.
Infos : (418) 926-2462 ou www.domainejoly.com

⑧ Parc des Chutes-de-la-Chaudière

Après avoir parcouru 185 km depuis le lac Mégantic (où elle prend naissance), la rivière Chaudière fait un dernier plongeon de 35 m dans ce parc avant de se jeter dans le fleuve Saint-Laurent, à deux pas de la ville de Québec. La rivière, les marais, les îlots, la forêt et les escarpements font de ce lieu un habitat tout trouvé pour le grand cormoran, le balbuzard pêcheur, la paruline des ruisseaux, etc. Il existe deux entrées au parc (avec toilettes et aires de pique-nique) : à Charny (accessible par l'autoroute 20, puis par l'autoroute 73) et à Saint-Nicolas (aussi accessible par l'autoroute 20, puis par la route 116). Une passerelle de 113 m de long, située à 23 m de hauteur, relie les deux rives du parc, donc les deux entrées. Avec des infrastructures impeccables, le parc des Chutes-de-la-Chaudière compte cinq sentiers pédestres totalisant 4,2 km, dont certains ont été enrichis de panneaux d'interprétation. Une petite centrale hydroélectrique y est encore en service. Le territoire du parc, fréquenté il y a 8000 ans par des tribus nomades, offrirait un fort potentiel archéologique. Entrée gratuite.
Infos : (418) 838-6026 ou www.tourismelevis.com

⑨ Domaine de la Seigneurie

Oasis de verdure située en plein cœur de Saint-Georges-de-Beauce, le Domaine de la Seigneurie compte trois sites reliés entre eux : le parc des Sept chutes, le parc Veilleux et le parc de l'île Pozer. Le domaine, d'une superficie de 80 hectares, comprend 10 km de sentiers pour la randonnée pédestre, le vélo et le patin à roues alignées. Le parc des Sept chutes est sans conteste le coin le plus «nature» du Domaine de la Seigneurie. Le site, traversé par la rivière Pozer, représente à lui seul 70 hectares en milieu forestier où vivent oiseaux de proie et petits mammifères. Cette partie du domaine est sillonnée par quelques kilomètres de sentiers (avec panneaux d'interprétation) qui longent la rivière Pozer et offrent un coup d'œil sur des chutes. Deux belvédères le long du sentier et, en guise de récompense, une passerelle de 25 m de hauteur au-dessus de la septième chute. Vue sur une forêt de pins bicentenaires. Aires de pique-nique et de jeux, de même que piscine, toilettes et casse-croûte près du terrain de stationnement. Le deuxième site du Domaine de la Seigneurie, le parc de l'île Pozer est accessible par le centre-ville de Saint-Georges. Il est relié par deux passerelles et est sillonné par un sentier piétonnier et cycliste. Quant au parc Veilleux, vous pourrez y profiter d'une aire de repos, d'une boucle (piéton et vélo), de même que d'un débarcadère et d'un quai public. Accès : le début des sentiers est accessible par la 1re avenue, derrière le centre sportif Lacroix-Dutil. Quant au parc des Sept chutes, on s'y rend par la 6e avenue (sur l'autre rive de la rivière Chaudière).
Infos : (418) 228-8155.

⑩ Sentier de la Haute Etchemin et lac Caribou

Faisons d'une pierre deux coups dans la municipalité de Lac-Etchemin, située sur la route 277 entre Lévis et Saint-George-de-Beauce. Le premier site, le sentier de la Haute Etchemin, offre un sentier linéaire de 3,5 km le long d'une petite rivière. Passerelle et panneaux d'interprétation. Ouvert de mai à octobre. Entrée gratuite. Accessible par la 2ᵉ avenue. Le terrain de stationnement est situé sur la rue du Sanctuaire. Le second site, le lac Caribou, est encore très peu développé, mais offre néanmoins beaucoup de potentiel pour l'observation de la faune. Parmi les 146 espèces d'oiseaux qui fréquentent cette vieille forêt, notons : le faucon pèlerin (espèce vulnérable), le grand-duc d'Amérique, la chouette rayée, le plongeon huard et le butor d'Amérique. Quelques kilomètres de sentiers (non balisés) permettent de sillonner le site. Mis à part un club de chasse et pêche qui détient un bail et occupe une partie des lieux, ce territoire de 4 km^2 est composé de terres publiques accessibles gratuitement. Carte du site offerte au Manoir du lac Etchemin. Certains aimeraient faire de ce site une réserve écologique. Accessible de Lac-Etchemin par le rang 5. Rouler environ 6 km jusqu'au chemin des Sommets. Si la barrière est fermée, se stationner et continuer à pied.

Infos : Municipalité de Lac-Etchemin, (418) 625-4521.

⑪ Mont Grand Morne – Parc d'aventures

Culminant à 608 m d'altitude, le mont Grand Morne se démarque par sa falaise de 200 mètres où les adeptes d'escalade peuvent s'en donner à cœur joie. Il y a 30 voies d'escalade au total sur cette montagne de basalte vieille de 650 millions d'années. Les amateurs de sports extrêmes peuvent également se rendre au sommet (en 4 X 4 seulement) où se trouvent deux plates-formes de départ pour le deltaplane et le parapente. Pour les familles, il est possible de se rendre au sommet, mais à pied. Le mont Grand Morne – Parc d'aventures offre un réseau pédestre d'environ 6 km. Le sentier Crescendo (2,1 km) fait le tour de la montagne et donne accès à trois sentiers qui mènent au sommet dénudé du mont. Là-haut, une tour d'observation offre un panorama de 360 degrés. Pour s'y rendre, les familles aimeront le sentier La Coulée (0,7 km) ; les plus costauds apprécieront le sentier La Dégringolade (0,7 km). Le mont Grand Morne est également caractérisé par son avifaune (urubu à tête rouge et grand corbeau, qui nichent sur place) et sa flore (merisiers de 200 ans et thuyas du même âge accrochés à la falaise). Le cerf de Virginie est facilement observable le long du sentier Crescendo. Panneaux d'interprétation sur la faune, la flore et la géologie. Bâtiment d'accueil ouvert de fin juin à fin octobre. Toilettes sèches au sommet. Entrée gratuite, mais il en coûte 14 $ pour utiliser l'une des six plates-formes de camping rustique. Visites guidées sur demande. En hiver, les adeptes de la raquette ont accès aux sentiers. Possibilité d'escalade de glace. Accessible de Thetford Mines par la route 112, la route 269 Sud, le rang 8, puis le chemin Grande-Ligne.

Infos : (418) 427-2637 ou (418) 427-2490.

12 Pavillon de la faune

Situé à Stratford, le Pavillon de la faune présente une collection d'animaux naturalisés dans des installations qui reproduisent leur habitat respectif. Visites guidées offertes en toutes saisons. Aussi, animaux vivants (ours noir, loup gris, lynx du Canada, couguar de l'Est, etc.) en enclos à l'extérieur. Horaire variable selon les périodes de l'année. Aire de pique-nique. Café-terrasse, boutique et croisière sur le lac Aylmer. Entrée payante. Adresse : 856, chemin Stratford, à Stratford.
Infos : 1-888-845-2222 ou www.pavillondelafaune.com

13 Ferme la Colombe

La ferme la Colombe est composée de jardins (près de 700 végétaux sur deux acres), de volières d'oiseaux et d'une mini-ferme qui fera la joie des enfants. On y trouve aussi une table champêtre où il est possible de commander un panier de pique-nique composé de produits régionaux. Ouvert de la mi-juin au début septembre de 9 h à 16 h ou sur réservation. Entrée payante. Le domaine est situé au 104, rang Sainte-Anne à Saint-Léon-de-Standon.
Infos : (418) 642-5152 ou www.fermelacolombe.qc.ca

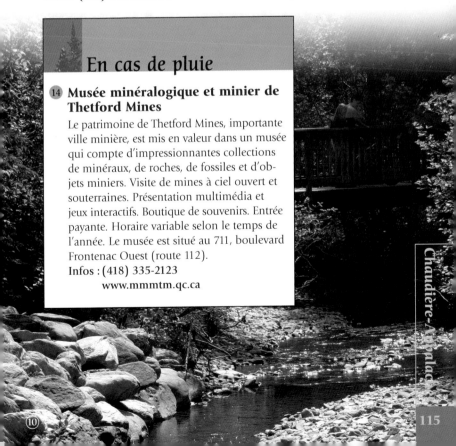

En cas de pluie

14 Musée minéralogique et minier de Thetford Mines

Le patrimoine de Thetford Mines, importante ville minière, est mis en valeur dans un musée qui compte d'impressionnantes collections de minéraux, de roches, de fossiles et d'objets miniers. Visite de mines à ciel ouvert et souterraines. Présentation multimédia et jeux interactifs. Boutique de souvenirs. Entrée payante. Horaire variable selon le temps de l'année. Le musée est situé au 711, boulevard Frontenac Ouest (route 112).
Infos : (418) 335-2123
www.mmmtm.qc.ca

Chaudière-Appalac

1 Réserve de parc national du Canada de l'Archipel-de-Mingan

2 Parc national d'Anticosti

3 Réserve faunique de Port-Cartier-Sept-Îles

4 Parcs et îles de Sept-Îles

5 Monts Daviault et Severson

6 Sentiers de Natashquan

7 Parc de la rivière aux Rochers

8 Sentiers Magpie

9 Centre nature Gallix

10 Centre de recherche et d'interprétation de la Minganie

11 Écomusée d'Anticosti

5 Fermont
389

3 7 9 4 138 8 10 1 Havre-Saint-Pierre 6

Port-Cartier

11

Fleuve Saint-Laurent

Île d'Antiscoti

2

Situé à plus de 1000 km de Montréal, l'archipel de Mingan n'est pas la porte d'à côté. Le dépaysement vaut toutefois amplement les centaines de kilomètres parcourus jusqu'à Havre-Saint-Pierre, principal point d'accès aux îles. Monolithes inspirants, oiseaux aquatiques aux allures exotiques, flore riche et variée : ce parc est unique en son genre. Il est composé d'une quarantaine d'îles et d'îlots calcaires et de quelque 1000 îlots granitiques.

C'est d'abord à leurs monolithes, en forme de pots de fleurs ou de châteaux, que les lieux doivent leur renommée. Ces blocs de calcaire (une roche friable) grugés par la mer et le passage des milliers d'années sont la marque distinctive de Mingan. C'est d'ailleurs là que se trouverait la plus forte concentration de monolithes au Canada.

L'archipel de Mingan s'illustre aussi par ses macareux moines, ses petits pingouins et ses guillemots marmettes. La documentation de Parcs Canada rapporte la présence de 35 000 couples d'oiseaux marin de 12 espèces différentes durant les périodes de reproduction. Les phoques gris, phoques communs et phoques du Groenland ont l'habitude de se prélasser sur les rochers des îles. Les baleines (notamment le petit rorqual et le marsouin commun) circulent également dans le secteur. Entre autres mammifères

terrestres, les îles abritent le castor du Canada, la loutre de rivière, le rat-musqué commun, l'écureuil roux et le renard roux.

Dominé par la forêt boréale, le territoire est composé de landes, tourbières, marais salés, falaises et lacs. Sur les 460 espèces de plantes vasculaires répertoriées dans l'archipel de Mingan, 103 ont le statut de rares ou d'intérêt. À noter : plus de 190 espèces de lichens et 300 espèces de mousses.

Les randonneurs peuvent découvrir ces trésors par le biais de 24 km de sentiers, faciles et intermédiaires, répartis sur quatre îles (Quarry, Niapiskau, Petite île au Marteau et du Fantôme). Différentes activités d'interprétation et des randonnées guidées sont également organisées sur les îles en juillet et en août. Les particularités de chaque île suscitent les thèmes abordés. Six îles permettent le camping. Les activités nautiques, comme le kayak de mer et la plongée sous-marine, sont aussi au programme. L'archipel s'étend sur un territoire de 152 km face aux municipalités comprises entre Longue-Pointe-de-Mingan et Aguanish. Le poste d'accueil se trouve à Havre-Saint-Pierre. Certains transporteurs maritimes reconnus par Parcs Canada offrent des services de navette et d'excursions dans l'archipel, de la mi-juin à la fin août.

COUPS DE CŒUR

♥ Découvrir la plus grande concentration de monolithes au Canada qui façonne le paysage.

♥ Observer les différents écosystèmes qui imprègnent l'archipel de Mingan : lande, forêt boréale, tourbière, falaise, marais salé, etc.

À FAIRE : Observation de la faune, de la flore et de phénomènes géologiques. Randonnée pédestre (24 km de sentiers faciles et intermédiaires sur quatre îles), activités d'interprétation et randonnées guidées. Camping (42 emplacements sur six îles). Activités nautiques (kayak et plongée sous-marine).

SERVICES : Bâtiment d'accueil et centre d'interprétation. Expositions au Centre de recherche et d'interprétation de la Minganie, situé à Longue-Pointe-de-Mingan. Interprétation, randonnées guidées et causeries. Certains transporteurs, reconnus par Parcs Canada, offrent des services de navettes et d'excursions dans les îles.

TARIFS : 4,50 $ par adulte, 2,25 $ par enfant et 11,25 $ par famille. Autre tarification pour les services de croisières et d'excursions, ainsi que pour le camping. La carte topographique de l'archipel est vendue au bâtiment d'accueil et au Centre de recherche et d'interprétation de la Minganie.

ACCÈS : On peut se rendre à Havre-Saint-Pierre en voiture par la route 138, mais aussi en bateau depuis Rimouski, Sept-Îles et Port-Menier, sur l'île d'Anticosti. On peut aussi s'y rendre par avion.

INFOS : (418) 538-3285, 1-800-463-6769 (service d'information de Parcs Canada)
www.parcscanada.gc.ca/mingan

Duplessis (Côte-Nord)

Il est difficile de rester insensible aux charmes sauvages de l'île d'Anticosti. Celle-ci, 17 fois plus grande que l'île de Montréal, a tout pour émerveiller ceux qui y posent le pied. Prenez garde toutefois : les distances sont grandes entre les points d'intérêt et les axes routiers sont en terre. Par exemple, le parc national se trouve au beau milieu de l'île, à environ 100 km de Port-Menier, le seul village d'Anticosti. La formation de calcaire de l'île est à la base de canyons, de grottes et d'autres phénomènes géologiques qui suscitent l'admiration. Impossible d'ailleurs de visiter le parc sans faire un détour par la chute Vauréal (haute de 76 m) ou par la grotte à la Patate. Casques et lampes frontales sont disponibles au poste d'accueil de Pointe-Carleton (secteur nord du parc) pour explorer la grotte. Autre manifestation de la richesse géologique du parc : l'omniprésence de fossiles. Dans certains secteurs, il suffit de poser le regard au sol pour en découvrir.

Côté faune, le cerf de Virginie vole assurément la vedette. Le parc, qui assure la conservation d'un territoire de 572 km^2, en a fait son animal emblème. La population de ce cervidé est estimée à 125 000. Cette forte densité peut cependant devenir problématique pour la végétation du parc, qui fait office de garde-manger pour les cerfs. Des recherches sont menées depuis plusieurs années à cet effet. Avec la présence de renards roux, de castors du Canada et de quelques orignaux sur l'île, le cerf de Virginie ne compte aucun prédateur naturel. À la fin du 19e siècle, l'île a appartenu au chocolatier français Henri Menier, qui en avait fait son territoire de chasse. C'est lui qui y a introduit les cerfs.

L'île et le parc abritent aussi des rivières à saumons, comme la Vauréal et la Jupiter. Plus de 130 espèces d'oiseaux ont été répertoriées sur place. Parmi celles-ci : une colonie de pygargues à tête blanche (une espèce vulnérable), cinq espèces de bécasseaux, une quinzaine d'espèces de canards et une flopée d'oiseaux marins qui nichent dans les falaises ou les marais côtiers. Fidèles à leur habitude, phoques gris et phoques communs se laissent observer sur les rochers des côtes de l'île, tandis que les baleines évoluent plus au large.

Le parc national d'Anticosti est parcouru par des sentiers de randonnée pédestre et d'auto-interprétation (faciles et intermédiaires) d'une cinquantaine de kilomètres. Plusieurs activités d'interprétation et des randonnées guidées (payantes) sont organisées. Les activités sont aussi nombreuses à l'extérieur qu'à l'intérieur des limites du parc. À l'extérieur du parc, elles sont chapeautées par Sépaq Anticosti, qui offre des forfaits de villégiature. Ces activités se déroulent généralement du début juin à la mi-septembre. L'île offre différents types d'hébergement : auberge, chalet, camping. On y accède par bateau ou par avion.

COUPS DE CŒUR

- ♥ Observer les très nombreux cerfs de Virginie brouter des rubans d'algues sur le littoral.
- ♥ Explorer la grotte à la Patate, un classique.
- ♥ Admirer la chute Vauréal qui jaillit du haut d'un canyon.

EN UN CLIN D'ŒIL

À FAIRE : Randonnée pédestre (une cinquantaine de kilomètres de sentiers faciles et intermédiaires), randonnées d'auto-interprétation, randonnées guidées, activités d'interprétation, kayak de mer, camping. Randonnées équestres. Les activités se déroulent du début juin à la mi-septembre.

SERVICES : Poste d'accueil avec toilettes. Camping. Différents forfaits de séjours offerts par Sépaq Anticosti. Hébergement en auberge et en chalet. Tous les autres services (épicerie, station-service, banque, etc.) sont offerts à Port-Menier, le seul village de l'île.

TARIFS : Droits d'accès en vigueur dans les parcs nationaux, soit 3,50 $ par adulte et 1,50 $ par enfant. Frais supplémentaires pour certaines activités. Carte des sentiers et journal du parc disponibles au poste d'accueil.

ACCÈS : Les forfaits de Sépaq Anticosti comprennent le transport par avion de Montréal, Québec, Mont-Joli, Sept-îles, Gaspé ou Havre-Saint-Pierre, ainsi que l'hébergement et la location d'un véhicule 4X4 avec radio de communication. Un traversier fait aussi la navette entre Havre-Saint-Pierre et Port-Menier, une fois par semaine.

INFOS : (418) 535-0156
www.sepaq.com

Duplessis (Côte-Nord)

Capsules nature

③ Réserve faunique de Port-Cartier-Sept-Îles

S'adonner aux plaisirs du canot-camping, de la randonnée pédestre ou de la cueillette de fruits sauvages sont autant d'activités offertes dans cette réserve faunique étendue sur 6423 km². L'endroit compte pas moins de 15 rivières et 1000 lacs, dont une centaine sont accessibles. L'ours noir, l'orignal, le loup gris, le lynx du Canada, le renard roux, le castor du Canada et le vison d'Amérique font partie de la liste des mammifères qu'il est possible de croiser sur ce grand territoire. Plusieurs oiseaux de proie peuvent aussi y être observés. Parmi les attraits à découvrir : le lac Walker (un lac glaciaire de 30 km de long), la chute MacDonald, de même que des plages et d'importantes parois rocheuses. Belvédères et passerelles. De courts sentiers de randonnée pédestre sont aménagés près de la chute. Circuit de 52 km pour les adeptes de canot-camping sur les rivières MacDonald et aux Rochers. Camping, chalets et camps rustiques. Tarification selon l'activité pratiquée. La réserve est située à 27 km au nord de Port-Cartier. Elle est accessible par la route de la Réserve, à partir de la route 138. Le poste d'accueil du lac Walker est ouvert de la fin mai à la mi-octobre. **Infos : (418) 766-2524 ou www.sepaq.com**

④ Parcs et îles de Sept-Îles

La ville de Sept-Îles regorge d'espaces verts. À commencer par l'archipel des sept îles (Grande Basque, Petite Basque, Grosse Boule, Petite Boule, Manowin, du Corossol et îlets de Quen) à l'origine du nom de la ville. Cependant, seule la première île, Grande Basque, dispose d'infrastructures récréotouristiques. Un réseau de 11 km de sentiers de randonnée pédestre (faciles à difficiles) y a été aménagé. Deux belvédères offrent différents coups d'œil sur Sept-Îles et la Côte-Nord. Il est possible de faire du camping sauvage sur la plage. Des guides naturalistes sont sur l'île en saison. Nombreuses activités d'interprétation, portant entre autres sur l'ornithologie, la mycologie et la géologie (le passage des glaciers a laissé des traces). Quelques porcs-épics d'Amérique et deux renards roux (qui ont réussi à se rendre sur l'île Grande Basque en hiver) composent notamment la faune de l'endroit. Abri et aires de pique-nique. Deux bateaux font la navette plusieurs fois par jour, de la mi-juin à la mi-septembre, entre l'île et la marina de Sept-Îles. Refuge d'oiseaux, l'île du Corossol n'est, pour sa part, pas accessible. Des croisières sont toutefois organisées afin d'admirer, entre autres, les colonies de petits pingouins qui nichent sur place. Quelques parcs dans la ville de Sept-Îles, comme le parc de la rivière Des Rapides (3,5 km de sentiers), les Jardins de l'Anse (cinq jardins thématiques et éducatifs) et les Sentiers de la nature, attendent aussi les randonneurs et les amants de la nature.
Infos : 1-888-880-1238 ou www.ville.sept-iles.qc.ca

⑤ Monts Daviault et Severson

Situés dans la région de Fermont, les monts Daviault et Severson sont de véritables jardins nordiques. La taïga, la toundra et les caribous des bois y règnent en rois et maîtres. Près de 300 plantes vasculaires, dont certaines rares à cette latitude, y ont été répertoriées. Le mont Daviault est sillonné par trois courts sentiers pédestres (faciles) qui totalisent 3,2 km. Panneaux d'interprétation sur la faune, la flore et la géologie. Vue sur Fermont du haut d'un belvédère. Le départ des sentiers se trouve sur la rue Duchesneau à Fermont. Aux monts Severson (900 m), on trouve 30 km de sentiers pédestres dans un milieu naturel qui allie la taïga et la toundra alpine. Caribous des bois, castors du Canada, renards roux, lièvres d'Amérique et lagopèdes des saules peuvent être observés. Le départ des sentiers se trouve au sud de Fermont, au kilomètre 361 de la route 389, accessible depuis Baie-Comeau. Ski et raquette hors piste sont pratiqués durant la saison hivernale. Mais, avant de s'aventurer trop loin, il faut tenir compte du fait que les journées y sont très courtes. Cartes des sentiers et cartes topographiques disponibles au bureau d'information touristique.

Infos : Association touristique de Fermont, 1-888-211-2222
www.caniapiscau.net

⑥ Sentiers de Natashquan

Maintenant accessible par la route 138, la municipalité de Natashquan ouvre toutes grandes ses portes aux touristes. Elle offre une quinzaine de kilomètres de sentiers pour la randonnée pédestre. Le principal sentier (7 km) porte le nom de « Pas du portageur ». Celui-ci longe la Petite rivière Natashquan et ses cinq chutes. Ce sentier est en partie dans la forêt boréale et dans les tourbières, où l'on peut observer la flore caractéristique de ce milieu, les plantes insectivores par exemple. Quantité de fruits sauvages à cueillir. L'eider à duvet, entre autres oiseaux, se trouve dans le secteur. Comme Natashquan signifie « là où on chasse l'ours », il est possible d'observer ce gros mammifère ou, à tout le moins, ses traces. On peut également marcher (8 km) sur la plage des Galets, où se trouvent de vieux bâtiments de pêche traditionnelle. L'accès aux sentiers est gratuit. Le Pas du portageur commence à la route 138 à l'ouest de Natashquan. Suivre les panneaux d'indication.

Infos : (418) 726-3054.

Duplessis (Côte-Nord)

⑦ Parc de la rivière aux Rochers

Espace vert en plein cœur de la ville de Port-Cartier, ce parc met en valeur la magnifique rivière à saumons qui le traverse. Quelques courts sentiers en bordure de la rivière permettent de la voir de plus près. Un pavillon d'interprétation avec salle d'exposition et de projection informe les visiteurs sur les caractéristiques du saumon et l'historique de la rivière. De la fin juin à la fin août, le personnel du pavillon procède, à toutes les heures, au décompte et à l'examen des saumons qui remontent la rivière. Quantité d'oiseaux aquatiques, comme le plongeon huard, peuvent être observés à proximité du cours d'eau. D'autres sentiers permettent également de joindre deux îles : Patterson et McCormick. Passerelles suspendues. Camping dans les environs du parc. Aire de pique-nique. Entrée payante pour le centre d'interprétation, mais l'accès aux sentiers est gratuit. Le parc est situé au 24, rue Luc-Mayrand. On y accède par la route 138.
Infos : (418) 766-2777.

⑧ Sentiers Magpie

Le petit village de Magpie possède un joli réseau de sentiers pédestres, grâce à une poignée de bénévoles qui voit à son entretien. Deux options s'offrent aux randonneurs et aux amants de la nature. Un sentier de 18 km relie Magpie au village voisin, Rivière-au-Tonnerre. Il longe en bonne partie le littoral et présente des paysages qui ne manquent pas de charme. Le départ s'effectue du havre, dans le village, où se trouve également un belvédère. Les mammifères marins, comme le petit rorqual ou des phoques, se laissent parfois observer. Bon nombre d'oiseaux aquatiques également. Parmi les espèces identifiées : l'eider à duvet, le plongeon huard et le grand cormoran. Un autre sentier, de 4,5 km, qui commence aussi au havre, mène les marcheurs le long de la rivière Magpie. Marmite de géants à découvrir. Forêts d'épinettes, de sapins, de bouleaux et de frênes. Les sentiers sont balisés. Suivre les indications à partir du village, accessible par la route 138. Belvédères. Aire de pique-nique. Toilettes sèches au havre de Magpie. Accès gratuit.
Infos : (418) 949-2464.

⑨ Centre nature Gallix

Mini-zoo en soi, ce centre permet d'observer des ours noirs, cerfs de Virginie, porcs-épics d'Amérique, ratons laveurs, martres d'Amérique, loups gris, etc. Également offert : location de chalets. Entrée payante. Ouvert de la mi-juin à la mi-septembre. Situé au 3133, route 138 à Gallix.
Infos : (418) 766-8345 ou www.zoocotenord.com

⑩ Centre de recherche et d'interprétation de la Minganie

Ce centre, un organisme sans but lucratif, mène des recherches sur les cétacés depuis plus de 25 ans. Possibilité pour le grand public de participer à ces recherches à l'occasion d'une sortie d'une journée de juin à octobre. Musée, visite guidée, salle de conférence. Entrée payante. Situé au 625, rue du Centre à Longue-Pointe-de-Mingan. Infos : (418) 949-2845 ou www.rorqual.com

En cas de pluie

⑪ Écomusée d'Anticosti

Ce musée traite de l'histoire de l'île d'Anticosti, mais également de ses attraits géologiques, fauniques et floraux. Exposition, animation et activités éducatives. Ouvert de la mi-juin à la mi-septembre. Entrée gratuite. Situé au 37A, chemin des Forestiers, à Port-Menier, le seul village de l'île. Infos : (418) 535-0250
(418) 535-0381

Duplessis (Côte-Nord)

Gaspésie

1 **Parc national de la Gaspésie**

2 **Parc national de l'Île-Bonaventure-et-du-Rocher-Percé**

3 **Parc national de Miguasha**

4 **Parc national du Canada Forillon**

5 **Réserve faunique de Matane**

6 **Réserve faunique des Chic-Chocs**

7 **Réserve faunique de Port-Daniel**

8 **Mont Saint-Pierre**

9 **Parc régional de la seigneurie du lac Matapédia**

10 **Centre d'interprétation de la Baie-des-Capucins**

11 **Pointe-à-la-Renommée**

12 **Barachois**

13 **Poste d'observation pour la montée du saumon**

14 **Jardins de Métis**

15 **Mine d'agates du mont Lyall**

16 **Centre d'interprétation du cuivre**

17 **Bioparc de la Gaspésie**

18 **Explorama**

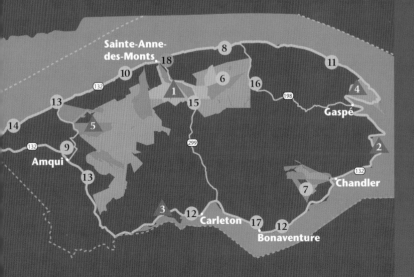

Parc national de la Gaspésie

C'est ici, dans le massif gaspésien, là où les Appalaches terminent leur course, que se trouvent les plus hauts sommets du Québec méridional. Les monts Jacques-Cartier (1268 m), Albert (1150 m) et Logan (1128 m) appartiennent aux massifs Chic-Chocs et McGerrigle. Le parc national de la Gaspésie occupe 802 km² dans cet espace sauvage qui abrite le seul cheptel de caribous des bois (environ 125 têtes) au sud du fleuve Saint-Laurent. Ces cervidés sont actifs au sommet des monts Jacques-Cartier et Albert. Également omniprésents sur le site : l'ours noir, le pygargue à tête blanche (une espèce vulnérable) et quelques autres espèces d'oiseaux de proie. L'avifaune totalise 150 espèces.

Selon l'altitude, on traverse tantôt des cédrières et des sapinières, tantôt des associations végétales de mousses et de lichens. Le sommet du mont Albert est le seul endroit au monde où pousse la minuartie de la serpentine. Plusieurs phénomènes géologiques dignes d'intérêt : plateaux, vallées et cirques glaciaires comme celui qui se trouve près du lac aux Américains.

Le parc offre plus de 130 km de sentiers pédestres, dont un important segment fait partie du Sentier international des Appalaches (SIA). Les familles apprécieront, avec un peu d'effort, le sentier du mont Jacques-Cartier, dont on ne peut atteindre le point de départ qu'en navette. Les initiés aimeront assurément parcourir le sentier du mont Albert et ses 17 km (difficile, prévoir de 5 à 7 heures de marche). Plusieurs autres parcours (de un à plusieurs jours) s'offrent aux accrocs de la marche. Activités d'interprétation aux deux sommets l'été. Canot (en location) et kayak sur le lac Causapscal ; canot-camping sur ce même lac.

En hiver : 60 km de sentiers de raquette, 24 km de sentiers (tracés) pour le ski de fond et près de 200 km pour le ski nordique (courtes et longues randonnées). Avec ses importantes chutes de neige, le parc national de la Gaspésie est un vrai paradis pour le télémark et la planche à neige. Toute cette neige engendre toutefois son lot d'avalanches. Soyez prudents ! Émetteur, sondes d'avalanches et pelles portatives seront essentiels en cas d'accident. Il faut s'enregistrer au Centre d'interprétation et de services, situé à environ 500 m du Gîte du mont Albert.

Pour l'hébergement, les choix sont multiples : quatre secteurs de camping totalisant plus de 200 emplacements, 12 refuges le long des sentiers et quelques chalets près du poste d'accueil. Si vous en avez les moyens, offrez-vous un séjour au Gîte du mont Albert, un hôtel quatre étoiles, doublé d'une table gastronomique.

COUPS DE CŒUR

♥ Admirer une mer de montagnes comptant 25 sommets de plus de 1000 m et des phénomènes géologiques (cirques glaciaires, plateaux, vallées, etc.).

♥ Observer, avec un peu de chance, la seule population de caribous des bois au sud du fleuve Saint-Laurent.

En un clin d'œil

À FAIRE : Randonnée pédestre (130 km, comprenant le SIA), observation de la faune et de la flore, canot-camping, kayak, raquette (60 km), ski de fond (24 km tracés), ski nordique (200 km), télémark, planche à neige, ski alpin.

SERVICES : Poste d'accueil et toilettes. Location d'équipement de plein air. Quatre terrains de camping, chalets à louer. Hôtel quatre étoiles avec restaurant gastronomique. Activités présentées par des naturalistes. Location d'embarcations (sans moteur) au lac Causapscal, où on peut faire du canot-camping.

TARIFS : 3,50 $ par adulte et 1,50 $ par enfant. Frais supplémentaires pour l'hébergement, la location d'embarcations, etc. Prix pour familles et groupes. Droits d'accès annuels. Le parc est ouvert toute l'année mais, en certaines périodes, des services ne sont pas offerts et des secteurs sont fermés. Carte des sentiers vendue au poste d'accueil.

ACCÈS : Le parc national de la Gaspésie est accessible à partir de Sainte-Anne-des-Monts, sur la route 132. De cette ville, prendre la route 299 Sud, sur environ 40 km. Suivre les panneaux indicateurs.

INFOS : 1-866-727-2427,
1-800-665-6527 (réservations)
www.sepaq.com

La pointe de la péninsule gaspésienne cache l'une des marques de commerce du Québec : le rocher Percé. Cette gigantesque masse de calcaire de 375 millions d'années n'est évidemment pas le seul attrait de la région. Juste en face du village touristique de Percé, se trouve l'île Bonaventure, qui a donné son nom à un parc national de 5 km².

L'île Bonaventure abrite, après l'Irlande, la deuxième colonie de fous de Bassan en importance au monde. La colonie gaspésienne est toutefois la plus accessible. C'est par milliers (et littéralement à vos pieds) que vous pourrez observer ces gracieux volatiles qui nichent sur une des falaises de l'île, dont on évalue à 300 000 la population d'oiseaux marins. Car, en plus des fous de Bassan, peut-être aurez-vous la chance d'apercevoir un petit pingouin, un guillemot à miroir, un macareux moine ou encore une mouette tridactyle. En automne, le pygargue à tête blanche et le busard Saint-Martin fréquentent le site. Par ailleurs, l'île abrite notamment des orchidées et certaines plantes rares comme *Draba pycnosperma* et la dryoptéride fougère-mâle.

L'île Bonaventure est accessible par bateau. Trois entreprises assurent la traversée à partir du quai de Percé. Environ 15 km de sentiers pédestres s'offrent à vous sur l'île, avec ou sans guide. Le sentier des Colonies vous mènera directement à la falaise où nichent les fous de Bassan. Idéal pour la famille. Ce sentier en milieu forestier n'est pas asphalté et n'est donc pas recommandé pour les poussettes. Baignade (sans surveillance) à la baie de Marigots. Casse-croûte et bâtiment d'accueil au début des sentiers. Pas de camping sur l'île Bonaventure, qu'il faut d'ailleurs quitter au plus tard à 17 h.

Pour sa part, le rocher Percé est accessible à pied (lorsque la marée le permet) du village de Percé, où se trouve le bâtiment d'accueil du parc. La randonnée totalise quelques kilomètres dans le village, sur une passerelle et sur les plages de galets. Guide naturaliste près du rocher tous les jours entre la fin juin et la fin août. Le calcaire étant une roche friable, il est préférable de ne pas trop s'attarder au pied du rocher. Location de kayaks et possibilité de faire de la plongée sous-marine. Il y a un camping de 175 emplacements, géré par la Sépaq, au village de Percé. Un sentier de quelques kilomètres derrière l'église permet d'atteindre le mont Sainte-Anne, un site de pèlerinage. Vue spectaculaire sur le rocher et l'île Bonaventure.

COUPS DE CŒUR

♥ Accéder à la deuxième colonie de fous de Bassan en importance au monde, qui abrite des dizaines de milliers d'oiseaux.

♥ Admirer toute la splendeur du rocher Percé, un immense bloc de calcaire de 375 millions d'années.

EN UN CLIN D'ŒIL

À FAIRE : Randonnée pédestre (environ 20 km), observation d'oiseaux et de phénomènes géologiques. Excursion en mer, kayak et plongée sous-marine.

SERVICES : Bâtiment d'accueil avec toilettes (sur l'île et à Percé). Casse-croûte sur l'île. Rampe de mise à l'eau. Activités d'interprétation. Traversier (entente avec partenaires privés). Boutique nature. Camping à Percé.

TARIFS : 3,50 $ par adulte et 1,50 $ par enfant. Frais supplémentaires pour les croisières, le camping, etc. Prix pour familles et groupes. Droits d'accès annuels. Le parc est ouvert du début juin à la mi-octobre. Carte des sentiers et journal du parc offerts gratuitement au poste d'accueil.

ACCÈS : Percé est situé sur la route 132, au bout de la péninsule gaspésienne. L'île Bonaventure n'est accessible qu'en bateau entre 10 h et 17 h.

INFOS : (418) 782-2240
www.sepaq.com

Gaspésie

Désigné site du patrimoine mondial par l'UNESCO en 1999, ce parc d'à peine 1 km² est un site fossilifère extrêmement riche et unique à l'échelle planétaire. De plus en plus de visiteurs de partout dans le monde le découvrent. La falaise du parc, formée de couches de roches, cache les fossiles de 20 espèces de poissons, huit espèces d'invertébrés et neuf espèces de plantes présentes il y a 370 millions d'années. À cette époque, la baie des Chaleurs, région où se trouve le parc, n'existait pas et la falaise de Miguasha était un estuaire luxuriant situé près de l'équateur. La dérive des continents a fait son œuvre et nous voilà avec un parc national dédié à la paléontologie. Il est depuis peu ouvert toute l'année. Des fouilles y sont effectuées depuis environ 125 ans et près de 16 000 fossiles ont été découverts à ce jour, dont la moitié fait partie de la collection du parc.

Une nouvelle exposition comptant des centaines de pièces (dont plusieurs inédites) est présentée en permanence au bâtiment d'accueil. Cette collection de fossiles a permis aux chercheurs de brosser le portrait d'un écosystème vieux de plusieurs millions d'années et, selon la documentation officielle du parc, de mieux comprendre le passage de la vie aquatique à la vie terrestre chez les invertébrés.

Le site est par ailleurs fréquenté par le renard roux, le cerf de Virginie et par quelques espèces d'oiseaux marins. Un sentier pédestre en boucle d'environ 2 km (facile), qui débute près du poste d'accueil, permet entre autres de longer la falaise sur le bord de la plage. Panneaux d'interprétation sur les origines de la vie sur la planète. Animateurs sur place en saison (sur demande hors saison) et visite guidée du musée, du laboratoire et de la falaise. Démonstration de fouilles. Service de restauration, boutique souvenir, etc. Aussi en saison : camping et location de chalets (par des entreprises privées) à environ 3 km du parc.

COUPS DE CŒUR

- ♥ Visiter un site fossilifère vieux de 370 millions d'années et une exposition sur la paléontologie, où des centaines de fossiles sont présentés.
- ♥ Assister à une démonstration de fouilles près de la falaise.

En un clin d'œil

🚶 **À FAIRE :** Musée paléontologique sur les fossiles, randonnée pédestre (environ 2 km), pique-nique, visite guidée.

🏠 **SERVICES :** Poste d'accueil et toilettes, restaurant, animateurs, boutique.

💲 **TARIFS :** 3,50 $ par adulte et 1,50 $ par enfant. Frais supplémentaires pour le musée. Tarifs pour groupes et familles. Droits d'accès annuels. La haute saison est comprise entre juin et octobre. Toutefois, le site est ouvert à longueur d'année.

🚗 **ACCÈS :** Sur la route 132, dans la baie des Chaleurs, près des municipalités de Nouvelle et d'Escuminac. Surveiller les panneaux indicateurs.

ℹ️ **INFOS :** (418) 794-2475
www.sepaq.com

La mer, les plages de galets, les mammifères marins et des paysages grandioses. Voilà en bref ce qui vous attend au parc national du Canada Forillon, une péninsule de 245 km². L'endroit retient surtout l'attention à cause de sa population de mammifères marins. La baie de Gaspé (dans le secteur sud-est du parc) est régulièrement visitée par le rorqual bleu (le plus gros cétacé de la planète), le rorqual commun, le petit rorqual, le dauphin à flancs blancs, de même que le globicéphale noir. Que ce soit au cours d'une croisière ou simplement en empruntant le sentier qui mène au Cap-Gaspé, vous avez de grandes chances d'apercevoir l'une de ces merveilles de la nature.

Autre élément faunique qui caractérise le parc : les 250 espèces d'oiseaux répertoriées. Le petit pingouin, le cormoran à aigrette, l'eider à duvet, entre autres, nichent sur place. On dénombre aussi 12 000 couples nicheurs de mouettes tridactyles. Quant aux paysages, les nombreuses falaises contre lesquelles la mer vient se heurter et les prairies fleuries qui longent la baie de Gaspé offrent un spectacle à la fois imposant et apaisant. Le couvert forestier est composé de conifères et de feuillus, dont certaines essences, comme l'érable, détonnent dans ce coin de pays aux conditions climatiques hivernales plutôt rudes. L'un des secteurs du parc compte une population de thuyas (cèdres) vieille de quelques centaines d'années.

La route 132 traverse une partie de la péninsule et permet de se rendre dans l'une des cinq petites municipalités côtières qui enclavent le parc : Rivière-au-Renard, L'Anse-aux-Griffons et Cap-des-Rosiers (secteur nord) ; Cap-aux-Os et Saint-Majorique (secteur sud). Le site compte neuf parcours pédestres (de faciles à difficiles) totalisant près de 70 km, dont quelques randonnées courtes pour la famille. Les marcheurs motivés graviront avec joie le sentier du mont Saint-Alban, au sommet duquel se trouve une tour d'observation. De là-haut, vue sur les falaises et la pointe de la péninsule. Par temps clair, on aperçoit l'île d'Anticosti. En saison, une foule d'activités d'interprétation (ainsi que des croisières ou de la plongée en apnée) sont offertes aux visiteurs, lesquels ont à leur disposition cinq terrains de camping (avec ou sans services) totalisant 367 emplacements. Le parc est ouvert du début juin à la mi-octobre, mais certaines activités sont possibles en hiver : camping, ski de fond (40 km), raquette et randonnées en traîneau à chiens.

COUPS DE CŒUR

♥ Longer la baie de Gaspé, à pied ou en bateau, et observer l'un des nombreux mammifères marins du parc : rorqual bleu, petit rorqual, dauphin à flancs blancs, etc.

♥ Découvrir la pointe de la péninsule et la mer à perte de vue du haut d'une tour au sommet du mont Saint-Alban.

À faire : Randonnée pédestre (70 km), observation de mammifères et d'oiseaux marins. Kayak de mer, vélo, pique-nique, croisières d'observation, plongée en apnée (l'eau est froide ; une combinaison isothermique s'impose), etc. Ski de fond, raquette et traîneau à chiens.

Services : Poste d'accueil avec toilettes, camping d'été (367 emplacements avec ou sans services) et d'hiver (secteur Petit-Gaspé seulement), centre récréatif (avec casse-croûte, piscine extérieure chauffée, lavoir, terrain de tennis, etc.). Croisières pour l'observation de mammifères marins, activités d'interprétation avec naturalistes, plage, etc.

Tarifs : 5 $ par adulte, 2,59 $ pour les enfants de 6 à 16 ans, gratuit pour les enfants de 6 ans ou moins. Autres tarifs pour le camping et certaines activités (croisières, piscine chauffée, etc.). Le parc est ouvert de mai à fin octobre. Toutefois, des cinq sites de camping, seul le secteur Petit-Gaspé est ouvert à longueur d'année.

Accès : Tout au bout de la Gaspésie, la route 132 traverse la péninsule où se trouve le parc national du Canada Forillon. Les deux entrées principales sont situées près de Cap-des-Rosiers (secteur nord) et Cap-aux-Os (secteur sud).

Infos : (418) 892-5553,
1-877-737-3783 (réservations)
www.pc.gc.ca/forillon

Gaspésie

C' est dans cette réserve que se trouverait la plus forte densité d'orignaux au Québec. La présence de nombreuses vasières riches en sels minéraux attire de 3000 à 4000 orignaux sur ce territoire de 1282 km², parsemé de 38 lacs. Un nouveau centre d'interprétation de l'orignal vient d'ailleurs de voir le jour. Exposition, sentiers et tours d'observation vous attendent. L'ours noir, le lynx du Canada, le coyote et la loutre de rivière (mais aussi des petits animaux comme le lièvre d'Amérique ou la gélinotte huppée) comptent parmi les espèces observables dans la réserve. Celle-ci est traversée par les rivières Cap-Chat et Matane, où vivent omble de fontaine, touladi et saumon de l'Atlantique.

L'avifaune du territoire est composée d'espèces qui passent difficilement inaperçues : pygargue à tête blanche (une espèce vulnérable), balbuzard pêcheur, grand pic et aigle royal. Deux nids d'aigle royal ont été observés récemment sur certaines falaises de la réserve. La flore est ici propre au massif gaspésien : sapins, épinettes, quelques rares feuillus ainsi que (en altitude) mousses et lichens.

La réserve faunique de Matane, située juste avant le parc national de la Gaspésie, est traversée par le Sentier international des Appalaches (SIA) sur une longueur de 105 km. À voir : vallées encaissées et hauts sommets. Les sentiers sont de niveaux facile et intermédiaire. Il est possible d'effectuer de courtes randonnées le long des sentiers (faciles) de l'Étang à la truite (1,5 km) et de la Vasière Thibault (1 km). Le sentier du mont Blanc (8 km) conduit au plus haut sommet de la réserve (1065 m).

Activités guidées (et très intéressantes) pour l'observation de l'orignal. Location de vélos, de kayaks et de chaloupes. Près d'une vingtaine de chalets (équipés, dont un avec électricité) à louer. Aussi : deux sites de camping à l'Étang à la truite. Théoriquement, la réserve est fermée en hiver. Les services sont offerts entre juin et novembre. Mais la construction d'un écolodge, pouvant accueillir jusqu'à 36 personnes, a changé la donne. Ski de fond et ski nordique, raquette et télémark sont au programme. Il faut porter un dossard orangé pour fréquenter la réserve durant la période de la chasse (au printemps et à l'automne).

COUPS DE CŒUR

♥ Visiter la réserve faunique qui compte la plus forte densité d'orignaux au Québec.
♥ Admirer la splendeur du site entourant le lac Matane.
♥ Participer à l'une des activités d'observation de l'orignal.

À FAIRE : Randonnée pédestre (courte et longue randonnée, dont 105 km sur le Sentier international des Appalaches). Observation de l'orignal et des oiseaux. Kayak. Ski de fond, ski nordique, télémark et raquette devaient s'ajouter à l'offre à l'hiver 2004-2005.

SERVICES : Poste d'accueil et toilettes. Près d'une vingtaine de chalets à louer, deux sites de camping à l'étang À la truite. Location d'embarcations (avec ou sans moteur électrique) et de kayaks. Activités guidées.

TARIFS : Entrée gratuite sur la réserve. Frais exigés pour les chalets, le camping, la location d'embarcations, etc. La réserve est ouverte toute l'année, mais la plupart des services sont offerts de fin mai à fin octobre. Un écolodge (une auberge de montagne) pouvant accueillir 36 personnes est maintenant accessible en toute saison. Avis aux amateurs de glisse.

ACCÈS : De Matane, sur la route 132, prendre la route 195 Sud jusqu'à Saint-René. C'est là que se trouve le poste d'accueil John, où l'on peut acheter une carte détaillée de la réserve.

INFOS : (418) 562-3700,
1-800-665-6527 (réservations)
www.sepaq.com

Gaspésie

Capsules nature

6 Réserve faunique des Chic-Chocs

Avec un territoire parsemé de montagnes qui culminent entre 800 et 1000 m, cette réserve est le prolongement du parc national de la Gaspésie. On peut y observer l'ours noir et l'orignal du haut d'une tour aménagée à cet effet. Plusieurs autres mammifères (porc-épic d'Amérique, castor du Canada, lièvre d'Amérique, etc.) se partagent les 1129 km² du territoire. Le couvert forestier est occupé à 70 % par des sapinières à épinette noire et à bouleau blanc. Le sommet des montagnes cache une flore typique de la toundra. La gélinotte huppée et la grive de Bicknell (susceptible d'être désignée menacée ou vulnérable) figurent sur la liste des oiseaux actifs dans la réserve, laquelle compte 43 lacs. Des sentiers de quelques kilomètres mènent entre autres au mont Hog's Back (830 m). Autres activités : vélo, fouilles dans une mine d'agates et de géodes, randonnée équestre, cueillette de petits fruits. L'hiver, les adeptes de la raquette, du télémark et du ski de randonnée se font de plus en plus nombreux dans cette réserve très connue auprès des chasseurs, mais peu des amants de la nature. Le port du dossard orangé est obligatoire durant la période de la chasse. Près d'une quinzaine de chalets (tous bien équipés) sont à louer de la fin mai à la fin octobre. Entrée gratuite, mais certains frais sont exigés selon les activités. Accessible par les routes 132, 198 et 299. Infos : (418) 797-5214 ou www.sepaq.com

7 Réserve faunique de Port-Daniel

La plus petite réserve faunique du Québec et non la moindre. Située au début de la baie des Chaleurs, cette réserve a été créée pour protéger le saumon de l'Atlantique qui vient frayer, l'automne venu, dans la rivière Port-Daniel. Entre le début août et la fin septembre, une fosse naturelle située près du poste d'accueil permet d'observer ce spectacle singulier. Par le biais d'un sentier pédestre de 5 km, on peut longer les deux côtés de la rivière. La réserve compte également 25 lacs à omble de fontaine (truite mouchetée). Les forêts mixtes servent d'habitat à plusieurs mammifères (lièvre d'Amérique, loutre de rivière, martre d'Amérique, orignal, pékan, porc-épic d'Amérique, etc.). Bihoreau gris, gélinotte huppée et grand héron reflètent bien la diversité ornithologique de ce territoire de 57 km². Douze chalets à louer (dont certains exclusifs à un lac et un, très recherché, qui se trouve sur une île). Camping (38 emplacements, rustiques ou avec services). Bloc sanitaire, petit dépanneur, salle de lavage, etc. Location de chaloupes. Baignade en rivière. Aires de pique-nique. Cueillette de fruits sauvages. La réserve est accessible du 1er week-end de juin jusqu'à la fin octobre. Prendre note qu'en automne, les chasseurs sillonnent le territoire. On accède à la réserve à partir de la route 132 à Port-Daniel. De là, emprunter le chemin de la rivière sur 8 km, où se trouve le poste d'accueil. Infos : (418) 396-2232, 396-2789, 1 800 665-6527 www.sepaq.com

8 Mont Saint-Pierre

Situé dans une vallée glaciaire sur le bord du fleuve Saint-Laurent, le village de Mont-Saint-Pierre donne aussi son nom à la montagne qui surplombe la route 132 sur le côté nord de la péninsule gaspésienne. L'endroit est réputé auprès des adeptes de vol libre (le site serait la capitale du vol libre dans l'est du Canada). Peu de gens savent toutefois qu'une réserve écologique (inaccessible sans un guide, comme le veut la loi au Québec) s'y trouve. Plusieurs plantes rares, dont 60 % de la population de l'astragale australe, poussent près du mont Saint-Pierre. Quelques couples de faucons pèlerins (une espèce vulnérable) nichent sur les falaises de schiste du sommet de 411 m. Même des fous de Bassan de l'île Bonaventure viennent y pêcher. Phoques et baleines peuvent être vus dans la baie de Mont-Saint-Pierre. À moins de posséder un 4 x 4 (les autres véhicules sont interdits), c'est à pied ou à vélo de montagne que vous vous rendrez au sommet du mont Saint-Pierre. Les quelques sentiers pédestres du site (environ 16 km) sont, pour la plupart, sur le réseau du Sentier international des Appalaches. On peut payer 1 $ pour accéder aux sentiers ou encore utiliser le service de navette qui relie le village au sommet de la montagne (8 $ par personne). Un ancien camping gouvernemental de 163 emplacements (avec piscine chauffée) est ouvert de la mi-juin au début septembre. Autres activités : piste cyclable de 40 km au sommet, vol de deltaplane en tandem, plongée sous-marine, planche à voile, location d'embarcations, etc.
Infos : (418) 797-2222 ou 797-2898.

Gaspésie

⑨ Parc régional de la seigneurie du lac Matapédia

Alimenté par les rivières Matapédia et Humqui, ce grand lac aux eaux claires est situé près d'Amqui, au cœur de la vallée de la Matapédia. Le parc régional qui le borde a environ 24 km de longueur sur 5 km de largeur. On peut y observer : pygargue à tête blanche (une espèce vulnérable), plongeon huard, grand héron, cerf de Virginie, etc. Outre un arboretum jalonné de panneaux d'interprétation, le parc abrite également un spécimen d'orme haut de 25 mètres. Un réseau pédestre de six sentiers totalisant 19 km (de faciles à difficiles) permet de longer le lac, lequel est entouré de sommets. Le Sentier international des Appalaches traverse une partie du parc. Le sentier des Crêtes (difficile, 3,8 km aller-retour) et celui des Trois-Sœurs (intermédiaire avec ses 6 km et son refuge en location) offrent de belles vues sur le site. Aires de pique-nique et baignade sans surveillance au Dépôt à Soucy (où se trouvent aussi des toilettes) et à la Pointe Fine. Les adeptes d'apnée fréquentent l'endroit. On note la présence de falaises sur l'île Ronde, d'où il est possible (à vos risques) de plonger dans le lac. Camping et location d'embarcations à proximité du parc. Rendez-vous au bureau d'information touristique d'Amqui pour obtenir un plan du site et toute l'information dont vous aurez besoin. On accède au parc par la rue du Pont couvert, à côté du bureau d'information touristique. Accès gratuit.

Infos : (418) 629-5715 ou 629-4212.

⑩ Centre d'interprétation de Baie-des-Capucins

Seul marais salé sur le côté nord de la péninsule gaspésienne, la baie des Capucins (située dans le village du même nom, le long de la route 132) est un endroit peu fréquenté, donc très tranquille. Ce site, en partie adossé à une forêt de conifères, est facilement accessible et offre un bon potentiel pour l'observation. Un sentier d'environ 2 km permet de faire le tour de la baie, laquelle abrite des herbiers qui attirent quantité d'oiseaux aquatiques : plongeon huard, bihoreau gris, grand chevalier, grand bec-scie, etc. On note aussi la présence de cerfs de Virginie, de renards roux, etc. Quelques services sont offerts autour de la baie entre juin et octobre : toilettes, petites aires de pique-nique, casse-croûte, camping rustique (5 emplacements avec accès à un bloc sanitaire), etc. Projet d'ouverture d'un café. Il faut être prudent durant la période de la chasse, en automne. L'hiver, le site est ouvert aux adeptes de la raquette. Le Centre d'interprétation de Baie-des-Capucins est situé à environ 15 km à l'ouest de Cap-Chat. De la baie, on voit d'ailleurs les immenses éoliennes qui font la réputation de Cap-Chat. Accès : de Matane, prendre la route 132 jusqu'à Baie-des-Capucins. Tourner sur la route du Village (qui longe la baie) et se rendre au numéro civique 294 où loge également le centre d'artisanat.

Infos : (418) 786-5977.

11 Pointe-à-la-Renommée

Ce lieu a été rendu célèbre pour avoir accueilli en 1904 la première station maritime en Amérique du Nord. Délaissé au fil des ans, le site a été restauré en 1992. Une vingtaine de kilomètres de sentiers (de faciles à difficiles) ont été aménagés depuis. Un refuge du Sentier international des Appalaches se trouve près du site de Pointe-à-la-Renommée. Présence notée de phoques et de baleines, mammifères marins que l'on peut observer (quand la chance nous sourit) depuis les sentiers pédestres ou près du phare. Situé en bordure du fleuve Saint-Laurent, le site offrirait un bon potentiel ornithologique. Expositions sur la station maritime de Marconi et la vie des habitants du phare, présentées du début juin à la mi-octobre. L'accès aux sentiers est gratuit, mais il faut payer 5 $ pour visiter les expositions et le phare ou 3 $ pour visiter le phare seulement. La vue et les couchers de soleil sur le fleuve font de Pointe-à-la-Renommée un endroit à visiter. Le site est accessible par la route 132 à l'Anse-à-Valleau. Prendre ensuite la route de Pointe-à-la-Renommée (un chemin de gravier) sur environ 4 km jusqu'au poste d'accueil. Rafraîchissements et collations en vente. Aire de pique-nique et toilettes. Pas de services en hiver, mais le site demeure accessible, à vos risques. Infos : (418) 269-3310.

12 Barachois

Les barachois (ce nom tirerait son origine de l'expression « barre à choir ») sont des lagunes littorales où l'observation des oiseaux et de la flore vole la vedette. On en retrouve près d'une vingtaine sur la rive sud de la péninsule gaspésienne, entre Gaspé et Miguasha. Trésors écologiques, les barachois abritent plusieurs espèces d'oiseaux (grand cormoran, grand héron, bihoreau gris, chevalier grivelé et goéland à manteau noir), même qu'une grande variété de plantes aquatiques (élymes, carex, spartines, scirpes, etc.). À Paspébiac, près du site historique de Banc-de-Paspébiac (reconnu comme site patrimonial avec son centre d'interprétation de la pêche et ses bâtiments d'époque) se trouve l'un de ces marais salés. On y accède par la route du Quai. Passerelle de 600 m de long au-dessus des végétaux. Accès à un réseau de sentiers d'environ 10 km. Il y a aussi le barachois de Carleton et celui de Saint-Omer, des endroits très prisés par les ornithologues amateurs. Tours d'observation aménagées à proximité des deux sites. Le barachois de Carleton est reconnu officiellement comme refuge faunique par le ministère des Ressources naturelles, de la Faune et des Parcs du Québec. Le barachois de Saint-Omer, quant à lui, est reconnu comme halte migratoire par le Service canadien de la faune. Par ailleurs, dans la région de Carleton, il existe des sentiers pédestres (de faciles à intermédiaires) menant aux sommets des monts Saint-Joseph (555 m) et Carleton (613 m).
Infos : Paspébiac (418) 752-6229 ;
Carleton et Saint-Omer (418) 364-7073
www.carletonsurmer.com

13 Poste d'observation pour la montée du saumon

Salmonidé des mers qui fraye l'automne dans les rivières, le saumon de l'Atlantique a fait de la Gaspésie un endroit unique au monde. Une trentaine de rivières, qui frôlent la pureté et qui prennent naissance dans le massif gaspésien, attirent tous les ans des milliers de saumons. Différents endroits sont en effet aménagés pour faire l'observation du saumon, un poisson anadrome (qui peut vivre en mer et en eau douce). Parmi les sites accessibles : le Poste d'observation pour la montée du saumon, dans le centre-ville de Matane. Construit en bordure du barrage qui freine la rivière Matane, le Poste d'observation possède de grandes vitrines qui permettent de voir le fond d'une fosse, donc d'observer le saumon à l'état sauvage. Aussi : exposition sur l'histoire de la rivière Matane. Situé au 260, avenue Saint-Jérôme. Animateur sur place. Ouvert de juin à octobre. Entrée : 2 $ par adulte ; gratuit pour les enfants. Infos : (418) 562-7006. Il existe quelques autres centres d'observation du saumon, notamment dans la vallée de la Matapédia, dont l'un à Causapscal, village dans lequel se trouve un centre d'interprétation avec visites guidées en été.
Infos : (418) 756-6048.

14 Jardins de Métis

La réputation des Jardins de Métis n'est plus à faire. Les passionnés d'horticulture y découvrent avec ravissement plus de 3000 espèces de plantes indigènes et exotiques sur un site de 17 hectares jouissant d'un microclimat en bordure du fleuve Saint-Laurent. Activités culturelles et horticoles. Aire de pique-nique et service de restauration. Ouvert tous les jours du début juin à la mi-octobre. Entrée payante. Situé à Grand-Métis, accessible par la route 132. **Infos : (418) 775-2222 ou www.jardinsmetis. com**. Également à voir à proximité : le parc de la rivière Mitis. Randonnée pédestre et activités d'interprétation.

15 Mine d'agates du mont Lyall

Visite d'une mine à ciel ouvert d'agates et de géodes. Exposition géologique. Cueillette possible de minéraux sur place. Équipement approprié (marteau de prospection, lunettes de protection, etc.) fourni avec le droit d'accès, qui est de 23 $ par adulte et de 11,50 $ pour les enfants de 10 à 16 ans. Ouvert du début juin à la mi-octobre. Situé sur la route 299, à 57 km de Sainte-Anne-des-Monts.
Infos : (418) 786-2439.

16 Centre d'interprétation du cuivre

Situé à Murdochville, ce centre retrace l'histoire du cuivre dans la région. Portrait d'un métal et de ses multiples utilisations. Également : coup d'œil sur les installations nécessaires à l'extraction et la fonte du cuivre. Exploration d'une galerie souterraine. Du début juin à la mi-septembre. Entrée payante. Situé au 345, route 198.
Infos : 1-800-487-8601.

17 Bioparc de la Gaspésie

Cinq écosystèmes, avec leurs collections animales et végétales respectives, sont mis en valeur au Bioparc : la baie, la rivière, le barachois, la forêt et la toundra. À voir par exemple : le couguar de l'Est, le lynx du Canada et l'orignal, ainsi que la loutre de rivière et le raton laveur. Salle multi-fonctionnelle avec expositions. Aire de pique-nique. Entrée payante. Ouvert tous les jours de la fin mai à la mi-octobre. Situé au 123 rue des Vieux-Ponts à Bonaventure.

Infos : 1-866-534-1997 ou www.bioparc.ca

En cas de pluie

18 Explorama

Centre de découverte qui permet d'appri-voiser la vie sous-marine du fleuve Saint-Laurent. Spécimens marins à observer, et même à toucher, dans des aquariums et des bassins. Expositions, visites guidées, bou-tique de souvenirs. Si la météo le permet, excursion en mer. Ouvert de 9 h à 18 h de la mi-juin à la mi-octobre. Accès sur réserva-tion le reste de l'année. Entrée payante. Situé face à l'église de Sainte-Anne-des-Monts.

Infos : 1-877-913-2500
www.explorama.org

Îles-de-la-Madeleine

1   Réserve nationale de faune de la Pointe-de-l'Est
2   Réserve écologique de l'Île-Brion

3   La Bouillée de bois (Cap-aux-Meules)
4   Sentier le Barachois (Cap-aux-Meules)
5   Parc des Buck (Cap-aux-Meules)
6   Parc des Bois brûlés (Havre-Aubert)
7   Big Hill (île d'Entrée)
8   Centre d'interprétation Les portes de l'Est
9   Aquarium des Îles
10   Centre d'interprétation du phoque

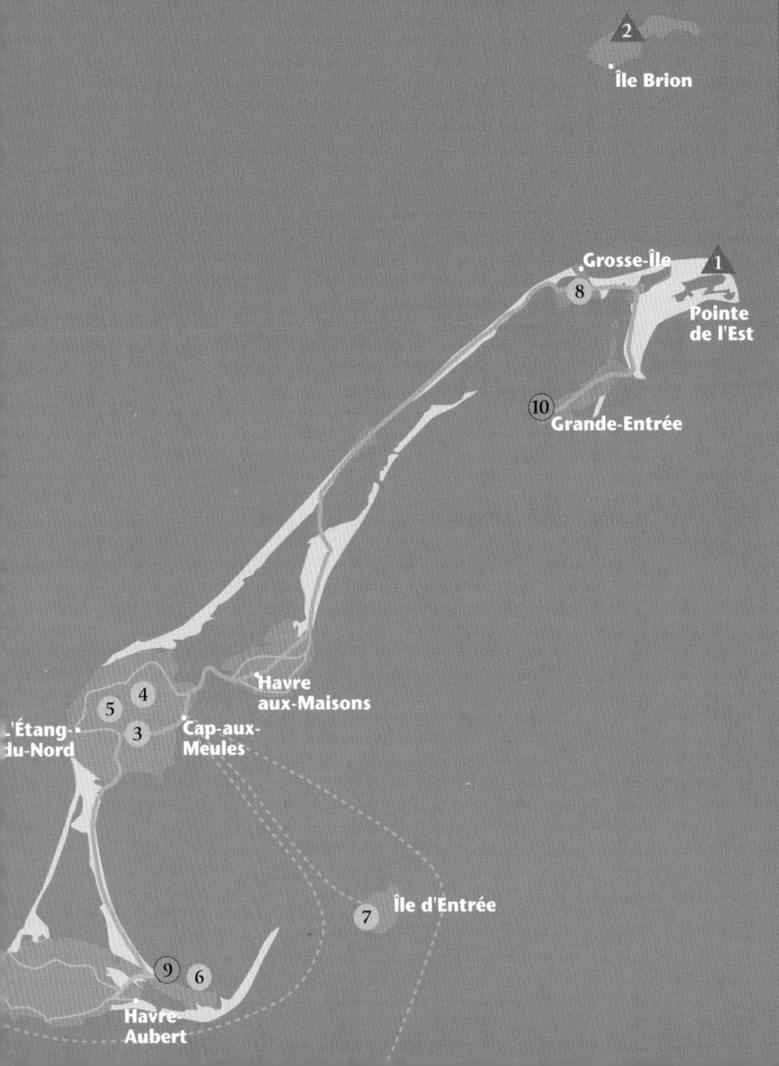

Île Brion

Grosse-Île
Pointe de l'Est
Grande-Entrée

Havre aux-Maisons
Cap-aux-Meules
L'Étang-du-Nord

Île d'Entrée

Havre-Aubert

Très représentative des paysages des îles de la Madeleine avec ses dunes de sable à perte de vue, cette réserve nationale de faune de 684 hectares a été créée pour protéger l'habitat du pluvier siffleur et du grèbe esclavon, deux espèces menacées. En fait, la pointe de l'Est serait l'un des derniers sites de nidification du pluvier siffleur au Québec. Les aires de reproduction sur la plage sont d'ailleurs indiquées par des panneaux.

Important lieu de nidification pour la sauvagine, le territoire est également une halte migratoire très fréquentée. À la fin du mois d'août, le plan d'eau nommé étang de l'Est accueille chaque jour des groupes de 300 à 500 canards noirs, de 100 à 200 sarcelles à ailes bleues, des fuligules milouinans, des garrots à œil d'or et des harles huppés, selon le Service canadien de la faune d'Environnement Canada. Les passereaux, comme les parulines, les bruants et les jaseurs, sont également nombreux dans le secteur.

La réserve de la Pointe-de-l'Est se trouve sur la Grosse-Île. Cette dernière est située à l'extrémité nord du croissant allongé formé par l'archipel des îles de la Madeleine. Les rares mammifères qu'on y retrouve sont la souris sylvestre, le campagnol des champs, l'écureuil roux et le renard roux. Ce dernier serait toutefois difficile à apercevoir. Les mammifères marins sont pour leur part bien présents. Les phoques gris et phoques communs se laissent assez facilement observer.

En plus des dunes de sable, le paysage de la réserve est composé de forêts de conifères, de landes, de marais et d'étangs d'eau douce ou salée. Parmi les espèces végétales : l'ammophile (signifiant « qui aime le sable ») à ligule courte assure la stabilité des dunes. Les spartines, salicornes, sphaignes, camarines et sarracénies pourpres sont également bien présentes.

L'accès à la réserve est gratuit. On peut découvrir celle-ci par le biais de près d'une vingtaine de kilomètres de sentiers de marche. Longues plages à perte de vue. Les sentiers Les Marais salés et L'Échouerie (2 km chacun) permettent l'interprétation de la nature. Le Club vacances Les Îles, situé à quelques kilomètres de la réserve, offre des randonnées guidées. Aucun service sur place.

COUPS DE CŒUR

- ♥ S'extasier devant l'immensité des dunes et repérer la végétation qui leur sont propres.
- ♥ Observer l'une des nombreuses espèces d'oiseaux qui nichent ou font halte dans la réserve.
- ♥ Faire le tour de la pointe de l'Est à pied et pique-niquer à proximité des phoques.

À FAIRE : Observation de la faune et de la flore. Randonnée pédestre (une vingtaine de kilomètres de sentiers).

SERVICES : Kiosque d'accueil (sans services), terrain de stationnement, panneaux d'interprétation. Visites guidées (payantes) offertes par le Club vacances Les Îles.

TARIFS : Stationnement et accès gratuits.

ACCÈS : On y accède par la route 199 à l'est de la municipalité de Grosse-Île, qui se trouve au nord du croissant allongé que forment les îles de la Madeleine.

INFOS : Club vacances Les Îles, (418) 985-2833.
Service canadien de la faune, (418) 648-7138
www.qc.ec.gc.ca/faune/faune/html/rnf_pe.html

Îles-de-la-Madeleine

Trésor sauvage difficile d'accès, l'île Brion est la première île qui fut découverte et nommée par l'explorateur Jacques Cartier. La quasi totalité de l'île, autrefois habitée, a maintenant le statut de réserve écologique. L'accès y est très restreint, mais deux entreprises des Îles-de-la-Madeleine organisent des excursions et des expéditions de durée variable pendant l'été.

Située à 16 km au nord de Grosse-Île, l'île Brion accueille quelque 140 espèces d'oiseaux, dont près du quart y nichent. Les fous de Bassan, mouettes tridactyles, macareux moines et petits pingouins, entre autres, fréquentent le secteur. Le très coloré macareux peut d'ailleurs être observé du haut des falaises dans le secteur ouest de l'île. Autre attrait : des colonies de phoques gris et de phoques communs se sont établies non loin de là sur un rocher surnommé Seal Rock. Ces mammifères marins au corps fusiforme sont très présents autour de l'île. On peut aussi aller à leur rencontre lors de sorties en kayak de mer.

L'île abrite une forêt de conifères rabougris et des dunes de sable intactes, où abonde l'ammophile

à ligule courte. La flore locale est composée d'environ 200 espèces, dont l'hudsonie tomenteuse, désignée menacée ou vulnérable. Le relief de l'île est peu accentué. Le plus haut point s'élève à environ 60 m au-dessus du niveau de la mer. Les falaises de grès ont une coloration rouge. Exposée aux grands vents, l'île peut parfois être difficile d'accès. Les départs pour les expéditions ne sont donc confirmés que la journée même.

Vert et Mer est l'une des deux entreprises qui organisent des activités éducatives sur l'île. Ces activités, offertes en différents forfaits incluant le coucher, se déroulent à l'extérieur des limites de la réserve écologique, soit sur environ 5 % du territoire. Au programme : randonnée guidée d'une journée sur le sentier nord de l'île (le seul sentier qu'il est possible d'emprunter), interprétation du milieu dunaire, ornithologie en kayak de mer et nuitée dans une yourte, tente nomade qui résiste aux vents. À découvrir : des vestiges des derniers habitants de l'île, dont le domaine de la famille Dingwell. L'entreprise Les Excursions en mer offre aussi de courtes visites de l'île Brion.

COUPS DE CŒUR

♥ Admirer les macareux moines qui nichent sur les falaises de grès rouge de l'île.

♥ Observer de près, en kayak, les colonies de phoques établis sur Seal Rock.

♥ Découvrir le domaine de la famille Dingwell, une famille écossaise qui a habité l'île Brion.

À FAIRE : Observation de la faune et de la flore. Interprétation de la nature avec guide. Randonnée pédestre. Kayak de mer.

SERVICES : Deux entreprises offrent des excursions sur l'île Brion. Vert et Mer propose différents forfaits de juin à septembre incluant le coucher sur l'île dans une yourte. Repas compris ou non. Transport en zodiac. Pour sa part, Excursions en mer organise des croisières à l'île Brion et au rocher aux Oiseaux.

TARIFS : Il n'en coûte rien pour mettre le pied sur l'île. Les prix des expéditions sont variables. Réservations obligatoires.

ACCÈS : Les départs pour l'île Brion s'effectuent de Grosse-Île, située dans le nord de l'archipel.

INFOS : Vert et Mer : (418) 986-3555.
Excursions en mer : (418) 986-4745 ou
www.menv.gouv.qc.ca/biodiversite/reserves/
ile_brion/res_20.htm

Îles-de-la-Madeleine

Capsules nature

③ La Bouillée des bois

Ce sentier d'interprétation de 5,1 km en milieu boisé est situé près de la municipalité d'Étang-du-Nord, sur l'île du Cap-aux-Meules, la deuxième île de l'archipel quant à la superficie. La végétation qu'on y retrouve est représentative entre autres des tourbières : kalmia à feuilles étroites, lédon du Groenland (thé du Labrador), épinette noire, sapin baumier et sphaignes. Les pessières (peuplements d'épinettes) à kalmia et les pessières à sphaignes dominent. Le bruant fauve, la paruline rayée, les mésanges à tête brune et à tête noire, le pic chevelu et le pic mineur figurent sur la liste des oiseaux observés sur place. Panneaux d'interprétation. L'accès est gratuit. Ouvert toute l'année. L'organisme Attention FragÎles organise sur place des randonnées guidées de deux heures de façon ponctuelle. Informez-vous de l'horaire. Accès par la route 199. Le début des sentiers est situé près du camping de La Martinique.
Infos : Attention FragÎles, (418) 986-6644.

④ Sentier le Barachois

Également aménagé sur l'île du Cap-aux-Meules, ce sentier d'interprétation de 5 km traverse différents milieux humides, soit des marais d'eau douce, salée ou saumâtre, ainsi que des lagunes. La flore y est aussi abondante que variée : drosera à feuilles rondes, iris versicolore, myrique de Pennsylvanie, myrique baumier, liseron des haies, impatiente du cap, etc. Ces milieux ne sont pas sans attirer nombre d'oiseaux, comme le grèbe à bec bigarré, le carouge à épaulettes, le bruant des marais, le râle de Caroline, le bruant de Nelson et la bécassine des marais. Cueillette de petits fruits sauvages : framboises, canneberges, camarine noire, génévrier commun. L'organisme Attention FragÎles organise ponctuellement sur place des randonnées guidées de quelques heures. Informez-vous de l'horaire. Panneaux d'interprétation. Ouvert à longueur d'année. Entrée et stationnement gratuits. Accessible par le chemin de l'Hôpital, en direction de la plage à Fatima.
Infos : (418) 986-6644.

⑤ Parc des Buck

Aménagé en bonne partie dans une vieille forêt d'épinettes noires, le parc des Buck, situé sur l'île du Cap-aux-Meules, compte quelques segments de sentiers en forêt (faciles et intermédiaires) totalisant plus de 5 km. Ce parc est un bon endroit pour observer quelques espèces d'oiseaux forestiers (passereaux, corvidés, etc.) et parfois des renards. Quelques points de vue offrent des panoramas sur les îles de l'archipel. Accès au petit lac Quinn. Ouvert à la randonnée et, en hiver, au ski de fond. Pas de services, sauf une petite aire de pique-nique. Entrée gratuite. Le début des sentiers et le terrain de stationnement se trouvent au bout du chemin de la Mine à Cap-aux-Meules.
Infos : (418) 986-3321.

6 Parc des Bois brûlés

Long d'à peine 2 km, ce petit réseau de sentiers aménagé sur l'île du Havre-Aubert permet de découvrir une grande diversité végétale. C'est d'ailleurs sur cette île que se trouve la plus grande forêt de l'archipel. À observer : la végétation arbustive, les pessières rabrougries et la tourbière (l'une des plus importantes de l'île). Accompagnés de quelques renards et lièvres, une flopée d'oiseaux forestiers, comme des bruants, parulines, quiscales et buses, s'activent dans ce riche écosystème. Accessible à longueur d'année. Gratuit. L'hiver, le site permet la pratique de la raquette et du ski de fond. Patinoire sur place. Également : aire de jeux, court de tennis et restaurant à proximité. Le début des sentiers se trouve derrière le centre multifonctionnel de Havre-Aubert, sur le chemin du Bassin. Infos : (418) 986-3100 ou (418) 986-2245.

7 Big Hill

Située sur l'île d'Entrée, la seule à ne pas être reliée au reste de l'archipel, Big Hill est le point culminant des îles de la Madeleine. Cette butte de 174 m de haut, dont le sommet peut être joint en près de 45 minutes, offre une vue imprenable sur l'archipel. Un nouveau sentier d'environ 1 km, baptisé Ivan Quinn, a été aménagé. Il prend son départ près du port et mène au pied de Big Hill dans le Grand parc communautaire, où champs et vallons attendent les visiteurs. Il n'y a pas d'arbre, ni d'arbuste. Que des prairies et quelques plans d'eau où croissent l'iris versicolore et la potentille dorée. Les oiseaux marins qui nichent dans les falaises, comme le guillemot marmette et le petit pingouin, se laissent observer. À noter également les formations rocheuses, dont celle du Cap au diable. Accessible toute l'année, sans aucun frais d'entrée. Nombreux services (restaurant, toilettes publiques, dépanneur, hébergement) près du port. Terrain de camping en construction. On s'y rend en bateau par les îles du Cap-aux-Meules ou de Havre-Aubert. Infos : (418) 986-3100.

Îles-de-la-Madeleine

⑧ Centre d'interprétation Les portes de l'Est

Le sous-sol des îles de la Madeleine est riche en sel, et une mine y est exploitée depuis 1983. Un centre d'interprétation, situé à côté de la mine, a été aménagé pour présenter l'univers intéressant du sel. Exposition. Guides interprètes bilingues sur place. Entrée gratuite. Ouvert de juin à la fin septembre. Situé au 56, route 199, à Grosse-Île.
Infos : (418) 985-2387 ou www.tourismeilesdelamadeleine.com

En cas de pluie

⑨ Aquarium des Îles

Aménagé dans un ancien entrepôt de salaison de poisson et de gréements de pêche, cet aquarium se veut une fenêtre sur la végétation et la faune aquatique de l'archipel. Anémones, méduses, étoiles de mer, poissons, mollusques et crustacés attendent petits et grands. Bassins-contacts. Exposition. Activités d'animation. Ouvert du début juin à la mi-octobre. Situé au 982 route 199, à La Grave, Havre-Aubert.
Infos : (418) 937-2277
www.tourismeilesdelamadeleine.com/ aquarium

⑩ Centre d'interprétation du phoque

Pour découvrir le monde fascinant des phoques, un mammifère omniprésent dans le golfe et l'estuaire du Saint-Laurent. De leur naissance sur les glaces au large des îles de la Madeleine jusqu'à leurs implications économiques et culturelles, vous saurez tout sur eux. Activités interactives, vidéos, jeux-questionnaires. Ouvert de juin à septembre. Entrée payante. Situé au 377 route 199, à Grande-Entrée.
Infos : (418) 985-2833 ou
www.tourismeilesdelamadeleine.com/ cip

1 **Réserve écologique des tourbières de Lanoraie**
2 **Forêt Ouareau**
3 **Réserve faunique Mastigouche**
4 **Îles de Berthier**

5 **Parc régional des Chutes Monte-à-Peine-et-des-Dalles**
6 **Parc régional des Sept-Chutes**
7 **Camp mariste**
8 **Sentier des étangs**
9 **Sentier national**
10 **Jardins du Grand-Portage**
11 **Arbraska**
12 **Miel de chez nous**

Lanaudière

Profitez-en, le site des tourbières de Lanoraie est l'une des rares réserves écologiques du Québec qui soit accessible au grand public. Et encore, il n'est possible de s'y promener que si vous êtes accompagnés d'un guide de la Bande à Bonn'Eau, l'organisme qui voit à la protection des lieux. Situé à seulement 45 minutes de Montréal, à proximité de l'autoroute 40, près de la municipalité de Lanoraie, cet entrelacement de chenaux qui se sont entourbés depuis 10 000 ans abrite une flore à la fois méridionale et nordique. D'où l'appellation de Baie-James du Sud.

Outre des espèces plus communes comme la sarracénie et le droséra à feuilles rondes (deux plantes insectivores), les tourbières de Lanoraie, ancêtres du fleuve Saint-Laurent, servent de refuge à deux espèces végétales susceptibles d'être désignées menacées ou vulnérables: l'aréthuse bulbeuse et la woodwardie de Virginie. Comme les visites guidées, individuelles ou en groupe, ne se font qu'entre 10 h et 16 h, la faune est plus difficile à observer. Qu'à cela ne tienne, vous pourriez néanmoins apercevoir orignal, castor du Canada, lièvre d'Amérique ou encore quelques-uns des nombreux reptiles et amphibiens, comme la salamandre à quatre orteils (susceptible d'être désignée menacée ou vulnérable), recensés à cet endroit.

Plus de 140 espèces d'oiseaux ont été identifiées. De ce nombre, 90 nichent sur place. Trois espèces ont un statut précaire: la buse à épaulettes, le tohi à flancs roux et le troglodyte à bec court. Une visite à la réserve écologique des tourbières de Lanoraie, d'environ 415 hectares, dure près de deux heures. La première demi-heure se déroule au pavillon d'accueil, où l'on informe le visiteur des particularités des tourbières. Suit une randonnée d'une heure et demie sur une passerelle de bois surplombant les milieux humides. Il est bon de rappeler que les animaux domestiques sont strictement défendus, même en laisse.

COUPS DE CŒUR

♥ S'offrir un contact privilégié avec un écosystème exceptionnel.

♥ Observer, selon la saison, plusieurs espèces florales, dont de superbes orchidées comme la pogonie langue-de-serpent ou l'aréthuse bulbeuse.

À FAIRE : Visite (obligatoirement guidée) de tourbières ombrotrophes et minérotrophes, ainsi que d'un centre d'interprétation sur ce phénomène géologique et floral.

SERVICES : Poste d'accueil (sans électricité), guide-interprète, toilettes, tables de pique-nique.

TARIFS : Adultes (12 ans ou plus), 6 $; enfants (de 6 à 11 ans), 3 $. Gratuit pour les enfants de moins de 6 ans. Tarifs pour groupes de 10 personnes ou plus. La réserve est ouverte les samedis et dimanches, au printemps et à l'automne. De la fin juin à la fin août, le site est accessible du mercredi au dimanche.

ACCÈS : Emprunter l'autoroute 40, puis prendre la sortie 130. Parcourir 3 km vers le nord sur le chemin Joliette. Suivre les panneaux indicateurs déjà visibles sur l'autoroute 40.

INFOS : (450) 887-0180
www.intermonde.net/
tourbiereslanoraie

Lanaudière

Terrain de jeu de 150 km² situé à environ une heure au nord de Montréal, le parc régional de la forêt Ouareau présente une grande variété d'écosystèmes. Ses nombreux lacs (en voie d'eutrophisation), ses rivières (dont la rivière Ouareau, qui traverse le parc en entier) et ses multiples sommets en font un endroit tout trouvé pour les gens à la recherche d'une nature généreuse. Soyez aux aguets ; vous pourriez observer l'un des mammifères suivants : castor du Canada, loup gris, loutre de rivière, lynx du Canada, orignal, porc-épic d'Amérique, renard roux, etc. Par ailleurs, vous aurez peut-être le privilège d'épier l'une des 12 espèces de parulines, un martin-pêcheur d'Amérique, un jaseur d'Amérique ou, avec un peu plus de chance, un grand-duc d'Amérique ou un faucon pèlerin, une espèce vulnérable. Même si certains secteurs du parc font encore l'objet de coupes forestières, des peuplements âgés de 50 à 80 ans couvriraient encore près de 90 % du territoire.

Près de 100 km de sentiers pour la randonnée pédestre (mais aussi certains segments pour le vélo, le ski et la raquette) vous feront visiter lacs, rivières et montagnes, dont le sommet 107 qui culmine à plus de 700 m. De là-haut, Montréal a presque des airs surréalistes. Le parc régional de la forêt Ouareau chevauche cinq municipalités : Chertsey, Entrelacs, Notre-Dame-de-la-Merci, Saint-Côme et Saint-Alphonse-de-Rodriguez. Chaque municipalité offre au moins un accès au parc. Au total, il y a six terrains de stationnement, dont deux à Saint-Côme (entrée de la Dufresne et du Pont suspendu). Attention, les différents secteurs ne sont pas reliés entre eux. L'entrée du Pont suspendu est l'un des endroits les plus prisés du parc, car il donne accès à la rivière Ouareau, où les adeptes du kayak, du canotage et du rafting se rencontrent. Malheureusement, il n'y a pas de service de location d'embarcations sur place.

COUPS DE CŒUR

♥ Emprunter le sentier de la Grande-Vallée (accessible par Chertsey) avec ses 32 km en boucle pour des randonnées d'une ou de plusieurs heures dans une pinède ou sur le mont 107 (700 m).

♥ Se baigner (sans surveillance) dans la rivière Ouareau.

À FAIRE : Observation de la faune et de la flore. Randonnée pédestre (100 km), vélo de montagne (30 km), ski de fond (40 km), ski hors piste (30 km) et raquette (20 km). Kayak, canot, rafting et baignade (sans surveillance) dans la rivière Ouareau.

SERVICES : Poste d'accueil principal à l'entrée du Massif (Notre-Dame-de-la-Merci) et cinq autres terrains de stationnement répartis dans quatre municipalités (Chertsey, Entrelacs, Saint-Côme et Saint-Alphonse-de-Rodriguez). Toilettes sèches à chaque entrée. Camping rustique (40 places au Pont Suspendu et 10 plates-formes à l'entrée du Massif) et trois refuges (2, 4 et 8 places) accessibles par le Massif. Panneaux d'interprétation.

TARIFS : L'accès à la forêt est gratuit, sauf à l'entrée du Massif (situé à Notre-Dame-de-la-Merci), où l'on demande 3 $ pour les personnes de 12 ans et plus. Frais exigés pour le vélo de montagne (5 $), le ski de fond (8 $), la raquette (5 $) et le camping rustique (10 $ par tente). La Forêt Ouareau est ouverte toute l'année, sauf en avril et en mai, pendant la période du dégel.

ACCÈS : De Montréal, emprunter l'autoroute 25 Nord, qui devient la route 125. Rouler jusqu'à Chertsey et suivre les panneaux indicateurs.

INFOS : (450) 424-1865
www.mrcmatawinie.qc.ca/html/foret-ouareau.html

Lanaudière

Cette réserve faunique de 1565 km² touche également à la région touristique de la Mauricie. En plus des quelque 40 km de sentiers pour la randonnée pédestre, la réserve offre une série d'activités de plein air, dont le canot-camping et la descente de rivière. Situé à 145 km au nord-est de Montréal et à 206 km de Québec, le territoire compte près de 420 lacs, 13 rivières et quantité de petits ruisseaux qui serpentent un relief montagneux composé de résineux, de forêts mixtes et d'érablières. L'omble de fontaine (truite mouchetée) est présente dans tous les lacs de la réserve, où plusieurs frayères ont été aménagées.

L'ensemble hydrographique du site attire, vous l'aurez deviné, plusieurs mammifères, dont le cerf de Virginie et l'orignal, mais aussi l'ours noir, le lynx du Canada et le loup gris. L'avifaune des lieux est composée d'une centaine d'espèces, parmi lesquelles : gélinotte huppée, plongeon huard, aigle royal et balbuzard pêcheur. Le lac Saint-Bernard compte une héronnière sur une île qu'il est interdit d'approcher. Par ailleurs, deux sites ont été mis en place par Canards Illimités Canada pour l'observation de la sauvagine aux lacs Jimmy et Bourassa.

La location d'embarcations est possible (sur réservation) à différents endroits dans la réserve. Pour louer (sans réserver) canot, kayak, pédalo ou bicyclette, rendez-vous au lac Saint-Bernard (situé à 13 km de l'accueil Pins-Rouges), où se trouve un terrain de camping, une plage (surveillée) en sable naturel et un dépanneur. Plusieurs chalets et refuges (la plupart sans électricité) peuvent également être loués dans la réserve faunique Mastigouche. Ils sont répartis dans six secteurs d'hébergement, lesquels comptent 135 lacs. La liste des chalets et refuges est exhaustive ; renseignez-vous. En été, sachez que les moustiques sont très voraces. Filets et chasse-moustiques sont donc des incontournables. En hiver, de décembre à mars, ski de randonnée et raquette depuis les postes d'accueil Catherine et Pins-Rouges.

COUPS DE CŒUR

- ♥ Séjourner au lac Saint-Bernard avec sa plage en sable fin et sa héronnière située sur une île.
- ♥ Emprunter le sentier des Six-Chutes, au bout duquel se trouve une tour d'observation.
- ♥ Voir, à la brunante ou au crépuscule, un orignal qui traverse l'un des nombreux lacs de la réserve.

En un clin d'œil

À **faire** : Plus de 40 km de sentiers pédestres dans une nature sauvage. Baignade. Activités nautiques (canot, kayak, pédalo, chaloupe). En hiver, ski de fond et raquette.

Services : Postes d'accueil et toilettes. Camping, refuges, chalets, boutique nature, dépanneur, glace, bois de chauffage. Location de canots, de kayaks, de pédalos, de chaloupes (avec ou sans moteur), de bicyclettes et de vestes de flottaison.

Tarifs : Il n'en coûte rien pour accéder à la réserve. Toutefois, les frais de stationnement sont de 8,95 $ par véhicule. Autres frais exigés pour l'hébergement et la location d'embarcations.

Accès : La réserve est accessible par trois entrées, ouvertes de mai à octobre. L'accueil Bouteille, à 26 km à l'est de Saint-Zénon, accessible par la route 131; l'accueil Pins-Rouges, à 24 km au nord de Saint-Alexis-des-Monts, accessible par la route 349; et l'accueil Catherine, à 18 km au nord de Mandeville, accessible par les routes 347 et 349.

Infos : Saint-Alexis-des-Monts, (819) 265-2098,
accueil Pins-Rouges, (819) 265-6055
www.sepaq.com

Lanaudière

L'endroit, aussi appelé Sentier d'interprétation de la nature de la commune de Berthier et de l'île du Milieu, fait partie de l'archipel du lac Saint-Pierre. Avec ses 8 km de sentiers pédestres qui sillonnent tantôt l'île de la Commune, tantôt l'île du Milieu, ce site vous fera découvrir toute la richesse d'un marais typique du lac Saint-Pierre. Visité par plusieurs clubs d'ornithologie, cet endroit est fréquenté, bon an mal an, par environ 204 espèces d'oiseaux, dont plusieurs espèces de canards (noir, branchu, etc.) qui nichent sur place. La bécassine des marais, l'emblème du parc, et le busard Saint-Martin, entre autres, y sont observés. La proximité d'une des plus importantes héronnières au Québec explique l'omniprésence du grand héron.

À cette liste déjà exhaustive s'ajoutent une vingtaine d'espèces de mammifères (marmotte commune, loutre de rivière, vison, coyote, renard roux, etc.), et six types d'amphibiens et de reptiles dont deux espèces de tortues (peinte et serpentine). Dix espèces de poissons, dont la carpe, fréquentent les hauts-fonds herbeux du marais. Au printemps, la carpe, un gros poisson, n'a besoin que d'environ 30 cm d'eau pour pondre entre 40 000 et deux millions d'œufs. Elle peut facilement être observée des sentiers. Ce territoire de conservation, accessible toute l'année, compte par ailleurs trois tours d'observation qui offrent de très belles perspectives sur le marais. À l'extrémité sud de l'île du Milieu se trouve un appentis (abri à trois murs aussi appelé *lean- to*), où il est possible de se reposer. Entre juin et septembre, des guides sont là pour vous faire visiter le marais. Profitez-en, c'est gratuit ! Les groupes doivent réserver à l'avance. Le premier tronçon traverse des terres agricoles, où moutons, vaches et chevaux rendent l'endroit des plus bucoliques.

On accède au terrain de stationnement par la route 158 après avoir franchi le premier pont tout de suite après Berthierville. Pour une visite dans l'archipel du lac Saint-Pierre, continuez sur la route 158 jusqu'à Saint-Ignace-de-Loyola. Sur place, Pourvoiries du lac Saint-Pierre offre des visites guidées des îles à bord d'un bateau de 12 places. Observation des oiseaux et botanique au rendez-vous. Sur réservation au printemps et à l'automne. De la fin juin à la fin août, plusieurs départs par jour. Aussi, location d'embarcations (kayaks, canots, chaloupes) à la pourvoirie. Un traversier relie Saint-Ignace-de-Loyola à Sorel.

COUPS DE CŒUR

♥ Découvrir la richesse faunique et florale d'un marais typique du lac Saint-Pierre.

♥ Partir à la découverte de l'archipel des Îles-de-Berthier à bord d'une embarcation de 12 places ou seul, en kayak.

À FAIRE : Au Sentier d'interprétation de la nature de la Commune de Berthier et de l'île du Milieu : environ 8 km de sentiers pédestres dans une zone humide favorable aux découvertes. À Saint-Ignace-de-Loyola : croisière dans les îles et activités nautiques (canot, kayak, pédalo, chaloupe). En hiver, ski de fond et raquette.

SERVICES : Au sentier : toilettes sèches (à 1 km du poste d'accueil), refuge au bout du sentier sur l'île du Milieu, trois tours d'observation et panneaux d'interprétation. À Loyola : service de croisière (20 $ par personne), location de canots, de kayaks, de chaloupes (avec ou sans moteur). Traversier qui se rend en 15 minutes à Sorel (3,35 $ par auto ; 2 $ par personne).

TARIFS : Il n'en coûte rien pour accéder au site, ni pour les visites guidées dans les sentiers d'interprétation.

ACCÈS : De Berthierville (accessible par l'autoroute 40 ou la route 138 Nord), prendre la route 158 Est (rue Bienville). Après avoir franchi le pont du chenal du nord, on trouve le terrain de stationnement à 200 m à droite. Saint-Ignace-de-Loyola est situé plus loin, sur la route 158, où se trouve le traversier.

INFOS : Sentier d'interprétation de la nature de la commune de Berthier et de l'île du Milieu, (450) 836-4447 ou http://membres.lycos.fr/scirbi
Pourvoiries du lac Saint-Pierre (Sainte-Ignace-de-Loyola), (450) 836-7506
Service de traversier : (450) 836-4600

Lanaudière

Capsules nature

⑤ Parc régional des Chutes Monte-à-Peine-et-des-Dalles

Façonné par le passage des derniers glaciers, ce parc régional retient l'attention par ses trois chutes : les Dalles, des chutes plutôt vigoureuses ; Desjardins, discrètes et situées au fond d'un canyon de 30 m de profondeur ; et Monte-à-Peine, les plus impressionnantes du trio. Une centaine d'espèces d'oiseaux y ont été identifiées à ce jour, dont 18 espèces de parulines et une petite colonie de buses à queue rousse. À noter, les thuyas rabougris qui poussent à même les parois rocheuses. Environ 17,5 km de sentiers pédestres, jalonnés de six belvédères et de trois magnifiques ponts suspendus, donnent accès à un véritable théâtre géologique et hydrographique traversé par la rivière L'Assomption. Le sentier Desjardins, qui longe la rivière, est un incontournable. Le parc est situé (et géré) par les trois municipalités de Sainte-Béatrix, Saint-Jean-de-Matha et Sainte-Mélanie. Chaque municipalité offre un accès au parc (de mai à novembre), donc un terrain de stationnement, des toilettes et une aire de pique-nique. Entrée : 5 $ par adulte ; 2 $ par enfant de 5 à 12 ans. Les chiens en laisse sont admis (tarif : 2 $ par animal). Accès aux trois entrées par les routes 131, 337 et 343.
Infos : (450) 883-6060.

⑥ Parc régional des Sept-Chutes

Contrairement à ce que son nom laisse entendre, ce parc régional ne compte qu'une chute : la chute Voile de la mariée, haute de 60 m et à proximité du poste d'accueil. Les six autres chutes, situées à l'extérieur du parc, sont néanmoins visibles de la route 131 Nord, principale voie d'accès à ce parc régional de 32 km² situé à Saint-Zénon. Avec ses cinq sentiers pédestres (faciles et intermédiaires) qui totalisent une douzaine de kilomètres, l'endroit est caractérisé par deux sommets (le mont Brassard, 650 m, et le mont Barrière, 610 m) qui offrent une vue splendide sur la région. Le sentier du mont Brassard traverse une pinède à pins rouges et mène à un pic rocheux, alors que celui du mont Barrière traverse une érablière et compte une impressionnante falaise de 150 m. Les lacs Guy et Rémi sont fréquentés par le plongeon huard. Environ huit belvédères, six aires de pique-nique et plusieurs panneaux d'interprétation ont été mis en place pour les visiteurs. Entrée : 4,50 $ pour les adultes ; gratuit pour les enfants de 12 ans ou moins. Ouvert de mai à octobre. Le bâtiment d'accueil, situé au 4031 chemin Brassard (route 131, au nord de Joliette), est aussi un bureau d'information touristique. Douches et service de cantine de juin à octobre.
Infos : (450) 884-0484 ou www.mrcmatawinie.qc.ca

⑦ Camp mariste

Ce grand territoire naturel appartient à la communauté chrétienne des Frères Maristes, qui utilise les lieux pour accueillir les jeunes, notamment par l'entremise de camps de jour, de camps d'été et de classes vertes dans le secteur du lac Morgan, lequel compte une plage surveillée de juin à août. Le reste du site (secteur Lamoureux) est néanmoins accessible aux

amants de la nature. Le Camp mariste offre six sentiers pédestres (de faciles à intermédiaires, accessibles aussi en vélo) totalisant près de 20 km. Quelques autres plans d'eau, dont le lac Charlevoix et le lac de l'Isle (où nichent des plongeons huards) ajoutent au charme. Au printemps, la sauvagine fréquente les lieux. Les pics sont aussi en territoire connu. Même s'il est relativement très fréquenté, le Camp mariste a su conserver son cachet naturel, notamment par ses forêts que les membres du Cercle des mycologues de Montréal aiment visiter. Autre élément intéressant : l'étang Grand-père, une tourbière en formation où l'on retrouve un type de végétation particulier. Le parc est ouvert tous les jours de l'année du lever au coucher du soleil et compte trois terrains de camping, de même qu'un chalet pouvant accueillir jusqu'à 100 personnes. Aussi, centre équestre, service de traiteur, etc. L'hiver, raquette sur l'ensemble du réseau de sentiers et sur un petit lac. Accès : de Rawdon, emprunter le chemin Morgan sur une quinzaine de kilomètres. À la fourche ; aller à droite.

Infos : (819) 834-6383, poste 221 ou www.campmariste.qc.ca

8 Le Sentier des étangs

Une oasis de verdure en plein cœur de la municipalité de Saint-Donat, le Sentier des étangs ne jouit malheureusement d'aucune protection. Pourtant, avec son marécage (parsemé d'îlots couverts d'arbres matures), l'endroit est propice à l'observation de la sauvagine, dont le canard branchu et le canard noir, qui nichent sur place. Parulines, hérons verts et pics font partie des 120 espèces qui composent l'avifaune de l'endroit. La liste des oiseaux répertoriés est offerte au bureau de tourisme de Saint-Donat (536, rue Principale). Tortues peintes, mais aussi castors du Canada et loutres de rivière peuvent être vus sur le site, tôt le matin ou en toute fin de journée. L'endroit compte deux sentiers totalisant près de 3 km. Les vélos sont permis. Le sentier Colvert fait le tour du marécage. En hiver, il devient une patinoire. Le sentier des Étangs est ouvert à longueur d'année. Relais chauffé en hiver. Stationnement (près du garage municipal) et entrée gratuits.

Infos : (819) 424-2833 ou www.stdonat.com

⑨ Sentier national

Ce sentier pédestre, qui traverse le Canada de l'Atlantique au Pacifique, passe dans le nord de la région de Lanaudière, dans la MRC de la Matawinie. Dans ce secteur, le tracé linéaire compte dix tronçons. Au total : 170 km qui vous feront découvrir lacs, rivières et sommets montagneux variant de 300 à 700 m. D'est en ouest, le Sentier national dans Lanaudière prend naissance près de Saint-Donat (à la limite de la région des Laurentides) et se termine dans la réserve faunique de Mastigouche (qui chevauche la région de la Mauricie). Il croise plusieurs municipalités et est donc accessible dans les régions de Saint-Donat, Notre-Dame-de-la-Merci, Saint-Côme, Sainte-Émélie-de-l'Énergie et Saint-Zénon. Location de trois refuges et de sept abris (*lean-to*). Le sentier compte également trois sites de camping. En hiver, il y a quelques tronçons où il est possible de pratiquer le ski de fond et la raquette. La carte du Sentier national dans Lanaudière est disponible à la Fédération québécoise de la marche (FQM, C.P. 1000, succursale M, Montréal (Québec), H1V 3R2). On peut acheter une pochette qui indique tous les tronçons du sentier dans la région : 18,35 $ pour les non-membres et 15,60 $ pour les membres. On peut aussi se procurer la carte de chacun des tronçons, au prix de 3 ou 4 $. Il en coûte 25 $ pour être membre individuel du Sentier national et 30 $ pour une famille. Rappelez-vous qu'il faut être membre pour fréquenter le Sentier national.

Infos : auprès de la FQM, notamment pour les cartes des sentiers et la location de refuges : (514) 252-3157.

⑩ Jardins du Grand-Portage

Jardins écologiques en évolution depuis 25 ans. Jardins de fleurs, aquatiques et anglais. Potager, vergers et sentiers forestiers. Sentier d'interprétation. Ateliers durant la saison estivale. Visite libre et visite commentée les samedis, dimanches et mercredis (réservation nécessaire). Entrée payante. Situé au 800, chemin du Portage, à Saint-Didace.

Infos : (450) 835-5813 ou www.intermonde.net/colloidales/

⑪ Arbraska

On propose à cet endroit différents parcours selon la formule « arbre en arbre », une activité de plus en plus populaire au Québec. Réservation obligatoire. Également ouvert en hiver. Restauration sur place. Entrée payante. Situé au 4131, rue Forest Hill, à Rawdon.

Infos : 1-877-886-5500 ou www.arbraska.com

En cas de pluie

12 Miel de chez nous

Pour tout apprendre sur la fabrication du miel. Centre d'interprétation avec photos et ruches d'observation (à l'intérieur). Ouvert du mercredi au dimanche. Boutique. Entrée payante. Visites éducatives commentées (sur réservation). Situé au 1391, rang Pied de la Montagne, à Sainte-Mélanie.

Infos : (450) 889-5208
www.miel.qc.ca

1 Parc national d'Oka

2 Parc national du Mont-Tremblant

3 Réserve faunique de Papineau-Labelle

4 Forêt récréotouristique de la montagne du Diable

5 Parc régional de la Rivière-du-Nord

6 Parc régional du Bois de Belle-Rivière

7 Centre touristique et éducatif des Laurentides

8 Club de plein air Saint-Adolphe d'Howard

9 Parc du Domaine Vert

10 Parc de la rivière Doncaster

11 Lac Héron

12 Nominingue et parc Le Renouveau

13 Domaine Saint-Bernard

14 Parc d'escalade et de randonnée de la Montagne d'Argent

15 Parc linéaire Le P'Tit Train du Nord

16 Réserve faunique Rouge-Matawin

17 Exotarium

Laurentides

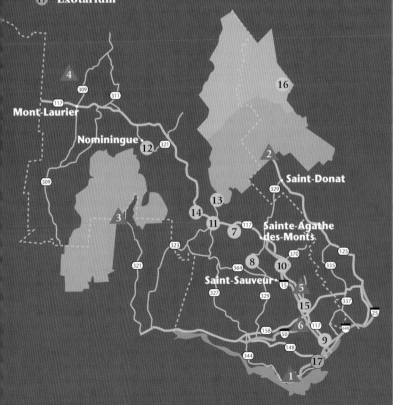

Rares sont les parcs où l'histoire côtoie la nature de façon aussi importante. L'un des principaux points d'attraits du parc d'Oka, la colline du Calvaire, abrite un chemin de croix en plein air composé d'oratoires et de chapelles qui auraient été construits entre 1740 et 1742. Des vestiges qui témoignent de l'évangélisation des Amérindiens.

Le parc d'Oka est connu pour sa plage aménagée en bordure du lac des Deux-Montagnes, mais sa faune et sa flore ne manquent pas d'intérêt. On y retrouve une grande pinède, une chênaie, une érablière à caryer et une érablière argentée dans les secteurs de la Rivière-au-serpent et de la Grande Baie. Bien qu'il soit difficile à observer, le canard branchu, séduit par ces milieux humides, y a élu domicile. Si bien que l'endroit est un des sites de nidification de cette espèce parmi les plus productifs au Québec. Plus de 190 espèces d'oiseaux ont été recensées au parc. Du haut de la tour d'observation, les plus attentifs pourront découvrir une héronnière tout au fond du marais de la Grande Baie. Lunettes d'approche nécessaires.

La loutre de rivière, la belette à longue queue, le coyote et le renard roux y côtoient la marmotte commune, le raton laveur et le tamia rayé. Six espèces de couleuvres peuvent être observées dans les érablières ou près des plans d'eau.

Plusieurs sentiers permettent d'observer cette vie insoupçonnée qui anime ce parc de 23,7 km². Les familles aimeront déambuler dans le sentier de l'Érablière (1,5 km), qualifié de facile, tandis que les plus aventureux se lanceront dans le sentier historique du Calvaire (5,5 km), de niveau intermédiaire. Avec ses 12 km, le sentier la Sauvagine mène entre autres au marais de la Grande Baie. Autres activités : vélo, camping (891 sites ; des forfaits clé en main sont offerts) et location d'embarcations. L'hiver : glissade, patinoire, ski de fond (50 km, dont 4 km illuminés le soir), raquette (6,5 km), randonnée pédestre sur neige (6 km) et camping sous tente de prospecteur.

COUPS DE CŒUR

- ♥ Observer la vie dans le marais de la Grande Baie.
- ♥ Revivre un pan de l'histoire sur le sentier historique de la Colline du Calvaire.
- ♥ Se rafraîchir à la plage du lac des Deux-Montagnes.

EN UN CLIN D'ŒIL

À FAIRE : Randonnée pédestre (22 km), vélo (10 km dans le parc et accès à la piste cyclable La Vagabonde), baignade et camping. Voguer en canot, kayak, pédalo ou planche à voile. L'hiver : glissade, patinoire, ski de fond (50 km, dont 4 km illuminés en soirée), raquette (6,5 km), randonnée pédestre sur neige (6 km) et camping sous tente de prospecteur.

SERVICES : Bâtiment d'accueil et toilettes. Casse-croûte, location d'embarcations (canot, kayak, pédalo, planche à voile) et de vélos. Camping (été et hiver) : forfait clé en main avec location d'accessoires appropriés. Plusieurs autres activités d'interprétation, dont des capsules théâtrales.

TARIFS : Droits d'accès quotidien en vigueur dans les parcs nationaux : 3,50 $ par adulte ; 1,50 $ par enfant. Tarifs pour familles et groupes. Frais supplémentaires pour le ski de fond. Droit d'accès annuel disponible. Carte des sentiers gratuite au centre d'accueil.

ACCÈS : L'entrée principale est située sur la route 344, accessible par la sortie 20 Ouest de l'autoroute 15. La deuxième entrée, fermée en hiver, est située à l'extrémité ouest de l'autoroute 640.

INFOS : (450) 479-8365
www.sepaq.com

A vec ses 1510 km², le parc du Mont-Tremblant est le plus grand et le plus vieux parc national du Québec. Créé en 1981, il couvre un immense territoire qui englobe différents types de forêts (érablière à bouleau jaune, sapinière à bouleau blanc, chênes, érables argentés), 400 lacs, six rivières et une multitude de ruisseaux. Un habitat de choix, entre autres pour le plongeon huard, dont le chant si particulier charme les visiteurs. Quelque 194 espèces d'oiseaux ont été recensées. Le mésangeai du Canada, présent surtout en altitude, est du nombre. Même chose pour la grive de Bicknell, une espèce susceptible d'être désignée menacée ou vulnérable.

Animal emblème du parc, le loup gris est peut-être plus difficile à observer, mais certains signes de sa présence ne trompent pas : pistes, excréments, carcasses de proies. Sans oublier les concerts nocturnes de ce mammifère carnivore. Quatre ou cinq meutes cohabitent dans le parc. Les renards roux sont aussi très actifs, tout comme les orignaux et les cerfs de Virginie, dont la population serait en augmentation.

À cheval sur les régions touristiques des Laurentides et de Lanaudière, le parc national du Mont-Tremblant est divisé en trois secteurs. Le plus fréquenté est assurément celui du lac Monroe (la Diable), mais les secteurs Pimbina et L'Assomption gagnent à être connus. C'est par exemple du secteur Pimbina qu'on accède au deuxième plus haut sommet du parc, le Carcan (883 m). Le mont Tremblant (935 m) est le point culminant du territoire. On y retrouve les vestiges d'une tour de garde-feu.

De nombreuses activités d'interprétation permettent de découvrir les secrets de la faune et de la flore locales. On peut aussi partir à la découverte du parc par le biais des 120 km de sentiers de randonnée pédestre qui permettent de courtes ou de longues excursions, de niveaux facile à difficile. Le canot-camping y est très populaire, tout comme la baignade (deux plages surveillées) et le vélo (59 km). L'hiver, les visiteurs y chaussent leurs skis de fond ou leurs raquettes. Le parc comprend quelque 1200 sites de camping, des refuges et des chalets.

COUPS DE CŒUR

♥ Se laisser charmer, en canot, par les méandres de la rivière du Diable.

♥ Écouter le chant du plongeon huard.

EN UN CLIN D'ŒIL

À FAIRE : Activités d'interprétation de la nature, randonnée pédestre (120 km) de facile à difficile, canot, canot-camping, baignade, vélo, ski de fond, ski nordique et raquette.

SERVICES : Poste d'accueil et toilettes. Location d'embarcations (canots, kayaks, pédalos) et d'équipement de plein air. Camping, location de refuges et de chalets. Casse-croûte et dépanneur selon le secteur.

TARIFS : Droits d'accès en vigueur dans les parcs nationaux : 3,50 $ par adulte et 1,50 $ par enfant. Tarifs pour familles et groupes. Droit d'accès annuel. Frais supplémentaires pour certaines activités. Carte générale du parc vendue 3 $ au poste d'accueil.

ACCÈS : On accède au parc du Mont-Tremblant par différentes routes (Saint-Donat, Saint-Côme, Labelle, etc.). Pour se rendre au poste d'accueil du lac Monroe (ouvert toute l'année) : autoroute 15, puis route 117, sortie Saint-Faustin - Lac-Carré, en direction de Lac-Supérieur.

INFOS : (819) 688-2281, 1-877-688-2289
www.sepaq.com

Laurentides

L'observation des castors du Canada, orignaux et cerfs de Virginie, ainsi que l'appel aux loups, font partie des nombreuses activités proposées aux amants de la nature à la réserve faunique de Papineau-Labelle. Par exemple, la tour d'observation du lac Lanthier permet d'épier les cervidés, les rongeurs et l'avifaune de la réserve. La populaire activité nocturne d'appel aux loups est offerte durant la saison chaude par Harloup, moyennant certains frais. Des sentiers d'interprétation et un rallye géologique avec panneaux d'interprétation ont également été aménagés.

Cette réserve faunique, un vaste territoire de 1628 km^2 qui s'étend aussi dans la région touristique de l'Outaouais, compte 746 lacs et 27 rivières. Parmi les ressources halieutiques, on trouve l'omble de fontaine, le touladi (truite grise), l'achigan à petite bouche, le doré jaune et le grand brochet. Les grandes forêts dominées par l'érablière à bouleau jaune abritent une importante population de cerfs de Virginie et d'orignaux. Les ours noirs, loups gris, castors du Canada, renards roux, ainsi que plusieurs espèces d'oiseaux (dont le gélinotte huppée) évoluent aussi dans ces milieux, qui font l'objet de plusieurs initiatives de conservation.

Depuis quelques années, différents aménagements aquatiques et terrestres ont été mis en place dans cette optique. Des aulnaies aménagées pour la reproduction de la bécasse d'Amérique, des nichoirs à canards et des frayères à ombles de fontaine en sont quelques exemples.

Plus d'une dizaine de kilomètres de sentiers d'interprétation attendent les randonneurs. Ceux-ci ont accès, au total, à une vingtaine de kilomètres aménagés pour la courte randonnée. Parmi les sentiers à fouler : le sentier du lac Écho (1,4 km, facile), celui du mont Devlin (9 km, facile à intermédiaire) et celui du mont Bondy (3,2 km, facile à intermédiaire). L'hiver, le ski nordique permet les longues randonnées avec 120 km de sentiers hors pistes balisés. Il y a une quinzaine de refuges le long des sentiers. Canot-camping également possible. La réserve faunique compte plus de 15 entrées avec kiosque d'auto-information. Il est interdit de fréquenter les sentiers pédestres durant la période de la chasse au gros gibier.

COUPS DE CŒUR

♥ Partir à la rencontre des nombreux orignaux et cerfs de Virginie.
♥ Participer à l'activité nocturne d'appel aux loups.
♥ Observer le mont Tremblant et le village de Nominingue du haut du mont Boundy.

En un clin d'œil

- **À faire :** Randonnée pédestre (20 km), canot, camping, cueillette de fruits sauvages, longue randonnée de ski nordique (120 km).

- **Services :** Postes d'accueil, dont certains avec toilettes. Location de chalets, de refuges et d'embarcations. Terrain de camping. Rampe de mise à l'eau, boutique nature.

- **Tarifs :** 8 $ par auto pour entrer sur la réserve. Différents tarifs selon les activités pratiquées et la longueur du séjour. Carte générale de la réserve faunique vendue 3,50$ aux postes d'accueil. Offerts gratuitement : carte de canot-camping et de ski nordique de longue randonnée.

- **Accès :** Il y a une quinzaine de points d'accès à la réserve. L'accueil Gagnon (ouvert à l'année) est situé sur la route 321 à Duhamel.

- **Infos :** 1-800-665-6527, (819) 454-2011
  www.sepaq.com

Avec ses quatre sommets aux noms évocateurs (du Diable, Belzébuth, du Garde-feu et Paroi de l'Aube), la montagne du Diable (778 m) a quelque chose d'ensorcelant. Son environnement, dans les Hautes-Laurentides, aussi. La montagne est plantée au beau milieu d'une vaste forêt qui s'étend du village de Ferme-Neuve jusqu'au réservoir Baskatong.

L'orignal et le cerf de Virginie sont présents dans les forêts (de feuillus, mixte et boréale) de ce territoire de 10 000 hectares. La grive de Bicknell, une espèce susceptible d'être désignée menacée ou vulnérable, a été observée au sommet de la montagne du Diable, aussi connue sous le nom de mont Sir Wilfrid-Laurier. Ont aussi été recensés : urubu à tête rouge, fuligule à collier, troglodyte mignon, viréo à tête bleue, gélinotte huppée, cardinal à poitrine rose et plusieurs parulines. Une quarantaine d'espèces d'oiseaux

ont été identifiées par un ornithologue amateur au cours d'un été. Parmi les autres attraits de cette forêt récréotouristique : le lac et la chute Windigo.

Les randonneurs d'un jour ou aguerris seront servis. L'endroit présente plus de 65 km (de niveaux facile à très difficile) pour la randonnée pédestre, la raquette et le ski de fond. Il est possible de partir en autonomie complète durant quelques jours. Le transport des bagages est offert. Trois refuges en location et quelques sites de camping rustique. Les parents accompagnés d'enfants peuvent passer la nuit dans un refuge situé à 3 km du poste d'accueil. Les sentiers comptent cinq lieux de départ. Il est recommandée de se rendre au bureau d'information touristique de Ferme-Neuve avant de mettre le cap sur la montagne. Les chiens, même en laisse, sont interdits.

COUPS DE CŒUR

♥ Admirer la beauté des vastes forêts et de la chute Windigo.
♥ S'évader et passer la nuit dans un des trois refuges en bois rond.

🥾 **À FAIRE :** Randonnée pédestre (65 km) et canot. Raquette (65 km), ski nordique (50 km) et ski de fond (70 km – tracé).

🏠 **SERVICES :** Accueil au bureau d'information touristique de Ferme-Neuve. Location de trois refuges en bois rond et deux sites de camping rustique. Deux abris de jour. Transport des bagages possible. Circuit de canot. Aires de repos.

💲 **TARIFS :** Droit d'accès journalier. Possibilité de devenir membre associé. Gratuit pour les enfants de moins de 14 ans accompagnés d'un adulte. Gratuite, la carte des sentiers est disponible sur le site Internet de la Forêt ou au bureau d'information touristique de Ferme-Neuve.

🚗 **ACCÈS :** Ferme-Neuve se trouve sur la route 309, au nord de Mont-Laurier. Le bureau d'information touristique est situé au 94, 12e rue.

ℹ️ **INFOS :** (819) 587-3882
www.montagnedudiable.com

Laurentides

Parc régional de la Rivière-du-Nord

Plein air, détente, volet éducatif et observation de la nature : le parc régional de la Rivière-du-Nord, situé près de Saint-Jérôme, a tout pour plaire aux familles. À découvrir : une forêt mixte abritant la population habituelle de petits animaux, mais également deux marais où s'activent des castors. La chute Wilson et la rivière du Nord contribuent au charme du site. La rivière attire quantité de hérons et de canards, dont le très coloré canard branchu. Environ 110 espèces d'oiseaux ont été recensées dans le parc. Une petite colonie d'orioles a été observée sur place. Comme il s'agit d'un parc de conservation, les animaux domestiques, même en laisse, sont interdits. La rivière du Nord est le cœur de cet espace vert. Le parc la longe sur 10 km. Même si la baignade y est interdite, il est possible de louer canots, pédalos et kayaks sur place, à la marina. Promenade en ponton.

Les marcheurs ont 32 km à se mettre sous la semelle, tandis que les adeptes de vélo ont accès à 14,5 km de sentiers qui mènent au parc linéaire Le P'Tit Train du Nord.

Une centaine de panneaux d'interprétation jalonnent les différents sentiers de randonnée pédestre. Ils permettent entre autres de partir à la découverte de vestiges industriels, comme les ruines d'une ancienne « pulperie » (usine de pâte à papier). Le parc de la Rivière-du-Nord est aussi très animé l'hiver. On y pratique le ski de fond (27,2 km), la raquette (hors piste), la marche et la glissade.

En toutes saisons, de nombreuses activités sont organisées, dont certaines par le Club d'ornithologie de Mirabel. Pavillon d'accueil avec exposition sur la faune et la flore de cette région, où le frère Marie-Victorin aurait effectué des recherches. Jeux de pétanque, de fer et de volley-ball sur place. Vaste aire de pique-nique. Propriété des cinq villes de la MRC de la Rivière-du-Nord, le parc régional a fait l'acquisition de petites îles. La direction souhaite les aménager pour permettre aux randonneurs de les découvrir. Ces îles seront accessibles par un pont.

COUPS DE CŒUR

♥ Épier les castors qui s'activent dans les marais.
♥ Écouter la musique des chutes Wilson.
♥ Partir à la découverte des ruines de la « pulperie » située dans le parc.

Laurentides

178

À FAIRE : Interprétation de la nature. Randonnée pédestre (32 km), vélo (14,5 km), canot, kayak, jeux de fer, de pétanque et de volley-ball. Ski de fond (27,2 km) et raquette.

SERVICES : Bâtiment d'accueil. Aire de pique-nique. Service minimal de restauration. Toilettes sèches. Refuges. Camping sauvage et aménagé. Location d'embarcations.

$ TARIFS : 2 $ pour les résidants de la MRC de la Rivière-du-Nord et 4 $ pour les non-résidants. Gratuit pour les jeunes âgés de 17 ans ou moins. Frais supplémentaires pour certaines activités. L'été, le parc est ouvert de 9 h à 19 h et l'hiver, de 9 h à 17 h. Une carte des sentiers est disponible gratuitement au poste d'accueil.

ACCÈS : Sortie 45 de l'autoroute 15. Suivre les panneaux bleus provinciaux. Le parc est situé près de Saint-Jérôme.

i INFOS : (450) 431-1676

Laurentides

Qualifié de l'un des plus beaux domaines forestiers au Québec, le parc du Bois de Belle-Rivière, à Mirabel, abrite deux jardins dignes d'intérêt. Le premier, forestier, contient une centaine d'essences d'arbres, tandis que le second, ornemental, rivalise de beauté avec ses massifs d'achillées et d'azalées, ainsi que ses plates-bandes d'astilbes. Un petit paradis qui attire une centaine d'espèces d'oiseaux, dont plusieurs oiseaux de proie. Le Club d'ornithologie de Mirabel y a d'ailleurs établi ses quartiers. De nombreux mammifères et reptiles vivent dans ce parc régional.

Difficile aussi de passer à côté de la vaste érablière à caryer. Le printemps, le sol de la forêt se couvre de plantes florales comme le trille, tandis que l'automne les feuilles revêtent leurs plus beaux atours. Le printemps est également synonyme de temps des sucres. Des ateliers éducatifs (interprétation, dégustation, etc.) sont organisés autour de la sucrerie d'antan.

Les activités familiales pullulent au parc du Bois de Belle-Rivière. Quelque dix kilomètres de sentiers pour la randonnée pédestre, dont certains avec panneaux d'interprétation, s'offrent aux marcheurs. Trois refuges peuvent être loués, été comme hiver. Camping sauvage également possible. Sinon, la plage est très populaire durant la saison chaude, tout comme les services équestres et les aires de jeux et de pique-nique. L'hiver, le ski de fond (7,5 km), la glissade, la marche (6 km), la raquette (hors piste) et les promenades en traîneau à chiens (il est possible d'amener ses chiens) sont à l'honneur. De nombreuses activités spéciales, récréatives ou éducatives, sont organisées pour les groupes ou selon la saison.

COUPS DE CŒUR

- ♥ S'extasier dans le jardin ornemental.
- ♥ Identifier les essences d'arbres dans le jardin forestier.
- ♥ Se rafraîchir dans le plan d'eau aménagé au parc.

Laurentides

Capsules nature

7 **Centre touristique et éducatif des Laurentides**

Le centre compte plusieurs écosystèmes (marécage, érablière, sapinière, tourbière, etc.) qui se laissent découvrir par un réseau de sentiers pédestres de 35 km. Jalonnés de plusieurs panneaux d'interprétation de la nature, les sentiers mènent notamment sur la trace de la sarracénie pourpre, du drosera à feuilles rondes, de l'érable à sucre, de la clintonie boréale et d'autres espèces végétales. L'endroit compte quatre lacs. Le castor du Canada est particulièrement actif près du lac Cordon. Passerelle sur le lac à la Truite. Les visiteurs sont invités à rapporter leurs observations ornithologiques. Le tangara écarlate, la paruline masquée, la paruline à tête cendrée et le grand harle ont été observés sur place. Au moins un couple de plongeons huards a élu domicile à chacun des lacs et laisse entendre son chant. Piste d'hébertisme. Camping (87 sites) et canot-camping (16 sites). Ouvert de la fin avril à la mi-octobre. Location d'embarcations (canot, kayak, pédalo, rabaska). Pavillon d'interprétation avec auditorium. Collations et rafraîchissements. Accès : 5,50 $ par adulte, 3,50 $ par étudiant et 2,50 $ pour les enfants de 6 à 12 ans. Gratuit pour les enfants de 5 ans ou moins. Les chiens en laisse sont permis. Prendre la sortie 83 de l'autoroute 15. Suivre ensuite la Montée Alouette, le chemin du lac des Sables, le chemin du lac Manitou et le chemin du lac Caribou.
Infos : (819) 326-1606 ou www.ctel.ca

8 **Club de plein air de Saint-Adolphe d'Howard**

Avec ses 144 km² et ses 85 lacs, la municipalité de Saint-Adolphe d'Howard et son club de plein air, situé en région vallonnée, invitent les amants de la nature. La forêt mixte qu'on y retrouve favorise la croissance de champignons. Des ateliers de mycologie, entre autres activités, sont présentés au printemps et à l'automne. À noter parmi les animaux qui habitent la forêt : les polatouches, aussi connus sous le nom d'écureuils volants. La randonnée pédestre (45 km), le vélo (40 km), le ski de fond (35 km), le ski nordique (55 km), la raquette (25 km) et le patin sont offerts aux plus actifs. Des cours de ski de fond sont dispensés aux petits et grands. Il est possible de louer de l'équipement sportif sur place. Camping d'environ 35 sites. Ceux qui le désirent peuvent louer un refuge en bois rond. Il vaut mieux s'y prendre d'avance pour en réserver un. La carte des sentiers est disponible sur Internet à www.stadolphedhoward.qc.ca ou pour 2 $ au poste d'accueil. Il en coûte 3 $ l'été et 7 $ l'hiver pour accéder au club. Gratuit pour les jeunes de moins de 17 ans. Accès : autoroute 15, sortie 60. Emprunter la route 364 Ouest jusqu'à Morin Heights, puis prendre la route 329 Nord jusqu'à Saint-Adolphe.
Infos : 1-866-236-5743.

⑨ Parc du Domaine Vert

Le parc du Domaine Vert est un parc forestier en milieu urbain, où près d'une centaine d'espèces d'oiseaux ont été dénombrées. L'endroit est ouvert à tous. On y fait du vélo de route (24 km aller-retour) ou de montagne (une dizaine de kilomètres), de la randonnée pédestre (3 km), du ski de fond (50 km), de la raquette (5km), du patin, de la glissade, de la baignade et de l'équitation. Location d'équipement sportif. Aires de pique-nique et de jeux. Animation offerte. Un sentier écologique de 1,5 km est aménagé avec panneaux d'interprétation. Location de chalets pour groupes. Le parc est géré par les villes de Mirabel, Sainte-Thérèse, Blainville et Boisbriand. Ouvert toute l'année. Droit d'accès et de stationnement. Sortie 23 de l'autoroute 15.

Infos : (450) 435-6510 ou www.domainevert.com

⑩ Parc de la rivière Doncaster

Ce parc est ouvert du printemps jusqu'à la fin de l'automne. Différents ateliers sont offerts sur la faune et la flore locales selon une programmation saisonnière. La randonnée pédestre y est également populaire. Huit kilomètres de sentiers sont accessibles. La moitié du réseau de sentiers est qualifiée de facile ; l'autre, de difficile. Différents points d'observation sur la rivière Doncaster, un cours d'eau agité. Pour des raisons de sécurité, la baignade y est interdite. Les kayaks aussi. Refuge de jour. Aire de pique-nique. Toilettes sèches. Service minimal de restauration. Il en coûte 2 $ pour accéder à ce parc municipal situé sur un terrain d'Hydro-Québec. Gratuit pour les enfants et les résidants de Sainte-Adèle. Les chiens en laisse sont permis. Sortie 67 de l'autoroute 15. Suivre les panneaux d'indication.

Infos : (450) 229-9605 (Service des loisirs de Sainte-Adèle).

⑪ Lac Héron

Le Club d'ornithologie des Hautes-Laurentides milite pour la préservation du lac Héron. Ce plan d'eau, formé par des barrages de castors du Canada, est situé à environ 7 km de Saint-Jovite. Il doit son nom à la colonie de grands hérons qui y a établi ses quartiers. Il y a quelques années, l'endroit abritait jusqu'à 12 familles de hérons. En 2003, ce nombre avait chuté à sept. Le club d'ornithologie y a installé des nichoirs à canards branchus. Bon nombre d'observations, particulièrement en mai où les oiseaux sont abondants et actifs. À voir également : parulines, bruants, butors, bécasseaux, pics, etc. Les lunettes d'approche sont essentielles. Le lac Héron est accessible au public, mais se trouve sur un terrain privé. Le plus grand respect des lieux est de mise. De Saint-Jovite, emprunter la Montée Kavanagh. À l'intersection, suivre la route qui mène au lac Gauthier. Le lac Héron est identifié par des panneaux. Il faut se garer en bordure de la route.

Infos : http://membres.lycos.fr/lemoqueur/

⑫ Nominingue et parc écologique Le Renouveau

Le parc écologique Le Renouveau se trouve à Nominingue, un charmant village situé en retrait des principaux axes routiers. Cela joue en sa faveur : le Club d'ornithologie des Hautes-Laurentides a recensé près de 200 espèces d'oiseaux, que ce soit au parc ou dans les sentiers de randonnée pédestre aménagés au village. Parmi ceux-ci : un sentier d'interprétation de la flore indigène de 0,7 km qui commence non loin de la gare. Le parc linéaire Le P'Tit Train du Nord passe dans ce secteur. Plusieurs espèces de canards font halte en bordure du lac Nominingue au printemps. Le parc écologique Le Renouveau offre pour sa part quelques kilomètres de sentiers, de faciles à difficiles, pour la randonnée pédestre et le vélo. Ski de fond et raquette en hiver. Une piste d'hébertisme de 500 m a également été aménagée. Points de vue, aire de pique-nique, toilettes et refuges. Les chiens sont interdits. L'accès est gratuit. Le parc est situé au 3100, chemin des Marronniers.
Infos : (819) 278-3384 ou www.expresso.qc.ca/nominingue

⑬ Domaine Saint-Bernard

Propriété de la municipalité de Mont-Tremblant depuis 1999, le Domaine Saint-Bernard est une oasis de verdure de 1500 acres qui détonne dans le paysage. Forêt, plaines, lacs et étangs composent ce territoire qui appartenait aux Frères de l'Instruction chrétienne. Une soixantaine d'espèces d'oiseaux y ont été répertoriées, comme le sizerin flammé, le viréo aux yeux rouges, la paruline masquée, le grand pic et le merlebleu de l'Est. Des nichoirs à hirondelles bicolores y ont été aménagés. La forêt, composée majoritairement de feuillus, abrite entre autres le cerf de Virginie, le lièvre d'Amérique, la martre d'Amérique, le renard roux et le raton laveur. Lacs et étangs regorgent de poissons et d'amphibiens. À noter, la riche flore aquatique : nymphées, nénuphars, quenouilles, etc. On y pratique la randonnée pédestre (25 km), le vélo (10 km), l'observation des oiseaux, la baignade, la méditation et l'astronomie. L'hiver, le domaine offre un réseau de ski de fond de 38 km, des cours de ski et quelques sentiers pour la marche et la raquette. Aire de jeux, hébergement pour les groupes, théâtre d'été et location d'embarcations. Carte du site gratuite. Il en coûte 3 $ pour accéder au domaine. Gratuit pour les enfants de 16 ans ou moins. Les tarifs sont plus élevés l'hiver pour le ski de fond. Le domaine est situé au 539, chemin Saint-Bernard.
Infos : (819) 425-3588 ou www.domainesaintbernard.org

⑭ Parc d'escalade et de randonnée de la Montagne d'Argent

Propriété privée acquise par des grimpeurs, ce parc permet la pratique d'escalade (250 voies) de rocher et de glace. Randonnée pédestre, raquette, ski nordique, parapente, camping sauvage et location de refuge. Ouvert toute l'année. Tarification en fonction de l'activité pratiquée. Situé dans la municipalité de La Conception, à quelques kilomètres au nord de Saint-Jovite.
Infos : www.montagnedargent.com

15 Parc linéaire Le P'Tit Train du Nord

Ce parc linéaire serait le plus long au Canada avec ses 200 km réservés aux cyclistes et aux marcheurs. Il a été aménagé sur l'emprise désaffectée de la voie ferroviaire du Canadien Pacifique entre Saint-Jérôme et Mont-Laurier. Ski de randonnée et raquette en hiver. Services à proximité. Stationnement dans à peu près toutes les villes le long du parcours. Des frais peuvent s'appliquer.
Infos : (450) 436-8532 ou www.laurentides.com

16 Réserve faunique Rouge-Matawin

L'endroit est reconnu pour la descente de la rivière Matawin, qu'on peut effectuer à certains moments de l'année. Si ce parcours est de niveau intermédiaire, celui de la rivière Rouge s'adresse uniquement aux experts de la descente en rapides. Canot-camping dans la réserve. Ski de fond, patin et traîneau à chiens. Tarification selon l'activité pratiquée. Les bâtiments d'accueil sont ouverts de la mi-mai à la mi-mars. Accès par Saint-Michel-des-Saints ou La Macaza.
Infos : (819) 424-3026 ou www.sepaq.com

En cas de pluie

17 Exotarium

Cet endroit est rien de moins qu'une ferme de reptiles et d'amphibiens. Sous un même toit : serpents, crocodiles, lézards, grenouilles, etc. Exotarium compte plus de 300 de ces animaux ectothermes. Entrée payante. Ouvert à longueur d'année sauf de la mi-décembre à la fin janvier. Vérifier les horaires. Situé au 846, chemin Fresnière, à Saint-Eustache.
Infos : (450) 472-1827
www.exotarium.ca

Laurentides

185

1 **Monts Groulx**

2 **Parc nature de Pointe-aux-Outardes**

3 **Centre d'observation et d'interprétation de Cap-de-Bon-Désir**

4 **Centre boréal du Saint-Laurent**

5 **Sentier de la Rivière-aux-Rosiers**

6 **Sentiers de Manicouagan**

7 **Domaine de l'ours noir**

8 **Centre d'interprétation des marais salés**

9 **Sentiers des moulins et Promenade de la baie des Escoumins**

10 **Sentiers de la rivière Amédée**

11 **Banc de sable de Portneuf-sur-Mer**

12 **Centre de découverte du milieu marin**

13 **Maison de la faune**

14 **Centre d'interprétation Archéo-Topo**

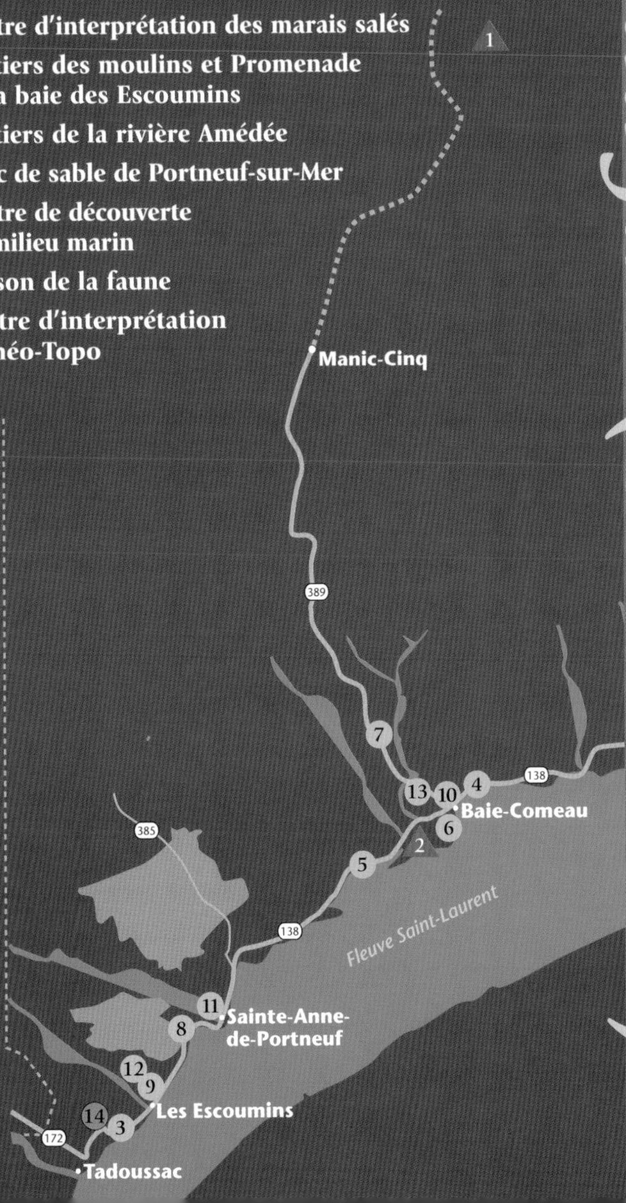

Manicouagan (Côte-Nord)

1

Manic-Cinq

389

7

13 10 4 138

Baie-Comeau

6

2

5

385

138

Fleuve Saint-Laurent

11 **Sainte-Anne-de-Portneuf**

8

12
9

14 3 **Les Escoumins**

172

Tadoussac

Ne s'aventure pas qui veut dans les contrées sauvages des monts Groulx, situés à 330 km au nord de Baie-Comeau. Car ce vaste territoire de 5000 km^2, propriété du gouvernement du Québec, a de quoi dérouter les moins aventureux. Il n'y a pas d'infrastructure d'accueil, ni de camping aménagé. Carte et boussole sont de mise ; débrouillardise et respect des lieux également.

Les paysages des monts Groulx, composés de multiples lacs et d'une végétation alpine, sont un prélude à ceux du Grand Nord. Le massif compte une trentaine de sommets de plus de 1000 m. Le point culminant est le mont Veyrier avec ses 1113 m. L'étagement de la végétation y est très marqué. À la base du massif, la forêt boréale se laisse admirer, mais la taïga et la toundra prennent rapidement le relais. Le sol est recouvert de lichens. Deux secteurs des monts Groulx sont reconnus « forêts exceptionnelles » par le ministère des Ressources naturelles, de la Faune et des Parcs du Québec, dont l'un pour ses épinettes blanches.

Le gouvernement du Québec a annoncé en 2002 son intention de protéger une grande partie des monts Groulx. Des démarches ont été entreprises afin que l'endroit obtienne le statut de réserve mondiale de la biosphère de l'UNESCO, pour assurer de manière convaincante la préservation de ce milieu unique et fragile.

En chemin, le randonneur peut rencontrer quantité de porcs-épics d'Amérique ainsi que des orignaux et des caribous des bois. La martre d'Amérique est aussi présente pendant la saison froide. On y observe plusieurs oiseaux de proie comme des buses, des faucons ou le busard Saint-Martin. Plus indésirables, les mouches sont omniprésentes l'été. Il est donc préférable de fréquenter les monts Groulx au début de l'été (les raquettes peuvent être utiles, même un 24 juin) ou au début de l'automne. La saison hivernale ne manque pas de charme non plus, mais les mois de janvier et février sont moins recommandés. En tout temps, durant cette période, les conditions météo sont imprévisibles.

Le début des sentiers se trouve aux kilomètres 336 et 365 de la route 389. Quelques sites de camping sont aménagés à la base. Au sommet, c'est la liberté totale, mais une attention particulière à la végétation est requise. Le mot d'ordre est de ne laisser aucune trace. Aucune inscription, ni frais d'accès. Entre les deux points de départ, les randonneurs ont accès à une quarantaine de kilomètres de sentiers. Cela leur permet d'effectuer la traversée des monts Groulx sur la largeur. Celle-ci peut être réalisée en trois ou quatre jours, selon les saisons. Une randonnée, qui fait souvent office de baptême de la montagne pour certains, est également au programme.

COUPS DE CŒUR

- ♥ Admirer du haut du mont Provencher l'astroblème de Manicouagan, l'un des plus grands cratères de la planète.
- ♥ Oublier la civilisation dans la partie nord des monts Groulx, dans des paysages de bout du monde.

À FAIRE : Randonnée pédestre (environ 40 km), raquette et ski nordique pour gens expérimentés seulement.

SERVICES : Quelques sites de camping au début des sentiers aux kilomètres 336 et 365 de la route 389, au nord de Baie-Comeau. On trouvera un abri au lac Quintin.

$ TARIFS : L'accès aux sentiers est gratuit. Il est possible de se procurer une carte des sentiers auprès de l'Association touristique régionale de Manicouagan (1-888-463-5319).

ACCÈS : Le début des sentiers se trouve aux kilomètres 336 et 365 de la route 389, accessible depuis Baie-Comeau et la route 138.

INFOS : Association touristique régionale de Manicouagan, 1-888-463-5319 www.monts-groulx.ca

Manicouagan (Côte-Nord)

D'une superficie d'un kilomètre carré, le parc nature de Pointe-aux-Outardes n'est assurément pas très grand. Mais la richesse de sa faune et de sa flore est néanmoins indéniable. On y retrouve, concentré dans huit écosystèmes différents (marais salés, pinèdes, dunes, rivières, etc.), à peu près tout ce que la Côte-Nord compte d'espèces fauniques et florales.

C'est d'ailleurs à cet endroit que se trouve le quatrième marais salé en superficie au Québec. Plus de 170 espèces de plantes, comme le sabot de la Vierge et le cornouiller du Canada, y sont présentes. Aussi à observer : genévriers dans les dunes de sable et plantations de pins rouges et d'épinettes blanches. Une des activités vedettes du parc est la visite guidée des lieux avec interprétation. Plusieurs départs par jour, de la fin juin à la fin septembre. La visite dure environ une heure et demie et permet d'identifier et, parfois même de goûter, cette flore abondante.

La faune, surtout ailée, est loin d'être en reste, car plus de 50 % des oiseaux du Québec fréquentent le site à un moment ou l'autre de l'année. Le parc nature, situé à une vingtaine de kilomètres de Baie-Comeau, sert de halte migratoire. Au printemps, les oies des neiges et les bernaches du Canada y font un arrêt, tandis qu'à l'automne, ce sont les oiseaux de proie qui y sont particulièrement nombreux. Plus de 212 espèces d'oiseaux ont été dénombrées sur place. Parmi les espèces communes : le balbuzard pêcheur, le busard Saint-Martin, la crécerelle d'Amérique, le grand chevalier et plusieurs espèces de bécasseaux.

Près de 6 km de sentiers, tous faciles et avec panneaux d'interprétation, sont aménagés pour la randonnée pédestre. On a construit de longs trottoirs de bois pour préserver les dunes. La baignade (sans surveillance) y est permise, le kayak de mer aussi. Il est possible d'explorer en kayak les alentours des îles qui se trouvent dans l'estuaire de la rivière aux Outardes. Il est toutefois interdit d'y mettre pied. Certaines espèces d'oiseaux, comme le bihoreau gris ou le cormoran à aigrettes, y nichent. Des modules de jeu sont accessibles sur la plage qui s'étire, en dehors des limites du parc, sur 22 km. Le parc est ouvert à partir du mois de mai. L'hiver, les marcheurs, les adeptes de la raquette et les ornithologues amateurs peuvent y circuler librement. Les sentiers ne sont toutefois pas tracés pour la raquette ou le ski de fond. Les animaux domestiques sont interdits.

COUPS DE CŒUR

- ♥ Participer à une visite guidée du parc pour entrer en contact avec la richesse faunique et florale.
- ♥ Admirer le coucher du soleil à partir de l'un des trois belvédères aménagés.
- ♥ Fouler, pieds nus, les battures du fleuve Saint-Laurent, réchauffées par un mélange d'argile et de sable.

En un clin d'œil

À faire : Randonnée pédestre (6 km), baignade (sans surveillance), kayak de mer, planche à voile (à proximité), modules de jeux sur la plage. L'hiver, randonnée pédestre, ski de fond et raquette (sentiers non tracés).

Services : Bâtiment d'accueil et sanitaire, visite guidée du parc sur la faune et la flore, observation des oiseaux. Aire de pique-nique et bancs. Tour d'observation.

Tarifs : Le parc nature est ouvert de la fin mai à la fin de l'automne. L'entrée coûte 5 $ par adulte, 4 $ pour les étudiants et les aînés et 2 $ pour les enfants de 6 à 12 ans. L'hiver, l'accès au site est permis, mais il n'y a aucun service.

Accès : Du village de Chute-aux Outardes, suivre la route 138 et les indications pour la Pointe-aux-Outardes. L'entrée du parc est à environ 3 km du village.

Infos : (418) 567-4227
www.virtuel.net/prpao

Manicouagan (Côte-Nord)

Capsules nature

③ Centre d'observation et d'interprétation de Cap-de-Bon-Désir

La région de Manicouagan est reconnue comme la Route des baleines. Le Centre d'observation et d'interprétation de Cap-de-Bon-Désir, situé à Bergeronnes, entre Tadoussac et les Escoumins, est un incontournable. On peut y faire l'observation de bélugas et de différentes espèces de rorquals à partir d'une plate-forme rocheuse naturelle. L'endroit fait partie du Parc marin du Saguenay-Saint-Laurent. Naturalistes et biologistes animent différentes activités d'interprétation en haute saison, activités qui portent entre autres sur la faune et la flore marines et terrestres. On y trouve aussi un centre d'interprétation sur la navigation. Phare sur place. Exposition, boutique et aire de pique-nique. Le site, accessible par la route 138, est ouvert du début juin à la mi-octobre. Entrée payante. Infos : (418) 232-6751.

④ Centre boréal du Saint-Laurent

Se présentant comme le «jardin des glaciers maritimes», le Centre boréal du Saint-Laurent est en plein développement. D'importants investissements y sont réalisés, notamment pour aménager un centre d'interprétation sur la glaciation, des sites d'observation terrestre sur le bord du fleuve Saint-Laurent ainsi que de nouveaux sentiers pédestres. Pour l'instant, il est néanmoins possible de profiter de la vingtaine de kilomètres de sentiers pédestres (de faciles à très difficiles). L'accès est gratuit pour le moment, mais les services sont inexistants. Points de vue sur le fleuve. Ouvert à longueur d'année. Raquette et ski de randonnée en hiver. L'entrée du centre est accessible par la route 138, à environ 17 km à l'est de Baie-Comeau. Infos : (418) 296-0177 ou www.projetparcboreal.com

⑤ Sentier de la Rivière-aux-Rosiers

Aménagé le long de la rivière aux Rosiers par la Société de développement de Ragueneau, ce sentier offre 25 km aux adeptes de randonnée pédestre. Il comporte une section qualifiée de facile et une autre plus difficile avec quelques ascensions dans les monts Papinachois. Oiseaux forestiers (pics, mésanges), oiseaux de proie et quelques espèces de canards peuvent être identifiés en cours de route. On peut aussi avoir la chance de voir des traces d'ours noirs et d'orignaux. Petits mammifères. Chutes à observer. Projet de panneaux d'interprétation. L'accès au sentier est gratuit. Raquette en hiver. Le terrain de stationnement, accessible depuis le chemin d'Auteuil, est situé à mi-chemin du sentier. Kiosque d'information et carte du sentier sur place. Le chemin d'Auteuil peut être emprunté par la route 138, à l'ouest de la municipalité de Ragueneau. Infos : (418) 567-8431.

6 Sentiers de Manicouagan

Accessibles à toute la famille, les sentiers de Manicouagan amènent les randonneurs à traverser différents écosystèmes répartis sur 5 km : forêt de pins gris (cyprès), marais d'eau douce et d'eau salée, champs en friche envahis de fleurs sauvages, delta à l'embouchure des rivières des Outardes et Manicouagan, de même qu'une plage marquée par de grands bancs de sable. La présence de la spartine, cette plante vivace abondante sur les rivages du Saint-Laurent, attire les oies des neiges et les bernaches du Canada lors des migrations printanière et automnale. Quantité d'oiseaux forestiers. Certaines sections des sentiers sont accessibles aux cyclistes. Projet de trottoir en bois sur le marais. D'autres secteurs restent à développer. Il est également possible de faire une longue randonnée sur la plage. Terrain de jeux, toilettes, casse-croûte et dépanneur sur place. Ski de fond et raquette en hiver. Carte des sentiers disponible au poste d'accueil. Tarifs : 2,50 $ par adulte et 1,25 $ par enfant. On accède aux sentiers par le Camping de la mer de Pointe-Lebel. Suivre les indications depuis la route 138.

Infos : Camping de la mer, (418) 589-6576.

7 Domaine de l'ours noir

Un safari à l'ours noir et au loup gris près du barrage Manic 2, c'est ce que propose le Domaine de l'ours noir. Un safari qui, bien qu'il représente une aventure, n'en demeure pas moins sécuritaire. C'est depuis un bâtiment, à l'abri des intempéries et des moustiques, que les ours, des mammifères carnivores, se laissent observer. Ils ne sont jamais bien loin, car ils sont nourris par les responsables du domaine. Les observations sont donc assurées à 99 %. Aussi présents, les loups, prédateurs de l'ours, se laissent toutefois souvent désirer. Les sorties d'observation s'effectuent en fin d'après-midi et s'étirent sur quelques heures, jusqu'à la tombée de la nuit. Un guide est sur place pour répondre aux questions et partager son expérience auprès des ours et des loups. Des forfaits de nuit sont également organisés. Le rendez-vous est donné tous les jours à 17 h 30 au camping Manic 2, de la mi-juin à la fin septembre. Appareil photo indispensable. Il en coûte 28 $ par personne. Prix pour étudiants, aînés et familles.
Infos : (418) 296-5629 ou www.ours-noir.ca

8 Centre d'interprétation des marais salés

La municipalité de Longue-Rive compterait le deuxième marais salé en superficie au Québec. D'où l'aménagement du Centre d'interprétation des marais salés. À l'intérieur du centre : expositions, animaux naturalisés, jeux interactifs sur la nature, les mollusques et les oiseaux. À l'extérieur, un court sentier donne accès au marais. Plus d'une cinquantaine d'espèces d'oiseaux ont été recensées sur place. De ce nombre : canards noirs, pilets, souchets et colverts, grands hérons, bruants de Le Conte et faucons pèlerins, une espèce vulnérable. Passerelle accessible aux handicapés. Lunettes d'approche à la disposition des visiteurs. Ouvert de la fin juin au début septembre. Panneaux d'interprétation. Tarif de 2 $ par adulte et de 1 $ par enfant. Aire de pique-nique. Un autre court sentier, qui donne accès aux chutes de la rivière Sault-au-Mouton, est aménagé à la halte de repos et d'information touristique dans le village de Longue-Rive. Passerelle au-dessus de la chute qui se jette dans le fleuve Saint-Laurent. Accès par la route 138.
Infos : Municipalité de Longue-Rive, (418) 231-2744.

9 Sentiers des moulins et Promenade de la baie des Escoumins

Ce réseau de sentiers pédestres a été aménagé en bonne partie dans le village des Escoumins. Il totalise un peu plus de 3 km et offre de très beaux panoramas sur le fleuve, où les mammifères marins peuvent parfois être aperçus de la rive. Une partie du sentier longe la baie autour de laquelle le village s'est développé. Parmi les attraits des lieux, la rivière Escoumins, ses saumons et leur passe migratoire. Cinq îlots thématiques avec panneaux d'interprétation ont été disposés le long du sentier. Ils portent sur la baie, l'eau douce de la rivière qui se jette dans le fleuve

salé, le site Pointe-à-la-Croix et les particularités de la faune et de la flore marines et forestières des lieux. Observation d'oiseaux de rivage. Aire de pique-nique à la Pointe-à-la-Croix. Début des sentiers dans le parc des Chutes, à gauche sur la rue Rivière depuis la route 138 ou au quai du traversier. Services (toilettes, restos, etc.,) offerts au village. L'accès au sentier est gratuit. Fermé l'hiver. Observations garanties (ou presque) de mammifères marins à partir du quai des Pilotes, situé à quelques kilomètres à l'ouest des Escoumins.
Infos : Village des Escoumins, (418) 233-2766
www.ihcn.qc.ca/escoumins

10 Sentiers de la rivière Amédée

Aménagés pour le ski de fond, les 31 km de sentiers de la rivière Amédée à Baie Comeau accueillent également, le reste de l'année, les marcheurs et les adeptes de vélo de montagne. De faciles à difficiles, les sentiers longent et croisent la rivière Amédée dans une forêt mixte où folâtrent pics, gros-becs errants, durbecs des sapins, perdrix grises, renards roux, lièvres d'Amérique et parfois aussi des ours noirs. Panneau d'information et carte du site au début des sentiers. Entrée gratuite, sauf l'hiver. Les sentiers sont accessibles par le boulevard Blanche, près du club de golf de Baie-Comeau. Toilettes sèches au chalet La Rencontre, situé près du point de départ. Une trentaine d'autres kilomètres de sentiers sont aménagés le long de la rivière aux Anglais pour la marche et le ski de fond. Départ à proximité du centre de ski Mont Ti-basse.
Infos : Ville de Baie-Comeau, (418)296-8350.

Manicouagan (Côte-Nord)

⑪ Banc de sable de Portneuf-sur-Mer

La petite municipalité de Portneuf-sur-Mer (anciennement Sainte-Anne-de-Portneuf) cache un important banc de sable doré de 4,5 km, qualifié par certains scientifiques de « flèche littorale ». La présence d'un marais, formé par la rencontre du fleuve Saint-Laurent et de la rivière Portneuf, favorise la croissance d'espèces végétales comme la spartine alterniflore, la spartine étalée, la potentille ansérine, etc. Ces zones herbeuses sont protégées, car elles freinent l'érosion du banc. Il est donc interdit de s'y promener. Demeurez sur le sable ! Pluvier argenté, bécasseau minuscule, grand héron, goéland à bec cerclé et bécasseau à croupion blanc font entre autres partie des 22 espèces d'oiseaux de rivage qui fréquentent les lieux. On accède à ce site unique par la route du quai (au début du village sur la route 138) ou depuis un petit terrain de stationnement situé en plein cœur de Portneuf-sur-Mer. Un sentier pédestre d'environ 7 km longe le fleuve et mène entre autres au banc. Il n'en coûte rien pour fréquenter le site. Accès, par la route du quai, à un belvédère d'où la vue sur le banc est à couper le souffle. Pas de service sauf un terrain de stationnement et une aire de pique-nique.

Infos : (418) 238-2642 ou www.fjordbest.com/portneuf

⑫ Centre de découverte du milieu marin

Pour explorer les fonds marins de l'estuaire du fleuve Saint-Laurent sans vous mouiller. Suivez en direct et sur grand écran des plongeurs équipés de caméras au fond de l'eau et avec qui les visiteurs peuvent converser. Présenté au quai des Pilotes (41, rue des Pilotes) aux Escoumins, accessible par la route 138 et à moins de 30 minutes de Tadoussac. Entrée payante. De la mi-juin à la mi-octobre.

Infos : (418) 233-4414 ou www.pc.gc.ca/saguenay

⑬ Maison de la faune

On y présente une exposition multimédia sur la faune de la Côte-Nord. Reconstitution d'une frayère à truite, boutique d'artisanat, etc. Tous les jours de la fin mai à la fin septembre. Entrée payante. Situé au 3501, boul. Laflèche, à Baie-Comeau.

Infos : (418) 589-2219.

Manicouagan (Côte-Nord)

En cas de pluie

14 Centre d'interprétation Archéo-Topo

Ce centre axé sur l'archéologie vous fera découvrir ce qu'était la vie des Amérindiens de la Côte-Nord il y a 8000 ans. Spectacle multimédia, expositions, ateliers, jeux et présentation de films. Tous les jours de la mi-mai à la mi-octobre. Entrée payante. Situé au 498, rue de la Mer, aux Bergeronnes. Infos : (418) 232-6286
www.archeotopo.qc.ca

Manicouagan (Côte-Nord)

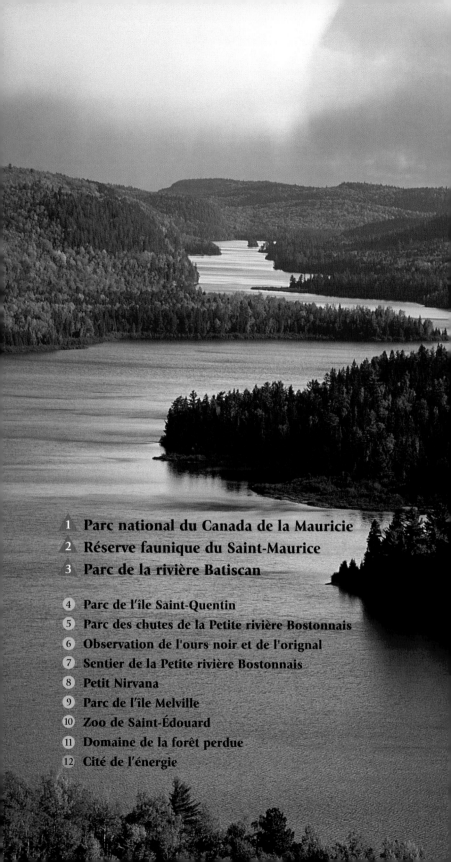

1 **Parc national du Canada de la Mauricie**
2 **Réserve faunique du Saint-Maurice**
3 **Parc de la rivière Batiscan**

4 **Parc de l'île Saint-Quentin**
5 **Parc des chutes de la Petite rivière Bostonnais**
6 **Observation de l'ours noir et de l'orignal**
7 **Sentier de la Petite rivière Bostonnais**
8 **Petit Nirvana**
9 **Parc de l'île Melville**
10 **Zoo de Saint-Édouard**
11 **Domaine de la forêt perdue**
12 **Cité de l'énergie**

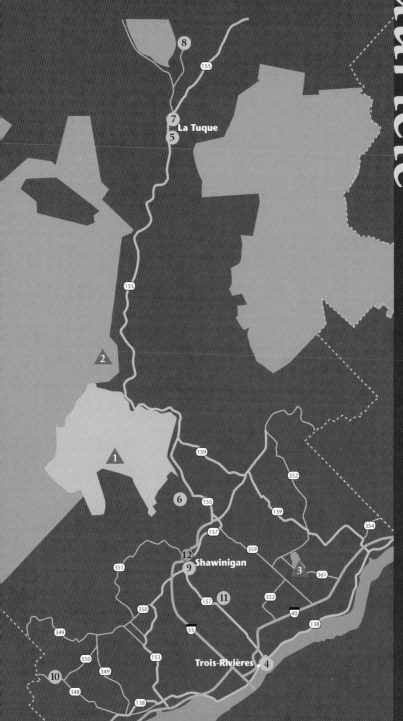

Mauricie

8

155

7
5 **La Tuque**

155

2

1

159

352

6 155

159

354

157

359

12
9 **Shawinigan**

351

3 361

11

157

352

350

40

55 138

349

350 153

349 **Trois-Rivières** 4

10

348

138

Ce parc fédéral est l'un des fleurons de la beauté sauvage du Québec et un endroit de prédilection pour la randonnée en canot. Lacs, forêts, cascades, falaises et chutes attendent les visiteurs sur ce vaste territoire de 536 km², où il est possible d'observer renards roux, ratons laveurs, ours noirs, orignaux et, si vous avez de la chance, loups gris. Une cache à orignaux a été installée au bout du sentier du lac Gabet. Pour les mordus de l'observation des oiseaux, le parc national du Canada de la Mauricie attire, bon an mal an, environ 187 espèces d'oiseaux, dont le faucon pèlerin (une espèce vulnérable) et le plongeon huard (surtout sur le lac Wapizagonke). Parmi les 13 espèces d'amphibiens et les 6 espèces de reptiles recensées, mentionnons la tortue des bois et la grenouille des marais, deux espèces susceptibles d'être désignées menacées ou vulnérables.

Avec sa géomorphologie représentative des Laurentides québécoises, l'endroit est une forêt de transition où feuillus et conifères cohabitent. En septembre et octobre, les érablières affichent une palette de couleurs flamboyantes. À noter également la présence dans le parc du noyer cendré, récemment désigné « en voie de disparition » au Canada.

Paradis du canot, le parc national du Canada de la Mauricie compte 30 lacs où il fait bon pagayer. Les lieux offrent également plus de 100 km de sentiers pédestres, répartis en deux secteurs principaux : Saint-Mathieu (SM) et Saint-Jean-des-Piles (SJP). Ceux-ci, reliés par une route asphaltée, ont chacun leurs attraits et offrent la possibilité de faire du canot-camping. Ne manquez pas le lac Édouard et sa plage, l'une des plus belles du parc. Exposition nature au bâtiment d'accueil de SJP. Dans le secteur SM : rampe de mise à l'eau sur le bord du très joli lac Wapizagonke qui donne accès aux non moins spectaculaires chutes Waber.

Location d'embarcations et casse-croûte (dont un avec dépanneur) à trois endroits différents dans le parc. Des activités guidées (de jour ou de soir) sont organisées de la fin juin à la fin août. L'hiver, le parc offre aux fondeurs 80 km de sentiers tracés avec haltes chauffées à tous les 5 km. Il est également possible de faire du camping d'hiver. Pour la raquette, rendez-vous au terrain de stationnement Mekinac (secteur SJP). Au nord du parc (à l'extérieur des limites), le sentier Laurentien offre par ailleurs 70 km pour la longue randonnée en autonomie complète.

COUPS DE CŒUR

- ♥ Observer l'orignal à partir d'une cache (au lac Gabet).
- ♥ Admirer la splendeur du lac Wapizagonke du haut du belvédère Le Passage.
- ♥ Se mouiller les pieds dans une magnifique cascade d'eau (près de l'aire de pique-nique Shawinigan) ou se prélasser sur la plage du lac Édouard.

EN UN CLIN D'ŒIL

À FAIRE : Environ 100 km de sentiers pédestres et 70 km de longue randonnée à l'extérieur du parc (sentier Laurentien). Canot-camping. Vélo, observation de la faune et de la flore, camping, canot et kayak, baignade. L'hiver, ski de fond (80 km) et raquette

SERVICES : Deux postes d'accueil avec toilettes. Trois casse-croûte et un dépanneur (lac Wapizagonke). Trois terrains de camping totalisant près de 600 places (avec ou sans services). Emplacements pour le canot-camping. Location d'embarcations (près des casse-croûte). Panneaux d'interprétation. Exposition.

TARIFS : L'entrée coûte 5 $ par personne, jusqu'à un maximum de 12,50 $ par véhicule. Carte des sentiers gratuite aux postes d'accueil. La carte topographique est toutefois vendue 12 $. Prix pour le camping variant de 13 $ à 23 $ par nuit. Autres tarifs pour la location d'embarcations.

ACCÈS : Accueil Saint-Mathieu (à 25 km de Shawinigan) : sortie 217 de l'autoroute 55. Accueil Saint-Jean-des-Piles (à 16 km de Grand-Mère) : sortie 226 de l'autoroute 55.

INFOS : (819) 538-3232, 1-800 463-6769
www.pc.gc.ca/mauricie

Mauricie

Moins connue que son voisin, le parc national du Canada de la Mauricie, la réserve faunique du Saint-Maurice est un vaste territoire de 784 km² fréquenté surtout par l'orignal et le cerf de Virginie. Ces animaux seraient ici plus massifs qu'ailleurs du fait qu'ils ont dû s'acclimater au relief très accidenté des lieux. L'ours noir, un autre grand habitué de la réserve, peut être observé dans le cadre d'activités d'interprétation en juin. Détail intéressant : des saumons kokanee (l'une des rares populations à l'est des Rocheuses) vivent dans certains plans d'eau de cette réserve, située au confluent des rivières Saint-Maurice et Matawin. L'endroit compte d'ailleurs 245 lacs, huit rivières et quantité de ruisseaux.

Une centaine d'espèces d'oiseaux ont été répertoriées sur place, dont la gélinotte huppée, le tétras du Canada et le grand héron. Des plongeons huards fréquentent assidûment les lacs Tousignant et Soucy. Mentionnons aussi la présence de plusieurs espèces de poissons, dont le touladi (truite grise). Certains spécimens atteignent 15 kg dans le lac Normand. Le couvert forestier est composé de forêts mixtes (bouleaux, érables, épinettes, etc.). Le site est par ailleurs caractérisé par la présence d'une tourbière et de plantes insectivores.

Le parc offre une panoplie d'activités familiales : camping, canot-camping, randonnée pédestre, observation de la faune et cueillette de fruits sauvages. En effet, au mois d'août, il est possible de cueillir des bleuets à divers endroits désignés. Les sentiers de randonnée pédestre totalisent environ 40 km. Les marcheurs plus expérimentés aimeront fouler le sentier de la Grande Ourse (18 km) qui ceinture le lac Normand. Avec son camping et ses nombreuses plages de sable fin (on peut s'y baigner), ce lac circulaire (4 km de diamètre) à l'eau cristalline fait la réputation de la réserve faunique du Saint-Maurice. Chutes, falaises et belvédères s'ajoutent aux nombreux attraits du site. Pour se loger, vous avez amplement le choix : camping, chalets ou refuges (dont la capacité d'accueil varie de 2 à 8 personnes). En hiver, promenade en traîneau à chiens offerte par un pourvoyeur.

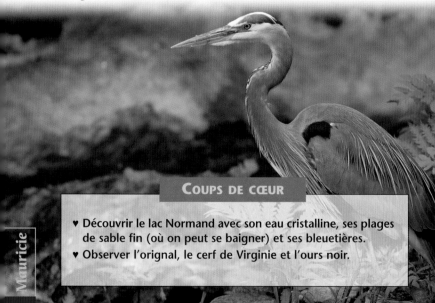

COUPS DE CŒUR

♥ Découvrir le lac Normand avec son eau cristalline, ses plages de sable fin (où on peut se baigner) et ses bleuetières.

♥ Observer l'orignal, le cerf de Virginie et l'ours noir.

À FAIRE : Environ 40 km de sentiers pédestres pour l'observation de la faune et de la flore. Canot et kayak. Baignade. Cueillette de fruits sauvages

SERVICES : Accueil avec toilettes. Dépanneur au lac Normand. Trois terrains de camping, 27 chalets et 11 refuges à louer. Location d'embarcations nautiques et de literie (pour les chalets). Panneaux d'interprétation.

TARIFS : L'entrée à la réserve est gratuite, mais il faut débourser 8 $ par véhicule pour le stationnement. Par ailleurs (et cela peut en freiner plus d'un), il faut payer 12 $ pour franchir le pont qui mène à la réserve. Frais supplémentaires pour l'hébergement et les services de location.

ACCÈS : La réserve est située au 3774, route 155 à Rivière-Matawin. Pour s'y rendre : autoroute 55, qui devient la route 155 à Grand-Mère. L'entrée de la réserve est à environ 45 km de Grand-Mère.

INFOS : (819) 646-5687
www.sepaq.com

Mauricie

203

Les très colorés tangara écarlate, cardinal à poitrine rose et oriole de Baltimore nichent dans ce parc, dont les rapides et les magnifiques chutes de la rivière Batiscan font la réputation. La Batiscan traverse le parc sur environ 10 km. Près de 125 espèces d'oiseaux peuvent y être observées. La petite buse est présente sur le site. La rivière abrite une importante population de dorés et d'esturgeons jaunes. Une maternité à chauve-souris pouvant accueillir 6000 spécimens a été aménagée.

Le parc de la rivière Batiscan est divisé en trois secteurs : Murphy, Barrage et Grand Bassin, tous trois accessibles en voiture. Ces secteurs sont reliés par environ 25 km de sentiers pédestres, de faciles à difficiles. Certains petits segments sont praticables à vélo. Le sentier Les Ailes (sans doute le plus spectaculaire) plaira aux familles. Long de 1 km, il offre une vue incroyable sur les rapides et la chute des Ailes. Les marcheurs d'expérience n'hésiteront pas à visiter les trois secteurs du parc par le biais de différents sentiers totalisant une quinzaine de kilomètres le long de la rivière.

Notons par ailleurs la présence de quelques phénomènes géologiques, dont une marmite de géants (dans le secteur Barrage), cuvette créée par l'érosion. On peut entrer en toute sécurité dans cette marmite vieille de 11 000 ans qui a 4 m de largeur sur 4 m de profondeur.

Chaque secteur compte un terrain de camping. Il y a au total 200 emplacements. Le secteur Barrage comprend des emplacements aménagés et semi-aménagés, tandis que les deux autres secteurs ne permettent que le camping rustique. Location d'embarcations (canots, kayaks, rabaskas) au secteur Barrage. C'est à cet endroit que les principaux services sont offerts (plage, aire de jeux, téléphone, douches, exposition, activités d'interprétation, etc.). Même s'il n'est ouvert que de mai à octobre, le parc demeure accessible en hiver. En cette période de l'année, l'endroit devient un ravage à cerfs de Virginie. Visite possible d'une centrale hydroélectrique et de son barrage ainsi que de certains bâtiments historiques.

COUPS DE CŒUR

♥ Admirer la beauté des chutes et des rapides de la rivière Batiscan.

♥ Pénétrer à l'intérieur d'une marmite de géants, un phénomène géologique impressionnant.

EN UN CLIN D'ŒIL

À FAIRE : Randonnée pédestre (25 km). Vélo, activités nautiques, baignade, camping, observation de la faune, de la flore et de phénomènes géologiques. Visite d'une centrale hydroélectrique.

SERVICES : Trois postes d'accueil, dont deux avec toilettes. Trois terrains de camping totalisant près de 200 places (avec ou sans services). Location d'embarcations (canots, kayaks, rabaskas). Panneaux et activités d'interprétation. Exposition.

TARIFS : L'entrée est de 5 $ par adulte et de 3 $ pour les enfants de 5 à 17 ans. Carte des sentiers offerte gratuitement aux postes d'accueil. Autres tarifs pour le camping et la location d'embarcations.

ACCÈS : Le poste d'accueil principal est situé au 200, chemin du Barrage à Saint-Narcisse. On y accède par l'autoroute 40 (ou la route 138). Prendre la sortie 229 et suivre la route 361 Nord. Rouler sur 17 km et prendre le chemin du Barrage.

INFOS : (418) 328-3599
www.parcbatiscan.com

Mauricie

Capsules nature

④ **Parc de l'île Saint-Quentin**

Ce parc d'environ 3 km² est situé sur une île à deux pas du centre-ville de Trois-Rivières, là où la rivière Saint-Maurice se jette dans le fleuve Saint-Laurent. Avec sa plage, sa marina, sa piscine, ses aires de jeux et ses 6 km de sentiers asphaltés, accessibles à pied, à vélo ou en patins à roulettes, l'endroit peut parfois sembler surpeuplé. Qu'à cela ne tienne, le parc de l'île Saint-Quentin recèle aussi des coins tranquilles. À commencer par son sentier de 1 km avec panneaux d'interprétation qui longe le fleuve et d'où il est possible d'observer une héronnière. Plusieurs autres espèces d'oiseaux (martins-pêcheurs d'Amérique, orioles de Baltimore, etc.) ont été observées dans les parties plus tranquilles du parc. Le dimanche après-midi, en saison, ateliers animés par une biologiste sur différents thèmes reliés à la nature. Aussi, visites guidées en rabaska (sur réservation). Deux casse-croûte sur place. Location d'embarcations. En hiver : patin, ski de fond, glissade et raquette. Entrée : 3,50 $ par adulte, 1 $ pour les enfants de 12 ans ou moins. Le parc est ouvert toute l'année (de 8 h à 23 h de mars à octobre). On y accède par la route 138 ou par la sortie 201 de l'autoroute 40, à Trois-Rivières. Il est accessible par le pont Duplessis.
Infos : (819) 373-8151, 1-866-370-8151 ou www.ile-st-quentin.qc.ca

⑤ **Parc des chutes de la Petite rivière Bostonnais**

D'une hauteur d'environ 35 m, les chutes du parc de la Petite rivière Bostonnais sont parmi les plus hautes au Québec. Ici, même en période d'étiage (en été, quand la rivière est à son plus bas niveau), la chute offre un bon débit. Geais bleus, mésangeais du Canada et gros-becs errants, notamment, fréquentent les lieux. Le parc compte six petits sentiers qui totalisent environ 4 km. On peut marcher des deux côtés de la rivière. L'un des sentiers, plus exigeant physiquement, longe carrément la rivière et son torrent. Une passerelle surplombe les chutes et offre un joli coup d'oeil du site. Le chalet d'accueil du parc fait également office de bureau d'information touristique. Exposition avec animaux naturalisés. Le parc est ouvert de mai à décembre de 8 h à 20 h. Si vous faites le trajet entre Trois-Rivières et le lac Saint-Jean, c'est l'endroit idéal pour vous délier les jambes. Il y a une aire de pique-nique. Entrée gratuite. Le parc est situé le long de la route 155, à environ 6 km au sud de La Tuque.
Infos : (819) 523-5930 ou www.mrchsm.org

⑥ **Observation de l'ours noir et de l'orignal**

Si vous désirez à tout prix observer l'ours noir ou l'orignal, l'Aux Berges du Saint-Maurice, établissement hôtelier de Saint-Jean-des-Piles, vous en offre l'occasion. Pour l'observation de l'orignal (100 $ par couple), vous devez obligatoirement résider à l'auberge. Tôt le matin, vous vous rendez en canot sur un lac à proximité du parc national du Canada de la Mauricie. Offert en juillet et août seulement. Quant à l'ours noir, il

n'est pas nécessaire de séjourner à l'auberge pour avoir la chance de l'observer. De juin à septembre, au crépuscule, on vous amène dans une cache, d'où vous pourrez apercevoir un ou des ours noirs, parfois à moins de 20 m. Il en coûte 20 $ par personne. Pour les groupes de trois personnes ou plus : 15 $ par adulte et 10 $ par étudiant. La beauté, ici, c'est que vous ne payez rien si vous ne voyez pas d'ours. Soyez rassurés, il semblerait qu'on en observe dans 95 % des cas.
Infos : Aux Berges du Saint-Maurice, (819) 538-2112 ou www.cdit.qc.ca/

7 Sentier de la Petite rivière Bostonnais

Le point de départ de ce sentier de 12 km est situé juste en face du centre commercial de La Tuque. Pas très inspirant comme environnement ? Cette impression s'estompe dès qu'on pénètre dans la forêt de feuillus et de résineux. Gélinottes huppées, lièvres d'Amérique, cerfs de Virginie, et parfois orignaux, peuvent être observés le long de ce sentier linéaire surplombant la rive est de la rivière Bostonnais qui coule au fond d'une vallée. Le sentier comporte quelques montées et se termine avec une récompense de taille : les chutes Wayagamac. À noter qu'à moins d'avoir laissé une voiture à la fin du sentier (juste après les chutes), vous aurez à rebrousser chemin, donc refaire 12 km pour revenir en ville. Il serait toutefois possible d'emprunter le sentier à partir du lac Panneton (accessible par le chemin Wayagamac, après le centre commercial), situé au milieu du parcours. L'accès au sentier est gratuit. La carte du site est vendue 4,95 $ à la boutique de plein air Le Pionnier, rue Saint-Joseph à La Tuque. Le sentier est ouvert aux marcheurs d'avril à novembre. Possibilité de faire de la raquette en hiver sur certains segments. Il n'y a aucun service, ni toilettes ni eau potable. Prévoyez le coup !
Infos : (819) 523-5930.

8 Petit Nirvana

Les Tremblay, un couple amoureux de la nature, vous ouvrent toutes grandes les portes de leur propriété et vous offrent 5 km de sentiers pédestres (faciles) dans un milieu sauvage et vallonné. Leur maison en bois rond fait office de bâtiment d'accueil. L'endroit, ouvert depuis quelques années seulement, a su conserver son caractère sauvage. Marmottes communes, renards roux et orignaux côtoient ici butors, canards et hérons. Des passerelles enjambent deux ruisseaux (peuplés de truites) et un étang, où des castors du Canada sont actifs à différents moments de l'année. Toilette sèche et tables de pique-nique le long du sentier. Tunnel d'une dizaine de mètres creusé à même la montagne où se trouve également un esker. L'hiver, le Petit Nirvana compte 4 km de sentiers pour la raquette. Pas de relais chauffé, mais possibilité de se réchauffer sur le bord du poêle à bois dans la résidence des Tremblay. Ouvert toute l'année, de 7 h à 19 h. Entrée : 3 $ par personne, gratuit pour les enfants de moins de 12 ans. Le Petit Nirvana est situé à 19 km au nord de La Tuque dans la municipalité de La Croche, au 99, rang Ouest. Infos : (819) 523-7941 ou www.lepetitnirvana.com

9 Parc de l'île Melville

Également connu sous le nom de parc des chutes Shawinigan, l'endroit est composé d'une bande riveraine et de deux îles (Melville et Banane). Situé à un jet de pierre du centre-ville de Shawinigan, ce parc offre une brochette d'activités familiales : auberge de jeunesse, camping (127 emplacements, de 17 $ à 28 $ par nuit), location d'embarcations, piscine, marina, rampe de mise à l'eau, salle communautaire, etc. Est aussi offerte : l'activité d'arbre en arbre, un circuit composé de passerelles, de lianes et de ponts suspendus entre les arbres. Le parc de l'île Melville offre néanmoins un potentiel d'observation de la faune et de la flore, surtout dans le secteur de l'enclos de cerfs de Virginie. Le réseau pédestre totalise 10 km. Les vélos de montagne y sont les bienvenus. Quelques points d'observations et deux belvédères. Pas de recensement d'avifaune, mais une présence notée de hérons, butors, canards, cormorans, pics, parulines, etc. Forêts de pins rouges et de pins blancs, ainsi qu'une vieille hêtraie dans le secteur Shawinigan-Sud, auquel on accède en quittant l'île au sud par la route 157. Au printemps, cette partie de la rivière Saint-Maurice se distingue par une impressionnante chute. L'été, en période d'étiage, la rivière révèle des phénomènes géologiques intéressants, dont des marmites. Le terrain de camping, ouvert de mai à octobre, est situé sur un bras de l'île Melville. Tous les services : dépanneur, buanderie, etc. L'hiver, le parc accueille les adeptes du ski de fond et de la raquette. Infos : (819) 536-7155 ou www.ilemelville.com

10 Zoo de Saint-Édouard

Petit zoo, à une heure de Montréal, qui compte 85 espèces d'animaux, 4 km de sentiers pédestres, un mini-train, une mini-ferme, des aires de jeux, une barboteuse, etc. Animation, casse-croûte et aire de pique-nique. Entrée payante. Du début juin au début septembre. Le zoo est situé au 3381, route 348 Ouest, à Saint-Édouard-de-Maskinongé.

Infos: (819) 268-5150 ou www.betes.com

11 Domaine de la forêt perdue

Original, ce domaine. Il propose 10 km de sentiers pédestres sous forme de labyrinthes. Pour y accéder, il faut acheter un produit local comme du miel ou du sirop d'érable, au prix de 10 $ par adulte et de 8 $ par enfant. Aussi: enclos de cerfs de Virginie, piste pour patins à roues alignées, observation d'oiseaux, rallye, etc. En hiver: 10 km pour le patin (location sur place) dans une pinède. Situé au 1180, rang Saint-Félix Est, à Notre-Dame-du-Mont-Carmel.

Infos: 1-800-603-6738 ou www.domainedelaforetperdue.com

En cas de pluie

12 Cité de l'énergie

La Cité de l'énergie vous convie à une visite dans l'univers de l'électricité, de la drave, de l'aluminium, des pâtes et papiers et de l'électrochimie. Expositions interactives permanente et temporaire, spectacle multimédia et tour d'observation. Entrée payante. Ouvert de la mi-juin au début octobre. Ouvert toute l'année pour les groupes sur réservation. Situé au 1000, avenue Melville, à Shawinigan.

Infos: 1-866-900-2483 ou ww.citedelenergie.com

1 **Parc national des Îles-de-Boucherville**

2 **Parc national du Mont-Saint-Bruno**

3 **Réserve nationale de faune du lac Saint-François**

4 **Îles de Sorel**

5 **Centre de la nature du mont Saint-Hilaire**

6 **Union québécoise de réhabilitation des oiseaux de proie**

7 **L'escapade – Les sentiers du mont Rigaud**

8 **Parc régional des îles de Saint-Timothée**

9 **Parc régional de Saint-Bernard-de-Lacolle**

10 **Refuge faunique Marguerite-D'Youville**

11 **Centre écologique Fernand-Seguin**

12 **Bois Robert**

13 **Parc archéologique de la Pointe-du-Buisson**

14 **Mont Saint-Grégoire**

15 **Récré-O-Parc de Ville Sainte-Catherine**

16 **Parc Safari**

17 **Jardin Daniel A. Séguin**

18 **Arche des papillons**

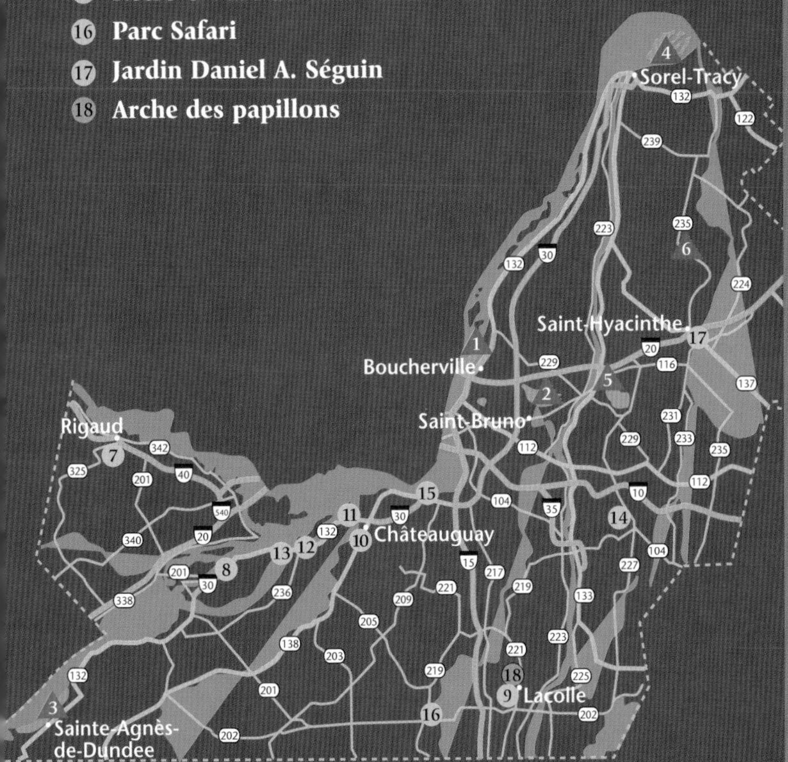

Montérégie

Sorel-Tracy
132
122
239
223
235
30 132 6
224
Saint-Hyacinthe
1 229 20 17
Boucherville 2 5 116 137
Saint-Bruno 231
Rigaud 342 229 233 235
325 7 201 40 112 112
540 15 104 10 14
340 20 132 11 35
338 201 13 12 10 Châteauguay 104
30 8 236 15 217 227
138 209 221 219 133
132 205 223
3 201 221 225
Sainte-Agnès-de-Dundee 202 16 219 18 202
9 Lacolle

Petit archipel d'îles dans le fleuve Saint-Laurent entre Montréal et la Rive Sud, le parc national des Îles-de-Boucherville est une oasis de paix. D'une superficie d'à peine 10 km² et constitué de prairies, de forêts et de milieux aquatiques et semi-aquatiques, c'est le parc national le plus proche de la région montréalaise. Les cinq îles, dont trois sont accessibles au public (Sainte-Marguerite, de la Commune et Gros-Bois), sont un lieu privilégié pour l'observation du renard roux (l'animal emblème du parc) et du cerf de Virginie. Ces deux espèces ne sont plus tellement intimidées par la présence des humains dans le parc. Aucunement farouches, ces animaux se laisseront observer. Mais comme ils ont amplement de quoi manger, il faut éviter à tout prix de les nourrir ou de les approcher en quittant les sentiers balisés.

Les trois îles, reliées par un bac à câble, servent tantôt de site de nidification et de refuge, tantôt de halte migratoire à plus de 190 espèces d'oiseaux, dont une dizaine d'espèces de canards. On y observe le grand héron, le grand-duc d'Amérique, la gallinule poule-d'eau, le butor d'Amérique et le grand cormoran. Des familles de castors du Canada et leurs huttes, des rats-musqués communs, de même que six espèces d'amphibiens, cinq espèces de reptiles et 45 espèces de poissons complètent le tableau. La rainette faux-grillon de l'Ouest et la couleuvre brune figurent parmi les espèces du parc susceptibles d'être désignées menacées ou vulnérables. On trouve une forêt de frênes rouges de 18 hectares sur l'île Gros- Bois, qui fut jadis un parc d'amusement pour la classe bourgeoise de 1909 à 1928. L'été, le parc offre 20 km de sentiers pédestres (avec panneaux d'interprétation), dont certains segments sont accessibles à vélo. Aussi, activités d'interprétation à pied ou en canot rabaska (d'une dizaine de places).

Tour d'observation sur l'île de la Commune avec vue sur le marais en avant-plan et le port de Montréal, loin derrière. En saison, location de kayaks et de canots pour sillonner les nombreux chenaux et les marais. Dépaysement garanti. En hiver, raquette (en location) et ski nordique sont pratiqués sur l'île Sainte-Marguerite, où se trouve le bâtiment d'accueil et l'entrée du parc. Casse-croûte, toilettes, boutique nature, expositions, etc. L'île Sainte-Marguerite est la seule île accessible en hiver et au printemps. En saison, bâtiment ouvert sur l'île Gros-Bois.

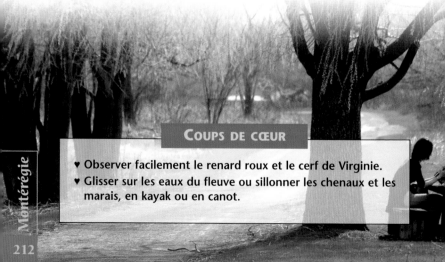

COUPS DE CŒUR

♥ Observer facilement le renard roux et le cerf de Virginie.
♥ Glisser sur les eaux du fleuve ou sillonner les chenaux et les marais, en kayak ou en canot.

En un clin d'œil

À faire : Environ 20 km de sentiers pédestres et, par endroits, pour le vélo. L'hiver, 5 km pour la raquette et 7 km pour le ski. Activités d'interprétation les week-ends. Activités nautiques.

Services : Casse-croûte, toilettes, boutique souvenir. Location de canots et de kayaks en saison. Panneaux d'interprétation.

Tarifs : Droit d'accès quotidien en vigueur dans les parcs nationaux : 3,50 $ par adulte ; 1,50 $ par enfant. Prix pour familles et groupes. Abonnement annuel disponible. Frais supplémentaires pour le ski de fond. Carte des sentiers disponible gratuitement à l'entrée du parc.

Accès : De Montréal, par l'autoroute 20 en direction est après le pont-tunnel Louis-Hyppolite-Lafontaine, prendre la sortie 1. Suivre les panneaux bruns en bordure de route.

Infos : 450-928-5088
www.sepaq.com

Montérégie

213

Culminant à 210 m d'altitude, le mont Saint-Bruno est la plus petite des dix collines montérégiennes. Bof, direz-vous ? Ce parc national de 7,9 km² est tout sauf banal. On y découvre des forêts de feuillus matures, dont une érablière à caryer et une chênaie bicentenaire qui imposent le respect. Visitez-les en empruntant différents circuits de randonnée pédestre totalisant 27 km. Des sentiers qui sillonnent un réseau hydrographique de cinq lacs répartis entre plusieurs petits sommets. Ces plans d'eau en milieu semi-montagneux mêlés aux 37 essences d'arbres, 500 espèces de plantes herbacées et 50 espèces d'arbustes font du parc un endroit étonnamment riche.

En plus du grand-pic, l'emblème aviaire du parc, le mont Saint-Bruno est fréquenté par plus de 200 espèces d'oiseaux, dont 130 qui nichent sur place. Chouettes et hiboux y côtoient tangaras écarlates, parulines jaunes et grives fauves. Le printemps marque le retour des oiseaux migrateurs tandis que l'automne est favorable pour l'observation des oiseaux de proie. Une quarantaine de mammifères, dont le cerf de Virginie, le tamia rayé, mais aussi la loutre de rivière et le vison d'Amérique, s'y sentent chez eux. Le parc compte également d'importantes communautés d'amphibiens (14 espèces) et de reptiles (six espèces). Fait moins connu, le parc du mont Saint-Bruno abrite une petite tourbière minérotrophe portant le joli nom de lac des Atocas. Situé en zone de préservation extrême et peu accessible (voir carte des sentiers), ce milieu acidifié est en place et se transforme depuis des milliers d'années.

Le parc national du mont Saint-Bruno est l'endroit par excellence pour la famille. Ici, pas de dénivelé marqué. Plutôt des sentiers larges et bien balisés, des aires de pique-nique, des activités d'interprétation de la nature, guidées ou non, etc. Une exposition permanente est présentée au Vieux moulin, monument qui révèle le passé seigneurial du parc. Il y a encore aujourd'hui quelques résidences privées dans ce qui était autrefois une pourvoirie de chasse et de pêche, avant de devenir un parc en 1985. L'hiver, le mont Saint-Bruno offre aux fondeurs 35 km de sentiers tracés. Chalet d'accueil, location, relais chauffés, etc. Ouvert toute l'année. Droits d'entrée de 3,50 $. Frais supplémentaires pour le réseau de ski de fond. Environ 10 km pour la raquette sur deux sentiers qui permettent également la randonnée pédestre en hiver.

COUPS DE CŒUR

♥ Traverser les forêts de feuillus bicentenaires en empruntant les 27 km de sentiers.
♥ Se ressourcer sur le bord de l'un des cinq lacs et observer une faune abondante, tôt le matin ou en fin de journée.

EN UN CLIN D'ŒIL

À FAIRE : Activités d'inter-prétation de la nature (guidées ou non) tous les week-ends d'avril à octobre. Randonnée pé-destre (27 km), ski de fond (35 km) et raquette (10 km).

SERVICES : Accueil, toilettes, casse-croûte (sporadique-ment en automne et en hiver, la haute saison). Plusieurs aires de pique-nique. Location de skis de fond. Exposition perma-nente au Vieux moulin. Auto-cueillette de pommes dans un verger (septem-bre et octobre).

TARIFS : 3,50 $ par adulte, 1,50 $ par enfant. Autres frais pour le réseau de ski de fond. Prix pour les familles et les groupes. Abonnement annuel dis-ponible. Journal du parc (qui contient la carte des sentiers) remis gratuite-ment au poste d'accueil. Également gratuite : la liste des oiseaux observés dans le parc.

ACCÈS : L'entrée du parc est située sur le chemin du Collège. On y accède par le rang des 25, sortie 102 de l'autoroute 20, ou sor-tie 121 de l'autoroute 30.

INFOS : (450) 653-7544
www.sepaq.com

Montérégie

Cette réserve nationale de faune est située dans la région la plus méridionale du Québec, sur un territoire humide de 14 km^2, là où le fleuve Saint-Laurent prend le nom de lac Saint-François. Forêts (d'environ 50 ans), marais et prairies humides sont ici à la base d'une grande biodiversité. Les ornithologues amateurs seront ravis d'apprendre que l'endroit compte quelque 220 espèces d'oiseaux répertoriées (dont 160 nicheurs), parmi lesquels figurent des espèces rares comme le râle jaune et le troglodyte à bec court.

La réserve, située dans la municipalité de Dundee près des frontières de l'Ontario et de l'État de New York, est la propriété du Service canadien de la faune. On y a répertorié plus de 600 espèces de végétaux, dont plusieurs variétés de carex. Coyotes, cerfs de Virginie, pékans et loutres de rivière font partie de la quarantaine de mammifères qui habitent l'endroit. À ce répertoire déjà exhaustif s'ajoutent couleuvres, grenouilles (dont la peu commune rainette faux-grillon) et tortues.

Encore méconnue, la réserve nationale de faune du lac Saint-François permet d'accéder à ces trésors par le biais d'excursions sur l'eau ou sur les 14 km de sentiers aménagés avec panneaux d'interprétation répartis dans trois secteurs principaux. L'accès au site est gratuit. Location de canots. Rampe de mise à l'eau accessible. Et, sur réservation, randonnée guidée d'une journée en canot rabaska. Ceux qui n'ont pas le pied marin peuvent emprunter les sentiers, dont une partie, sur pilotis, surplombe la zone marécageuse. Deux tours d'observation (de trois et dix mètres) ont également été érigées. Vues spectaculaires. Surtout sur les couchers de soleil, pour lesquels vous ne voudrez plus quitter le site.

La réserve est accessible à l'année, mais le bâtiment d'accueil (où il y a une exposition permanente, vente de jus et muffins, toilettes, etc.) n'est ouvert qu'entre mai et octobre. Attention aux nombreux moustiques à certains endroits en juillet et en août ! Toilettes extérieures fonctionnelles peu importe la saison. L'hiver, les 14 km de sentiers sont utilisés par les raquetteurs. Les autorités de la réserve projettent d'ouvrir le poste d'accueil en toute saison.

COUPS DE CŒUR

♥ Pagayer en bordure du fleuve Saint-Laurent.
♥ Marcher dans les sentiers pour observer l'une des 220 espèces d'oiseaux ou des 600 variétés de plantes, ou encore la quarantaine d'espèces de mammifères.

En un clin d'œil

À FAIRE : Excursions guidées d'une journée en canot rabaska (10 places) pour observer la faune et la flore (consulter l'horaire). Plus de 14 km de sentiers pour la randonnée pédestre. En hiver, ces mêmes sentiers sont utilisés par les adeptes de la raquette.

SERVICES : De mai à septembre : bâtiment d'accueil, toilettes, vente de collations et exposition permanente. Aires de pique-nique et toilettes chimiques accessibles à longueur d'année. Panneaux d'interprétation.

TARIFS : L'entrée est gratuite. Pour les excursions en rabaska (8 à 10 places), compter entre 12 $ et 20 $.

ACCÈS : De Montréal, prendre l'autoroute 30 Sud jusqu'à Salaberry-de-Valleyfield. De là, emprunter la route 132 Ouest. La réserve est située entre Saint-Anicet et Dundee. Rendez-vous sur le chemin de la Pointe-Fraser.

INFOS : (450) 370-6954 ou
www.rocler.qc.ca/yletour/debut.htm

A vec ses 103 îles, l'archipel du lac Saint-Pierre est l'un des plus importants sites ornithologiques au Québec avec près de 300 espèces d'oiseaux observées et répertoriées, dont 120 nicheuses. L'archipel du lac Saint-Pierre, situé dans le sud du lac du même nom, est divisé en deux secteurs, soit les îles de Sorel, dont il est ici question, et les îles de Berthier (dans la région touristique de Lanaudière). Les îles de Sorel prennent naissance près de la zone hautement industrialisée de Sorel-Tracy, là où les rivières Yamaska, Richelieu et Saint-François se jettent dans le fleuve Saint-Laurent. À cet endroit, le fleuve s'élargit et devient le lac Saint-Pierre, sorte de mer intérieure qui va jusqu'à Trois-Rivières. Le lac Saint-Pierre est reconnu comme réserve mondiale de la biosphère.

De Sorel, trois choix s'offrent aux visiteurs voulant accéder, entre juin et septembre, à ce riche patrimoine. Le Centre d'interprétation de la nature du patrimoine de Sorel organise des excursions de trois heures en bateau de 12 places jusqu'aux îles de Berthier. Départ du parc Regard sur le fleuve. Activités d'interprétation sur place. Des excursions, mais sur un bateau de 180 places, sont également offertes près du théâtre du Chenal du moine, à l'est de Sorel.

Les plus puristes se rendront au refuge faunique de la Société d'aménagement Baie Lavallière (SABL) qui porte aussi le nom de Maison du marais, à Sainte-Anne-de-Sorel. La biodiversité florale et faunique fait de ce site de 21 km² un paradis pour les ornithologues amateurs, surtout grâce aux excursions en canot rabaska motorisé qu'on y fait. La visite se déroule en majeure partie dans les marais et les marécages de la SABL, un important lieu de nidification pour des milliers de canards barboteurs et plongeurs. Au mois d'août, les plantes aquatiques fleurissent dans toute leur splendeur. Quand le niveau d'eau est bas, le delta où la rivière Yamaska se jette dans le fleuve rappelle les Everglades, en Floride, avec son lot d'échassiers. Le site compte également un sentier de 1 km avec panneaux d'interprétation et une tour d'observation.

Au printemps, en période d'inondation, l'archipel des îles de Sorel a des airs de bayous de la Louisiane. Les petites embarcations y naviguent entre les érables argentés et les frênes rouges, des essences de plus en plus rares le long du fleuve. Importante halte migratoire, ce vaste territoire cache une avifaune allant des oiseaux de rivage aux espèces forestières, en passant par les oiseaux aquatiques. À noter : les colonies de sternes et leurs nids flottants. Les lunettes d'approche sont essentielles.

COUPS DE CŒUR

♥ Voguer parmi des dizaines d'îles, dans les chenaux du fleuve Saint-Laurent.
♥ Se laisser envahir par la luxuriance et le dépaysement des îles et des zones marécageuses en plein été.

À FAIRE : Excursions guidées d'une à trois heures en embarcation motorisée. Vous avez le choix : de 12 à 180 places. Les départs ont lieu à divers endroits entre mai et octobre (voir le texte principal et consulter les horaires). Terrain de jeux pour enfants au parc Regard sur le fleuve. Activités d'interprétation.

SERVICES : Selon les sites de départ : accueil, toilettes, restaurant ou casse-croûte, aires de pique-nique. Exposition permanente. Boutique, centre de documentation, jardins, belvédère, salle de réunion, etc. Visites commentées en français et en anglais

TARIFS : Entrée gratuite au refuge de la SABL. Frais pour les excursions en bateau. Avec Randonnée nature (12 places) : de 18 $ à 30 $; avec Croisière des îles Sorel (180 places) : de 9 $ à 18 $; avec SABL (12 places) : jusqu'à 25 $.

ACCÈS : Prendre l'autoroute 30 jusqu'à Sorel. Suivre les panneaux bleus indiquant le Centre d'interprétation du patrimoine de Sorel, situé au 6, rue Saint-Pierre. Aussi, se rendre à Sainte-Anne-de-Sorel au théâtre du Chenal-du-Moine, situé sur le chemin du même nom. Plus loin, au numéro civique 3742, se trouve le marais de la SABL.

INFOS : Office du tourisme du Bas-Richelieu, 1-800-474-9441

Réserve mondiale de la biosphère, refuge d'oiseaux migrateurs et réserve naturelle en milieu privé abritant des chênes de plus de 400 ans, le Centre de la nature du Mont Saint-Hilaire fait le bonheur des ornithologues amateurs. Il s'agit du seul site de nidification du faucon pèlerin (une espèce vulnérable) en Montérégie. Des démarches ont d'ailleurs été entreprises afin que la falaise Dieppe, où nichent les faucons, soit reconnue refuge faunique, afin de protéger leur habitat. Même si cet oiseau de proie demeure difficile à observer sur place, il en va autrement pour les urubus à tête rouge ou les pics (mineur, chevelu, grand pic). Ceux-ci figurent parmi les 203 espèces d'oiseaux recensées au mont Saint-Hilaire. Les forêts y grouillent de vie.

Entouré de pommiers, cet espace vert est constitué d'un pré, d'un magnifique lac (le lac Hertel), d'une falaise et de quatre sommets, dont l'un des plus populaires demeure le Pain de Sucre (415 m). Le coup d'œil sur la plaine, et même sur Montréal, vaut les 2,6 km qu'il faut parcourir pour y accéder. Le centre compte une multitude d'espèces de plantes dont 35 variétés de fougères et plusieurs plantes rares, ainsi que 45 espèces de mammifères, dont le raton laveur, la marmotte commune et le porc-épic d'Amérique. Les plus faciles à observer sont assurément les écureuils et les tamias rayés. Mais certains visiteurs et chercheurs chanceux ont déjà aperçu un lynx roux sur les sentiers. À cette belle brochette s'ajoutent 13 espèces d'amphibiens, trois espèces de reptiles et huit espèces de poissons.

Territoire montagneux d'une superficie de 10 km^2, le centre est la propriété de l'Université McGill. Quelque 4,5 km^2 sont réservés à la préservation stricte et le reste est ouvert au public. Outre l'observation de la nature, la randonnée pédestre (25 km), le ski de fond (11 km) et la raquette (14 km) sont les activités qu'on y pratique. Les familles préféreront une courte randonnée avec pique-nique aux abords du lac Hertel tandis que les randonneurs aguerris choisiront de grimper un ou plusieurs des quatre sommets accessibles du site. La forêt n'a à peu près jamais été exploitée. À noter : les pins immenses qui bordent le sentier menant au lac Hertel.

COUPS DE CŒUR

♥ Admirer la plaine environnante du haut d'un des quatre sommets, de même que les immenses pins qui bordent certains sentiers.

♥ Savourer le calme et la nature aux abords du lac Hertel.

♥ Identifier les nombreuses espèces d'oiseaux nicheurs.

À FAIRE : Observation et interprétation de la nature. Environ 25 km de sentiers pour la randonnée pédestre, 11 km pour le ski de fond et 14 km pour la raquette. Clubs de marche et d'ornithologie.

SERVICES : Panneaux d'interprétation. Interprétation de la nature. Pavillon d'accueil. Aire de pique-nique près du lac Hertel. Casse-croûte. Fauteuil roulant de montagne disponible. Location de skis de fond et de raquettes. Restauration. Boutique nature.

TARIFS : 4 $ pour les adultes, 2 $ pour les enfants et les aînés. Carte des sentiers disponible au poste d'accueil ou sur le site Internet.

ACCÈS : On accède au centre par la rue Ozias-Leduc à Saint-Hilaire. Emprunter le chemin de la Montagne, puis le chemin des Moulins.

INFOS : Centre de la nature du Mont-Saint-Hilaire, (450) 467-1755 ou www.centrenature.qc.ca

Montérégie

Les oiseaux de proie sont en vedette au site de l'UQROP, situé à Saint-Jude, près de Saint-Hyacinthe. Harfang des neiges, pygargue à tête blanche, faucon pèlerin, grand-duc d'Amérique, voici l'occasion rêvée d'en apprendre plus sur ces oiseaux fascinants et majestueux qui contribuent à l'équilibre écologique. En plus de s'être fixé comme mission de réadapter les oiseaux de proie blessés (ces derniers sont recueillis par le biais d'un réseau québécois), l'UQROP s'est aussi donné comme mandat de mieux les faire connaître.

Saviez-vous, par exemple, qu'il existe 27 espèces d'oiseaux de proie ? Et qu'ils sont protégés par une loi provinciale ? Ornithologues amateurs débutants ou chevronnés, groupes scolaires ou simples curieux sont attendus au site de l'UQROP dès que la saison douce se pointe. Endroit parfait pour apprendre sur ces oiseaux particuliers et assister à l'un des deux spectacles quotidiens d'une quarantaine de minutes, présentés à 11 h et à 14 h. Aussi sur place : un sentier d'interprétation et différentes volières d'oiseaux de proie, dont certains en voie de réadaptation.

La durée moyenne d'une visite est d'environ trois heures. Même s'il n'y a qu'un sentier de randonnée pédestre, certaines volières sont espacées les unes des autres de sorte qu'il y a plus de 1 km de marche à faire. Un kiosque d'animation permet un apprentissage complet, par exemple, sur l'anatomie des oiseaux de proie. Organisme sans but lucratif, l'UQROP a été fondée en 1987, mais est installée à Saint-Jude depuis 1996. Le site gagne en popularité. Différentes activités ponctuelles sont offertes au grand public.

Le site n'est pas ouvert à longueur d'année. Il accueille les groupes scolaires de la fin mai à la mi-juin, tandis que le grand public est convié à découvrir les oiseaux de proie de la fin juin à la fin août, du mercredi au dimanche de 10 h à 16 h 30.

COUPS DE CŒUR

- ♥ Admirer de beaux oiseaux de proie en vol durant les spectacles.
- ♥ Découvrir les particularités anatomiques de ces rapaces.

En un clin d'œil

À faire : Observation des oiseaux de proie en spectacle et dans les volières. Interprétation de la nature. Kiosque d'animation.

Services : Aire de pique-nique, toilettes. Projet de construction d'un bâtiment d'accueil, où l'on compte présenter des films sur les oiseaux de proie.

Tarifs : 8 $ par adulte, 5 $ pour les enfants de 5 à 12 ans. Prix de groupe. Dépliant disponible gratuitement au poste d'accueil.

Accès : Le site est situé au 875, rang Salvail Sud, à Saint-Jude. De Saint-Hyacinthe, en bordure de l'autoroute 20, prendre la route 235 Nord. Suivre les panneaux bleus gouvernementaux.

Infos : (514) 345-8521, poste 8545
www.uqrop.qc.ca

Montérégie

Capsules nature

⑦ L'escapade – Les sentiers du mont Rigaud

Ce site encore peu connu (donc très calme) offre 25 km de sentiers en montagne pour la randonnée pédestre en été ou le ski nordique en hiver. Environ 220 espèces d'oiseaux y ont été répertoriées. L'Office national du film (ONF) y a tourné un documentaire. Le mont Rigaud est, au printemps, un important lieu de rassemblement d'urubus à tête rouge. En automne, lorsque les feuilles sont tombées, on peut observer les nombreuses espèces d'oiseaux de proie qui transitent par là. Nouveau bâtiment d'accueil construit près du centre-ville de Rigaud et qui donne accès aux sentiers, dont certains sont faciles (La cavale) et d'autres plus ardus (Haut-lieu, qui mène au sommet du mont Rigaud; 220 m). De nombreux projets sont en cours : panneaux d'interprétation, accès à un marais qui cache une héronnière, exposition permanente, etc. De Montréal, on accède à Rigaud par l'autoroute 40 Ouest, direction Ottawa. Le site se trouve près du bureau de poste, au 15, rue Boisé des Francis-caines. Accès gratuit. Carte des sentiers disponible gratuitement au poste d'accueil ou à l'hôtel de ville de Rigaud.
Infos : (450) 451-4608, (450) 451-0869 ou www.ville.rigaud.qc.ca

⑧ Parc régional des îles de Saint-Timothée

Avec sa plage, son casse-croûte, ses modules de jeux, son terrain de vol-ley-ball, ses embarcations en location, l'endroit ressemble davantage à un parc récréatif qu'à un centre de conservation. Le parc, composé d'en-viron cinq îles, réserve néanmoins de belles surprises. À commencer par les 122 espèces d'oiseaux répertoriées, dont 38 nichent sur place. Un sentier pédestre d'environ 10 km, avec panneaux d'interprétation, mène à une érablière à caryer, dont certains spécimens vieux de 200 ans at-teignent 30 m de haut. Deux îles sont accessibles. Celle qui se trouve le plus à l'est abrite des micocouliers occidentaux (de la famille des ormes) et de magnifiques noyers. Accueil et services en saison : les droits d'accès varient entre 3 $ et 7 $. Accès gratuit en hiver. Ski de fond et possibilité de randonnées en raquettes. Accessible de Montréal par la route 132 Ouest ou les autoroutes 20 et 40. Le parc est situé à Saint-Timothée, sur la rue Saint-Laurent.
Infos : (450) 370-4390 ou www.ville.saint-timothee.qc.ca/iles

⑨ Parc régional de Saint-Bernard-de-Lacolle

Ce parc à vocation multiple de 210 hectares est situé en zone boisée et recèle diverses essences d'arbres (dont une cédrière), de même que deux marais. Le site, avec ses 15 km de sentiers pédestres, permet d'observer plusieurs dizaines d'espèces d'oiseaux et des cerfs de Virginie, très abon-dants. Le parc est traversé par une colline (le mont Roméo) haute d'en-viron 150 m. Sommet dénudé et vue intéressante. Joli chalet d'accueil en bois de 100 places. Le parc est ouvert tous les jours de l'année, de la brunante au crépuscule. Il est fréquenté par les Scouts de la région montréalaise, les participants aux camps de jour (sur semaine en été)

et une poignée d'autres utilisateurs réguliers. En hiver: ski de fond, raquette, patin, glissade. Entrée: 4 $ par adulte; gratuit pour les enfants de 6 ans ou moins. Le parc, situé sur le rang Saint-André à Saint-Bernard-de-Lacolle, est accessible de Montréal par l'autoroute 15 Sud. Prendre la sortie pour la 202, direction Lacolle.

Infos: (450) 246-3348.

⑩ Refuge faunique Marguerite-D'Youville

Situé en face de Châteauguay sur une petite île (île Saint-Bernard) de 2,2 km², dont 80 % de la superficie se trouve en zone inondable, ce refuge est ouvert au public les samedis et dimanches de juillet à mi-octobre (de 9 h à 19 h), en dehors des périodes de nidification. On y compte 184 espèces d'oiseaux, mais aussi des renards roux, des cerfs de Virginie et une flore exceptionnelle, dont les deux plus gros chênes bicolores du Québec, de même que des aubépines ergot-de-coq, jadis considérées par le célèbre botaniste Marie-Victorin comme la plus belle fleur du Québec. Huit kilomètres de sentiers pédestres avec panneaux d'interprétation. Promenades en bateau (vérifier les horaires) autour du refuge depuis le parc de la Commune, situé en face de l'île. Entrée payante. De Montréal, on se rend à Châteauguay par la route 132. On accède au refuge, propriété des Sœurs grises de Montréal, en longeant la rivière Châteauguay sur le boulevard Salaberry puis en empruntant le pont de la Sauvagine.

Infos: (450) 698-3133 ou www.heritagestbernard.qc.ca

Montéreg

⑪ Centre écologique Fernand-Seguin

Au cœur d'une érablière à caryer (typique du sud-ouest du Québec), ce centre écologique offre 7 km de sentiers aménagés pour la marche en été et le ski de fond en hiver. Situé à moins de 20 km de Montréal dans la municipalité fusionnée de Léry, en bordure du lac Saint-Louis, ce site est animé entre autres par des mésanges à tête noire et de nombreux petits mammifères. Calme et beauté sont à l'ordre du jour. En début de saison, avant que les feuillus ne plongent la forêt dans la pénombre, de nombreuses variétés de plantes printanières herbacées fleurissent pour nous indiquer que le rude hiver est fini. Le sentier Le Trille, long de 1,8 km, est jalonné de panneaux d'interprétation. Visites guidées sur la faune et la flore offertes en saison et sur demande. Le chalet d'accueil (eau courante, toilettes, salle de repos) est ouvert selon un horaire variable et saisonnier. Entrée gratuite. Le centre écologique Fernand-Seguin est situé sur le boulevard Brisebois, à côté de l'hôpital Anna-Laberge. Il est accessible par la route 132 Sud à partir de Montréal.
Infos : (450) 698-3123, 698-3100 ou www.heritagestbernard.qc.ca

⑫ Bois Robert (Beauharnois)

Cette majestueuse forêt longe la rivière Saint-Louis et abrite, notamment à cause de son sol rocheux, quantité de couleuvres rayées et différentes salamandres. À l'entrée du bois, une forêt en régénération qui se transforme en forêt mature où se côtoient érablière à caryer et prucheraie. Des cerfs de Virginie, des renards roux, des coyotes et même des pékans y ont été observés. Aucun inventaire d'oiseaux n'a encore été réalisé. On peut accéder à un petit marais en traversant un ponceau. Des tortues serpentines habitent les lieux. Jolie cascade d'eau. Environ 6 km de sentiers pour la randonnée pédestre. Quelques panneaux d'interprétation. En hiver, ski de fond (sentiers non entretenus). Aire de pique-nique. Roulotte qui fait office de poste d'accueil les week-ends. On y vend jus, café, fruits secs. Entrée gratuite sur le site. Le bois Robert est situé à Beauharnois, près de l'église Saint-Clément.
Infos : Ville de Beauharnois, (450) 429-3546.

⑬ Parc archéologique de la Pointe-du-Buisson

Ce parc situé à Melocheville (sur la rue Émond) est avant tout le rendez-vous des passionnés d'archéologie. Des fouilles ont lieu sur place pendant l'été. Plus de deux millions d'artefacts relatifs aux Amérindiens ayant vécu sur place il y a 5000 ans ont été découverts et sont exposés. Le parc est ouvert de la mi-mai à l'Action de grâce (mi-octobre). De nombreuses activités d'interprétation, de même qu'un musée et une exposition permanente sur l'archéologie, ponctuent le tout. Pour les amants de la nature, le parc offre 2,5 km de sentiers et est riche de cinq zones écologiques (dont le marais, l'érablière, les prairies et la rive du fleuve Saint-Laurent). Petits mammifères, plusieurs espèces d'oiseaux et d'araignées. Entrée payante. Valent aussi le détour : érablière à caryer,

Montérégie

champignons rares (dont *Galerina Wellsiae Smith*) et fleurs, comme l'impatiente du cap, utilisée jadis par les Amérindiens pour traiter les effets de l'herbe à puces. Les responsables de l'endroit veulent développer davantage le côté nature du parc. À suivre. Melocheville est accessible par la route 132.

Infos : (450) 429-7857.

14 Mont Saint-Grégoire

Il existe un réseau de sentiers (d'environ 3 km) sur le mont Saint-Grégoire, mais celui-ci se trouve sur des terrains privés. Vous avez deux possibilités pour vous y rendre. L'option la moins chère est de stationner (5 $ par auto) devant le terrain de camping du mont Saint-Grégoire (45, chemin du Sous-bois). Sinon, vous pouvez explorer cette montagne culminant à 220 m par le biais de l'organisme Centre d'interprétation des milieux écologiques (CIME). Sur réservation et pour les groupes d'environ 20 personnes, CIME offre des activités guidées. Les phénomènes géologiques (formation de la montagne par intrusion il y a 100 millions d'années), de même qu'un survol de la faune (oiseaux, mammifères, etc.) et de la flore (érablière, chênaie, etc.) sont au programme. Pour la visite du mont Saint-Grégoire, prévoir entre 85 $ et 130 $ par groupe. Ce n'est pas donné, mais l'organisme utilise cet argent à bon escient, notamment pour l'éradication de la châtaigne d'eau, présente en trop grande quantité dans la rivière Richelieu, près de l'île-au-Noix. CIME organise d'autres activités d'interprétation, entre autres le long de la rivière Richelieu.

Infos : (450) 346-0406 (CIME) ou
(450) 346-3467 (au terrain de camping ou à l'érablière).

Montérégie

⑮ Récré-O-Parc de Ville Sainte-Catherine

Un incontournable pour les ornithologues amateurs, ce parc fait partie du refuge d'oiseaux migrateurs de l'île aux Hérons. Plus de 200 espèces d'oiseaux le fréquentent, dont certaines dignes de mention, comme le bihoreau gris et la grande aigrette. Ces deux espèces nichent d'ailleurs sur l'île aux Hérons, observable depuis le Récré-O-Parc, qui compte plus de 450 nids de grands hérons. En septembre, la partie du site près du terrain de stationnement numéro 3 abrite des dizaines de milliers d'hirondelles bicolores sur le point de migrer vers le sud. Le parc, d'une longueur de 3 km sur le bord du fleuve Saint-Laurent, offre 7 km de sentiers asphaltés utilisés pour la marche, le vélo et le patin à roues alignées. Vues sur les rapides de Lachine et les gratte-ciels de Montréal. Ouvert toute l'année, le parc compte aussi une plage de sable (au terrain de stationnement numéro 1) où se trouve un casse-croûte, ouvert de juin à septembre. L'hiver, les adeptes de la marche, du ski de fond et de la raquette s'y donnent rendez-vous. L'accès au parc est gratuit. Toutefois, le stationnement coûte 3 $. Frais supplémentaires pour fréquenter la plage. Pour s'y rendre : route 132, en direction des écluses de Sainte-Catherine. Le parc, à 1 km du pont des écluses, est situé au 5340, boulevard Marie-Victorin.
Infos : (450) 635-3011.

⑯ Parc Safari

Qui n'a jamais entendu parler du parc Safari d'Hemmingford ? L'endroit a subi des transformations au fil des ans. Outre le safari automobile, il y a aussi un insectarium et différents parcs thématiques à visiter. Animation quotidienne. Queleque 800 animaux des cinq continents. Entrée payante. Ouvert de la mi-mai à la mi-octobre. Situé au 850, route 202.
Infos : (450) 247-2727 ou www.parcsafari.com.

⑰ Jardin Daniel A. Séguin

Parc floral de 4,5 hectares renfermant plus de 2000 variétés de plantes. Ouvert au public, le jardin est un laboratoire grandeur nature pour les étudiants en horticulture de l'Institut de technologie agricole de Saint-Hyacinthe. Jardins thématiques japonais, français et sur les fines herbes, entre autres. Entrée payante. Ouvert de la mi-juin à la mi-septembre de 10 h à 17 h. Situé au 3215, rue Sicotte à Saint-Hyacinthe.
Infos : (450) 778-6504, poste 215, (450)778-0352 ou
www.ita.qc.ca/jardindas

En cas de pluie

18 Arche des papillons

Située à Saint-Bernard-de-Lacolle, cette grande serre tropicale renferme entre 400 et 500 spécimens de papillons et des colibris. Ouvert à longueur d'année. Entrée payante. Aire de pique-nique. De Montréal, voie de service de l'autoroute 15 Sud, entre les sorties 11 et 13 ; 20, chemin Noël.
Infos : (450) 246-2552 ou
www.larchedespapillons.com

1 **Parc du Mont-Royal**

2 **Parc-nature de la Pointe-aux-Prairies**

3 **Parc-nature du Bois-de-l'Île-Bizard**

4 **Parc-nature du Cap-Saint-Jacques**

5 **Parc-nature du Bois-de-Liesse**

6 **Parc de la rivière des Mille-Îles**

7 **Parc des Rapides**

8 **Parc-nature de l'Île-de-la-Visitation**

9 **Domaine Saint-Paul**

10 **Arboretum Morgan**

11 **Ecomuseum**

12 **Centre de la nature de Laval**

13 **Bois Papineau**

14 **Jardin botanique de Montréal**

15 **Biosphère**

16 **Insectarium de Montréal**

17 **Biodôme de Montréal**

Montréal et Laval

New York a son Central Park, Montréal a son parc du Mont-Royal, quoique plus modeste, d'une superficie de 10 km². Peuplé notamment de chênes et d'érables bicentenaires, ce parc urbain fait partie des montérégiennes, ces dix collines qui façonnent le sud du Québec entre Mégantic et Oka. À 233 m d'altitude, le mont Royal est le point culminant de l'île de Montréal. Un milieu protégé où observation de la faune et de la flore, activités de plein air et détente règnent en maîtres.

Le parc du Mont-Royal accueille, bon an mal an, quelque 150 espèces d'oiseaux, notamment des pics, de même que des oiseaux de proie nocturnes, des parulines, etc. Vingt espèces de mammifères y vivent, dont le renard roux. Au printemps, quand la nature reprend vie, le parc est littéralement envahi de plantes florales printanières. Un bel exemple de nature intense à quelques stations de métro du centre-ville. Tout comme Central Park, le parc du Mont-Royal est l'œuvre de l'architecte Frederick Olmsted.

L'entrée principale du parc est située à la Maison Smith, accessible par le chemin Remembrance (par l'ouest) et la voie Camilien-Houde (par l'est). Le parc offre 30 km de sentiers (faciles à difficiles) pour la randonnée pédestre, le ski de fond et la raquette. Activités d'interprétation offertes (s'informer des horaires). Aussi : location d'équipements sportifs au pavillon du lac aux Castors, où se trouve également un casse-croûte ouvert toute l'année. Sur le flanc sud-est de la montagne, rendez-vous au chalet du parc du Mont-Royal et profitez de son belvédère offrant une vue magnifique sur Montréal. C'est du chalet qu'on accède au Sentier de l'escarpement (difficile), qui longe la falaise du mont Royal. L'hiver, le parc devient un immense terrain de jeux (ski de fond, glissade, patin).

Faisant partie du même massif montagneux, le parc Summit, situé de l'autre côté du chemin de la Côte-des-Neiges, vaut également le détour. Au printemps, on y observe de nombreuses espèces de parulines. Peu de place pour stationner cependant ; partez plutôt à pied de l'Oratoire Saint-Joseph et promenez-vous dans les rues du très chic quartier de Westmount pour vous y rendre.

COUPS DE CŒUR

♥ Passer en cinq minutes de la cacophonie urbaine à la tranquillité d'une forêt de feuillus matures.

♥ Admirer les nombreux points de vue sur Montréal, notamment du Chalet du mont Royal ou du sentier de l'Escarpement.

À FAIRE : Environ 30 km de sentiers pour la marche (faciles à difficiles), dont la plupart ne sont pas très connus des visiteurs occasionnels. Vélo sur le chemin Olmsted, qui mène au belvédère. En hiver, le parc offre 20 km de pistes tracées pour le ski de fond, une surface pour le patinage (lac aux Castors), des sentiers pour la raquette et des pentes pour glisser (chambres à air en location).

SERVICES : Chalets d'accueil (Maison Smith et Chalet du mont Royal) ouverts aux heures d'affaires. Toilettes. Casse-croûte (ouvert toute l'année) et location d'équipements (vélos, pédalos, skis, raquettes, patins, etc.) au lac aux Castors. Exposition permanente, randonnées guidées et activités nature. Informez-vous. Le parc est ouvert tous les jours de 6 h à minuit.

TARIFS : Droit d'accès gratuit. Stationnement : 3,75 $ par jour. Carte des sentiers vendue 3 $ à la Maison Smith.

ACCÈS : Le moyen le plus facile pour s'y rendre demeure le métro : descendre à la station Mont-Royal, puis prendre l'autobus 11. En auto, de l'autoroute Décarie (autoroute 15), prendre la sortie du chemin Queen-Mary. Prendre ensuite le chemin de la Côte-des-Neiges, jusqu'à Remembrance, qui mène à la Maison Smith.

INFOS : (514) 843-8240
www.lemontroyal.qc.ca

Montréal et Laval

D' une grande biodiversité végétale et animale, ce parc de 2,7 km² a été aménagé à l'extrémité nord-est de l'île de Montréal. Il est divisé en trois secteurs, dont le plus riche est sans conteste le secteur Rivière-des-Prairies, situé aux confluents de la rivière du même nom et du fleuve Saint-Laurent. Composé de milieux humides, de champs et de forêts, le parc-nature de la Pointe-aux-Prairies attire son lot d'oiseaux avec 176 espèces recensées, dont le grand-duc d'Amérique. Canards, pluviers et autres oiseaux connaissent bien l'endroit. Le parc est également fréquenté par quantité d'amphibiens (rainette crucifère et grenouille des bois) et de reptiles.

Avec ses prairies humides et ses marais, le secteur Rivière-des-Prairies (au nord de l'autoroute 40) est une aire d'élevage et de repos pour la sauvagine et plusieurs autres espèces d'oiseaux migrateurs. C'est dans le secteur Bois-de-l'Héritage (entre l'autoroute 40 et la rue Sherbrooke) que se trouve l'entrée principale du parc (14905, rue Sherbrooke Est). Des marécages et une forêt de feuillus matures (frênes et érables) caractérisent cette partie du territoire, laquelle attire, entre autres, râles, pics et mésanges.

Le dernier secteur (dit Marais du secteur du fleuve) est situé en face de l'entrée principale, c'est-à-dire au sud de la rue Sherbrooke. Forêt et milieux humides définissent les lieux. Peu importe le secteur visité, sortez votre guide d'identification d'oiseaux ! Le parc-nature de la Pointe-aux-Prairies offre 15 km de sentiers pour la randonnée pédestre, 14 km pour le vélo, 2 km pour la raquette et plus d'une vingtaine de kilomètres pour le ski (location de skis sur place).

Le chalet d'accueil, dans le secteur Bois-de-l'Héritage, est ouvert toute l'année ; le pavillon d'interprétation des marais (adjacent au chalet) l'est aussi. La plupart des services (casse-croûte, toilettes, location, etc.) sont offerts au chalet d'accueil. Comme tous les parcs du réseau, le parc-nature de la Pointe-aux-Prairies offre des activités à longueur d'année.

COUPS DE CŒUR

♥ Observer l'une des 176 espèces d'oiseaux répertoriées dans le parc, dont plusieurs espèces de canards qui nichent sur place.

♥ Se relaxer dans la forêt de feuillus matures dans le secteur Bois-de-l'Héritage.

À faire : Observations à partir de pistes cyclables (14 km) et de sentiers (faciles) pour la marche (15 km). En hiver, une vingtaine de kilomètres tracés pour le ski de fond, 6 km pour la marche, 2 km pour la raquette et une butte pour la glissade. Pavillon d'interprétation.

Services : Accueil dans le secteur Bois-de-l'Héritage. Toilettes et casse-croûte. Animation. Expositions permanentes. Auto-interprétation. Aires de pique-nique. Location de vélos, de skis de fond et de raquettes.

Tarifs : Droit d'accès gratuit, mais frais de stationnement de 5 $ par jour par véhicule. Carte des sentiers disponible au poste d'accueil. Ouvert toute l'année. Les périodes d'ouverture du chalet varient toutefois.

Accès : Secteur Bois-de-l'Héritage : sortie 87 de l'autoroute 40. Le chalet d'accueil est situé au 14905, rue Sherbrooke Est. Secteur Rivière-des-Prairies : autoroute 40, sortie Saint-Jean-Baptiste Nord; entrée au 12300, boulevard Gouin. On peut s'y rendre en métro, par la station Honoré-Beaugrand. Depuis cette station, prendre l'autobus 189. Descendre à l'angle des rues Sherbrooke et Yves-Thériault. Suivre à pied la rue Yves-Thériault puis emprunter la rue Jovette-Bernier, qui mène jusqu'à l'entrée du parc. Renseignements : 514-AUTOBUS.

Infos : (514) 280-6691
www.ville.montreal.qc.ca/parcs-nature

Ce parc, le plus important ensemble marécageux de la ville de Montréal, ne vous laissera pas indifférent. Situé sur l'île Bizard, coincée entre le lac des Deux Montagnes et la rivière des Prairies, dans la partie nord-ouest de Montréal, l'endroit retient l'attention avec sa passerelle d'un demi-kilomètre qui surplombe un grand marécage où nichent le grand héron, le héron vert et de nombreuses espèces de canards. La passerelle est située dans le secteur Pointe-aux-Carrières. Ce secteur est également reconnu pour sa vue sur le lac des Deux-Montagnes et sa petite plage sablonneuse où la baignade est permise.

Ce parc d'environ 1,8 km², en forme d'étoile à trois pointes, abrite des érablières argentées et à hêtre ainsi qu'une cédrière. À voir selon la période de l'année : butors, hérons, canards, hirondelles, mais aussi rats-musqués communs, renards roux, castors du Canada et différentes tortues. Migration de bernaches et d'oies à l'automne et au printemps sur les bords du lac. Oublier ses lunettes d'approche serait vraiment dommage ! L'une des extrémités du parc (accessible par la rue Patenaude) est située près d'un traversier qui mène à Laval.

Pour sillonner le parc, vous avez le choix : 10 km pour la randonnée pédestre et le vélo, 20 km pour le ski de fond et 2,5 km pour la marche en hiver. Le parc est en grande partie boisé. Des activités ont lieu à longueur d'année. L'été, on peut se la couler douce sur le bord du lac des Deux Montagnes ou même s'y baigner (sauveteurs sur place en saison). Location d'embarcations, de vélos et de skis de fond. Aussi, quai et rampe de mise à l'eau. Joli belvédère. Les chiens sont interdits, même en laisse.

COUPS DE CŒUR

- ♥ Surplomber un marais qui grouille de vie en empruntant une passerelle en bois.
- ♥ Se promener à vélo ou à pied dans les forêts de feuillus du parc qui, même les week-ends, demeure relativement peu achalandé.

À FAIRE : Observation des oiseaux et interprétation de la nature à partir de pistes cyclables et de sentiers pour la marche (10 km), dont une magnifique passerelle d'un demi-kilomètre. En hiver, 20 km tracés pour le ski de fond. Baignade, pique-nique, etc.

SERVICES : Chalet d'accueil, toilettes et casse-croûte. Deux terrains de stationnement dans autant de secteurs. Animation. Expositions permanentes. Interprétation de la nature en autonomie ou avec guide. Aires de pique-nique. Location d'embarcations, de vélos et de skis de fond.

TARIFS : Droit d'accès gratuit, mais frais de stationnement de 5 $ par jour par véhicule. Carte des sentiers disponible au chalet d'accueil.

ACCÈS : De Montréal, sortie boulevard Saint-Jean Nord de l'autoroute 40 Ouest. Emprunter le boulevard Pierrefonds jusqu'au pont Jacques-Bizard, qu'il faut traverser. Le poste d'accueil du parc est situé au 2115, chemin Bord-du-lac. Les autres entrées (encore plus tranquilles) sont accessibles par la rue de l'Église et la rue Patenaude.

INFOS : (514) 280-8517
www.ville.montreal.qc.ca/parcs-nature

Montréal et Laval

237

On l'appelle «cap», car les trois quarts du parc sont entourés d'eau: par le lac des Deux Montagnes au nord et à l'ouest et par la rivière des Prairies à l'est. Légèrement plus vaste que celui de la Pointe-aux-Prairies, le parc-nature du Cap-Saint-Jacques est le plus grand du réseau (qui en compte six) avec une superficie de 2,7 km^2. Il est situé à côté de l'île Bizard. Le dépaysement est garanti. Le parc se trouve en pleine campagne. La ferme écologique, avec ses animaux et sa culture de légumes biologiques, en est une preuve irréfutable.

Au sud, le parc-nature du Cap-Saint-Jacques est longé par le boulevard Gouin, à Pierrefonds. Méconnu, l'endroit est fréquenté pour sa plage. Ses petites baies cachent des herbiers aquatiques, mais surtout des tortues, dont la tortue géographique, une espèce susceptible d'être désignée menacée ou vulnérable. Il est également possible d'observer le très effilé lépisosté osseux, un poisson d'eau douce qui se tient à la surface à la recherche de proies. Parmi les oiseaux recensés au parc, tant dans les zones marécageuses que dans les forêts matures, mentionnons: le grand pic, le grand héron, l'oriole de Baltimore et la sturnelle des prés. Tôt le matin, il est possible d'observer le cerf de Virginie. Détail anecdotique, une marmotte commune albinos a été aperçue à maintes reprises à l'été 2004.

Le parc offre aux amants de la nature 17 km de sentiers pédestres (six en hiver) avec de nombreux points de vue sur l'eau; 7 km pour le vélo et 32 km pour le ski de fond. L'été, avec la plage, la location d'embarcations, la rampe de mise à l'eau et le resto-terrasse, l'endroit bourdonne un peu plus d'activités. C'est sans compter la cabane à sucre, de même que la ferme écologique (ouverte toute l'année, elle compte notamment une collection d'animaux et une serre). Et comme si ce n'était pas assez: promenade en carriole, magasin général et base de plein air pouvant accueillir des groupes.

COUPS DE CŒUR

♥ Se relaxer dans les champs et les forêts qui composent ce parc situé en pleine nature.

♥ Fréquenter la magnifique plage de sable.

♥ Visiter la ferme biologique avec ses animaux et sa culture de légumes.

En un clin d'œil

À faire : Observation des oiseaux et interprétation de la nature à partir de sentiers pour la marche (17 km) et pour le vélo (7 km). En hiver, 32 km tracés pour le ski de fond. Baignade, pique-niques, etc. Visite d'une ferme.

Services : Chalet d'accueil, toilettes, magasin général, resto-terrasse et aires de pique-nique. Ferme écologique et base de plein air. Animation et exposition permanente (Havre aux tortues). Interprétation de la nature en autonomie ou avec guide. Plage surveillée en saison. Location d'embarcations et de skis de fond.

Tarifs : Droit d'accès gratuit, mais frais de stationnement de 5 $ par jour par véhicule. Carte des sentiers disponible au poste d'accueil. Ouvert à longueur d'année.

Accès : De l'autoroute 40, passé l'aéroport de Dorval vers l'ouest, prendre la sortie boulevard Saint-Charles (direction nord) jusqu'au boulevard Gouin (direction ouest). Le chalet d'accueil du parc est situé au 20099, boulevard Gouin Ouest, à Pierrefonds. On peut également s'y rendre en métro, à partie de la station Henri-Bourassa. Depuis cette station, prendre l'autobus 69 en direction ouest. Correspondre avec l'autobus 68 ouest au terminus de la rue Grenet. Se rendre jusqu'au terminus du circuit 68, où se trouve l'entrée du parc. Renseignements : 514-AUTOBUS.

Infos : (514) 280-6871
www.ville.montreal.qc.ca/parcs-nature

S ituée au nord du boulevard Henri-Bourassa, dans la très urbanisée zone de Saint-Laurent, cette forêt de 1,6 km^2 remplie de feuillus centenaires abrite l'un des derniers peuplements d'érables noirs au Québec. Une oasis de verdure qui arrive à point nommé pour qui cherche à fuir le vacarme de la grande ville. Le poste d'accueil se trouve à la Maison Pitfield, laquelle compte un magnifique jardin et un bassin d'eau.

Le parc-nature du Bois-de-Liesse est caractérisé par le ruisseau Bertrand, qui traverse le parc du nord au sud et se jette dans la Rivière-des-Prairies, dans le secteur dit de la Péninsule. Ce secteur a beaucoup à offrir : observation de la sauvagine (canards branchu, colvert, noir, etc.) et d'autres oiseaux aquatiques et de rivage, dont le grand héron. À noter : les anciennes huttes de castors du Canada. Au printemps, la carpe allemande et le meunier noir

viennent y frayer. De nombreux mammifères, dont le renard roux et le rat-musqué commun, fréquentent également le site.

Outre le secteur de la Péninsule, le parc-nature du Bois-de-Liesse compte deux zones marécageuses parsemées d'érables argentés et de frênes matures. Oiseaux, amphibiens et tortues figurent parmi les locataires de ces zones humides. À ne pas manquer : les élégantes passerelles japonaises en pleine forêt. Le parc est ouvert toute l'année. Pour découvrir l'ensemble du site : 11 km de sentiers pour la marche (3,5 km en hiver), 8 km pour le vélo (circuit patrimonial), 16 km pour le ski de fond, de même que 1 km pour la raquette. Sur place, location d'équipements pour les trois activités mentionnées précédemment. Glissade en hiver près de la Maison Pitfield. Le parc organise également, sur réservation, des programmes d'interprétation de la nature.

COUPS DE CŒUR

♥ Observer une faune et une flore diversifiées dans le secteur de la Péninsule, où le ruisseau Bertrand se jette dans la rivière des Prairies.

♥ Se promener dans l'une des dernières forêts d'érables noirs du Québec.

EN UN CLIN D'ŒIL

À FAIRE : Observation de la faune et de la flore à partir de sentiers pour la marche (11 km) et pour le vélo (8 km). En hiver, 16 km tracés pour le ski de fond et 1 km pour la raquette.

SERVICES : Chalet d'accueil, toilettes, casse-croûte et aires de pique-nique. Base de plein air (sur réservation). Animation et exposition permanente. Interprétation de la nature en autonomie ou avec guide. Location de vélos, de skis de fond et de raquettes.

TARIFS : Accès gratuit, mais frais de stationnement de 5 $ par jour par véhicule. Carte des sentiers disponible gratuitement à la Maison Pitfield.

ACCÈS : De l'autoroute 40, prendre la sortie boulevard Gouin. Le poste d'accueil du parc est situé à la Maison Pitfield, au 9432, boulevard Gouin Ouest, à Pierrefonds. Un autre terrain de stationnement est accessible par la rue Douglas-B.-Floreani. En métro, sortir à la station Henri-Bourassa. Depuis cette station, prendre l'autobus 69 en direction ouest. Correspondre avec l'autobus 68 Ouest au terminus de la rue Grenet. L'entrée du parc est située près du viaduc de l'autoroute 13. Renseignements : 514-AUTOBUS.

INFOS : (514) 280-6729
www.ville.montreal.qc.ca/parcs-nature

Montréal et Laval

241

Entre l'île Jésus, communément appelée île de Laval, et les basses Laurentides coule la rivière des Mille-Îles. Ce cours d'eau peu agité compte un archipel composé d'une centaine d'îles et de berges accessibles sur environ 40 km. Une partie de l'archipel (soit quelques îles, dont l'île des Juifs et l'île Darling) a été désignée refuge faunique par le gouvernement du Québec.

Tout comme l'archipel du lac Saint-Pierre, le parc de la rivière des Mille-Îles a parfois des airs de bayous de la Louisiane avec ses marécages et ses îles inondées au printemps. Les énormes érables argentés, servant de remparts contre les glaces à la fonte des neiges, mais aussi les marais, les herbiers aquatiques et les rapides (de faible débit), attirent quelque 230 espèces d'oiseaux. Parmi celles-ci : le grand héron (l'emblème aviaire du parc), la sterne pierregarin, le petit blongios (une espèce menacée) et le canard branchu, lequel niche sur place.

Le parc, dont le poste d'accueil principal est situé sur le boulevard Sainte-Rose, en face de l'île Gagnon, compte quelques espèces floristiques menacées, comme la carmantine d'Amérique. Peuvent également être observés sur place : vison d'Amérique, renard roux, rat-musqué commun, castor du Canada, etc. Une activité très courue à la brunante, la « randonnée au castor », permet de mieux connaître cet infatigable rongeur à queue plate. Les marécages de l'archipel sont également un site privilégié en mai et en juin pour la fraie de nombreuses espèces de gros poissons comme le brochet du Nord, le maskinongé et l'esturgeon jaune.

Les quelque 20 km de sentiers pédestres du parc sont répartis sur une poignée d'îles accessibles exclusivement en embarcation. Entre mai et septembre, le parc fait la location de canots, kayaks, rabaskas, chaloupes et pédalos. Carte de l'archipel (avec parcours autoguidé) vendue au poste d'accueil. Le courant est plutôt faible et la rivière peu profonde. Bref, il est donc relativement facile de sillonner les îles. Toujours entre mai et septembre, des croisières commentées sont organisées en ponton ou en canot rabaska. L'hiver, l'endroit offre un sentier pédestre de 1 km le long de la rivière, environ 15 km pour le ski de randonnée et moins de 10 km pour la raquette.

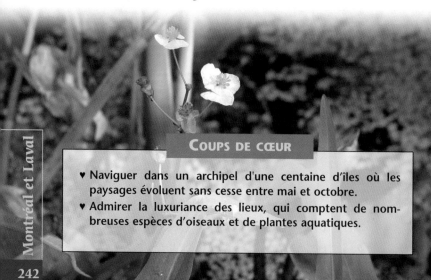

COUPS DE CŒUR

♥ Naviguer dans un archipel d'une centaine d'îles où les paysages évoluent sans cesse entre mai et octobre.

♥ Admirer la luxuriance des lieux, qui comptent de nombreuses espèces d'oiseaux et de plantes aquatiques.

À FAIRE : Observation de la faune et de la flore sur l'eau et par le biais d'un réseau de sentiers pédestres (20 km) sur les îles accessibles seulement en embarcation. Découvrir l'archipel en canot, kayak et pédalo. Ski de randonnée (15 km), raquette (10 km), glissade et patin.

SERVICES : Accueil avec toilettes. Exposition. Aires de pique-nique et de jeux. Location d'embarcations et rampe de mise à l'eau. Belvédères et passerelles. Service de croisières. Activités d'interprétation.

TARIFS : L'accès au parc et au réseau de sentiers pédestres est gratuit. Frais exigés pour la location d'embarcations pour accéder aux îles. Ouvert de la mi-mai à la mi-septembre et de la fin décembre à la mi-mars. Carte des îles disponible au poste d'accueil.

ACCÈS : De l'autoroute 15, qui traverse l'île Jésus du nord au sud, prendre la sortie boulevard Sainte-Rose. Le poste d'accueil est situé au 345, boul. Sainte-Rose en été et sur la rue Hotte en hiver.

INFOS : (450) 662-1020
www.parc-mille-iles.qc.ca

Montréal et Laval

Capsules nature

⑦ Parc des Rapides

Situé sur le bord du fleuve Saint-Laurent, dans la très historique région de Lasalle-Lachine, ce parc attire l'attention avec ses impressionnants rapides, les plus importants du fleuve. On y va aussi, et surtout, pour l'observation (entre mai et septembre) de l'une des plus grandes colonies visibles de grands hérons au Québec. En plein milieu des rapides, à environ 800 m du parc, se trouve en effet l'île aux Hérons. Cette île habitée, mais dont l'accès est limité, fait partie de l'archipel des îles des rapides. L'archipel a été désigné refuge d'oiseaux migrateurs et est géré par la Société de conservation de la nature du Québec. Près de 225 espèces d'oiseaux y ont été observées. Le parc des Rapides et son territoire de 1,2 km^2 est le seul endroit à partir duquel on peut faire de l'observation dans ce secteur. Ouvert toute l'année, du lever au coucher du soleil. Courts sentiers, belvédères et panneaux d'interprétation. Les rapides font la joie des kayakistes et des rafteurs. Le parc s'inscrit dans ce que la ville de Montréal a baptisé le Pôle des rapides, sorte de rendez-vous naturel, culturel, historique et sportif en bordure du Saint-Laurent, entre le Vieux-Port et Lachine. Le Pôle comprend des parcs, un réseau cyclable d'environ 100 km, des lieux historiques, un vieux marché, des musées, etc. L'entrée du parc est située au coin du boulevard LaSalle et de la 6e avenue. Infos : (514) 367-6351.

⑧ Parc-nature de l'Île-de-la-Visitation

Le plus petit des parcs-nature du réseau n'est pas nécessairement le moins intéressant. Tout en longueur en bordure de la rivière des Prairies, le parc-nature de l'Île-de-la-Visitation baigne dans un milieu à saveur hautement historique (bâtiments des 17e et 19e siècles, barrage hydro-électrique, etc.). La nature y est également généreuse. Avec ses trois bassins hydrographiques et sa chute, l'endroit attire plusieurs espèces de poissons (meunier noir, grand brochet, doré jaune, etc.) en quête d'aires de repos ou de fraie (en mai). À leur tour, les poissons attirent des oiseaux aquatiques à la recherche de nourriture. Le balbuzard pêcheur figure parmi les quelque 170 espèces d'oiseaux recensées au parc. Également digne de mention : les herbiers aquatiques le long de la rivière des Prairies. Outre la marche (6 km en été ; 9 km en hiver), le vélo et le patin à roues alignées (2,5 km), le parc offre 8 km de sentiers tracés pour le ski de fond et une butte pour la glissade. Aussi : chalet d'accueil, resto-terrasse, plage, etc. Le poste d'accueil est situé au 2425, boulevard Gouin Est. Entrée gratuite, mais stationnement payant (5 $ par jour par véhicule). Infos : (514) 280-6733.

⑨ Domaine Saint-Paul

Situé sur la très huppée Île-des-Soeurs, au sud de Montréal près du pont Champlain, ce petit parc d'à peine 26 hectares est l'un des sites ornithologiques les plus fréquentés de la région montréalaise. Caractérisé par une forêt humide typique des îles du Saint-Laurent (mais de plus

en plus rare à cause du développement urbain), le site abrite, selon la saison, plus d'une centaine d'espèces d'oiseaux, dont une importante population de hiboux et de chouettes, 27 espèces de parulines, de même qu'un nombre élevé d'autres passereaux, surtout au printemps. Le parc compte également un petit lac (lac des Battures) d'environ 5 hectares. Sentier pédestre d'environ 2 km, dont un petit segment sur pilotis. Ouvert toute l'année du lever au coucher du soleil. Entrée gratuite. Vélo interdit. Le terrain de stationnement officiel du parc est situé au Centre communautaire Edgar, 260, rue Edgar. En voiture, on s'y rend par les autoroutes 15 ou 10, sortie Île-des-Sœurs. Par métro, descendre à la station La Salle, puis prendre l'autobus 12.

Infos : (514) 765-7270.

10 Arboretum Morgan

Cette forêt de 245 hectares, propriété de l'Université McGill, mais accessible au public, est le plus important arboretum au Canada. Il abrite près de 150 essences d'arbres matures, feuillus et résineux confondus. Cette grande diversité attire son lot d'animaux. Plusieurs espèces d'oiseaux s'y reproduisent, dont quatre espèces d'oiseaux de proie nocturnes : grand-duc d'Amérique, petite nyctale, petit-duc maculé et chouette rayée. Tangara écarlate, grand pic, viréo de Philadelphie et quantité de parulines s'ajoutent à la liste des 200 espèces recensées sur place. Un grand nombre de mammifères et d'amphibiens fréquentent également l'arboretum et ses plans d'eau. En automne, les feuillus colorés sont un spectacle en soi. Le site, situé à Sainte-Anne-de-Bellevue, dans l'ouest de l'île de Montréal, se laisse découvrir par le biais d'un réseau de sentiers pédestres d'environ 10 km. Ouvert tous les jours de 9 h à 16 h. Poste d'accueil avec toilettes. Aire de pique-nique. Entrée payante. Vous pouvez amener votre chien si vous êtes membres des Amis de l'Arboretum. Les week-ends de janvier et de février, seuls ceux-ci ont accès au site. Pour s'y rendre : de l'autoroute 40, prendre la sortie 41 pour Sainte-Anne-de-Bellevue. Emprunter le chemin Sainte-Marie, puis le chemin des Pins vers le nord.

Infos : (514) 398-7811 ou www.arboretummorgan.org

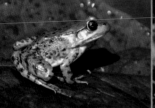

⑪ Ecomuseum

Ouvert toute l'année sauf le 25 décembre, ce parc faunique éducatif privé permet d'observer la faune et la flore indigènes de la vallée du Saint-Laurent. Sur environ 11 hectares, l'Écomuseum abrite plusieurs dizaines d'espèces d'animaux, depuis des mammifères jusqu'à des reptiles et des amphibiens en passant par des oiseaux et des poissons. Pavillon éducatif, volière géante, aquarium, étang et fosse à couleuvres sont autant d'installations qui s'offrent aux visiteurs et qui facilitent l'observation des animaux. Parmi ceux-ci : caribou des bois, renard roux, loutre de rivière, pygargue à tête blanche, faucon pèlerin et grand-duc d'Amérique. Visites guidées pour groupes de 12 personnes ou plus. Possibilité de visites de nuit. Aires de pique-nique intérieure et extérieure. Collations vendues sur place. Boutique-cadeaux. Ouvert tous les jours de 9 h à 17 h. Entrée payante. L'Écomuseum, parc géré par un organisme à but non lucratif, est situé à Sainte-Anne-de-Bellevue, au 21125, chemin Sainte-Marie. Sortie 41 de l'autoroute 40.
Infos : (514) 457-9449 ou www.ecomuseum.ca

⑫ Centre de la nature de Laval

Situé dans une ancienne carrière près du pont Pie IX, ce parc de 50 hectares offre la quiétude avec son lac, ses étangs, ses jardins, ses forêts d'érables à Giguère, ses ormes, ses vinaigriers, ses sentiers fleuris, sa ferme et sa serre horticole. L'endroit abrite également la piscine municipale, un parc de planche à roulettes, un mur d'escalade artificiel, etc. Bref, on peut s'y détendre ou s'y éclater. Plusieurs espèces d'oiseaux propres au milieu urbain fréquentent les lieux. Poste d'accueil avec toilettes. Aires de pique-nique et de jeux. Activités d'interprétation. Observatoire astronomique. Location d'embarcations et d'équipement sportif. Randonnée pédestre (7 km). En hiver : ski de fond, patin, raquette et glissade. Le centre de la nature est ouvert à longueur d'année (de 8 h à 23 h) ; le bâtiment d'accueil est ouvert de 9 h 30 à 16 h 30. Entrée gratuite, sauf pour les groupes. Toutefois, il faut prévoir 5 $ par véhicule pour le stationnement. Situé au 901, avenue du Parc, dans le quartier Saint-Vincent-de-Paul.
Infos : (450) 662-4942.

⑬ Bois Papineau

Situé à l'angle du boulevard Saint-Martin et de l'autoroute 19, ce parc d'un kilomètre carré est une forêt mature qui abrite notamment une hêtraie bicentenaire. L'endroit est également caractérisé par la présence de prairies et de marais, ce qui favorise une biodiversité faunique et florale. Oiseaux de proie (dont le grand-duc d'Amérique), mammifères (renard roux, raton laveur) et amphibiens fréquentent le bois Papineau. Sept kilomètres de sentiers qui se laissent parcourir à pied, en skis ou en raquettes. Activités d'interprétation de la nature. Poste d'accueil avec toilettes. Entrée gratuite. Ouvert toute l'année du lever au coucher du soleil. Situé au 3225, boulevard Saint-Martin.
Infos : (450) 662-4901.

⑭ Jardin botanique de Montréal

L'un des plus importants au monde, le jardin botanique de Montréal compte 22 000 espèces et cultivars de plantes, 10 serres d'exposition et plus de 30 jardins thématiques. L'endroit est à découvrir en toutes saisons. Ouvert tous les jours de l'année. Horaire à vérifier. Entrée payante. Situé au 4101, rue Sherbrooke Est (en face du stade olympique). Infos : (514) 872-1400 ou www.ville.montreal.qc.ca/jardin

⑮ Biosphère

Musée de l'eau consacré au fleuve Saint-Laurent et aux Grands Lacs. Documentaires, expositions, laboratoire et sentiers d'interprétation. Ouvert toute l'année. Horaire à vérifier. Entrée payante. Situé au 160, chemin Tour de l'Isle, sur l'île Sainte-Hélène, près du pont Jacques-Cartier. Infos : (514) 283-5000 ou www.biosphere.ec.gc.ca

En cas de pluie

⑯ Insectarium de Montréal

L'endroit idéal pour mieux connaître le monde fascinant des insectes. Impressionnante collection d'insectes des cinq continents. Exposition, animation et parfois même… dégustation. Ouvert à longueur d'année. Horaire à vérifier. Entrée payante. Situé au 4581, rue Sherbrooke Est.
Infos : (514) 872-1400 ou
www.ville.montreal.qc.ca/insectarium

⑰ Biodôme de Montréal

Zoo nouveau genre, le Biodôme propose une étonnante visite au cœur de quatre écosystèmes fort différents : la forêt tropicale, la forêt laurentienne, le Saint-Laurent marin et le monde polaire. La faune, la flore et les conditions climatiques de chaque écosystème sont reproduits avec fidélité. Visite sans guide. Panneaux d'interprétation. Entrée payante. Ouvert toute l'année. Situé au 4777, avenue Pierre-de-Coubertin, à deux pas du stade olympique.
Infos : (514) 868-3000 ou
www.ville.montreal.qc.ca/biodome

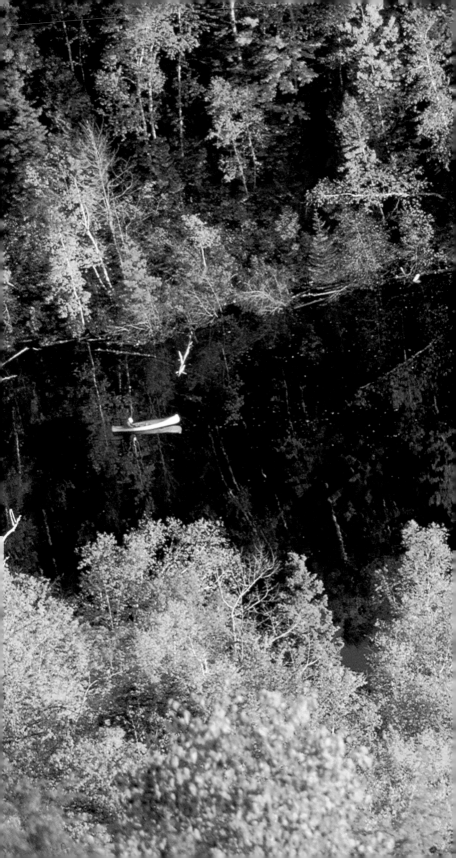

1 **Parc national de Plaisance**

2 **Parc de la Gatineau**

3 **Réserve faunique de la Vérendrye**

4 **Forêt La Blanche**

5 **Forêt de l'Aigle**

6 **Parc du Lac-Leamy**

7 **Parc du Lac-Beauchamp**

8 **Marais de Touraine**

9 **Parc Oméga**

10 **Centre d'interprétation du cerf de Virginie**

11 **Souvenirs sauvages**

12 **Aventure Laflèche**

13 **Musée canadien de la nature**

Outaouais

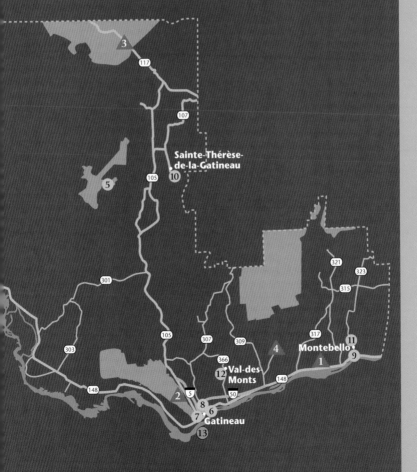

Les ornithologues amateurs sont choyés au parc national de Plaisance. Pas moins de 230 espèces d'oiseaux, dont 100 espèces nicheuses, ont été recensées sur ce territoire protégé qui longe la rivière des Outaouais. L'endroit grouille de vie surtout au printemps, alors que des quantités importantes de canards y font halte lors des migrations. Plus de 100 000 bernaches du Canada, l'animal emblème des lieux, transitent dans les environs de ce parc de 28 km², composé à 65 % de milieux humides. Plusieurs oiseaux de proie (pygargue à tête blanche, aigle royal, balbuzard pêcheur, buse à queue rousse, petite buse) peuvent aussi y être observés, plus particulièrement lors des migrations d'automne.

Parmi les visiteurs ailés plus rares, mais dont la présence est notable, se trouve le petit blongios, une espèce susceptible d'être désignée menacée ou vulnérable. Pas moins de 22 couples nicheurs de cette espèce ont déjà été répertoriés au parc lors d'un recensement. À l'époque, cela représentait la moitié de la population du petit blongios au Québec. Depuis, un plan de suivi a été mis en place par les gardiens du parc.

On y retrouve aussi beaucoup de castors du Canada (le parc occupe le deuxième rang au Québec pour la densité de la population de cet animal) et quelque 1800 huttes de rats-musqués communs. Pour mesurer toute la richesse du marais, empruntez le sentier d'interprétation La Zizanie. La présence abondante du célastre grimpant, qui s'agrippe aux arbres en bordure des plans d'eau, rappelle les bayous de la Louisiane. En juillet, le marais en fleurs est spectaculaire. Les forêts du parc sont composées, entre autres, de chênes, de noyers et d'érables.

Le parc peut être découvert en canot, en kayak ou en rabaska, entre autres dans le cadre de randonnées d'interprétation. Il peut aussi être parcouru à pied (jusqu'à présent, une dizaine de kilomètres de sentiers ont été aménagés) ou à vélo (16 km). L'avantage du vélo est qu'il permet de traverser différents écosystèmes en peu de temps : forêt, marécage, champs en friche, etc. L'endroit compte une centaine de sites de camping et une piscine. Plaisance est le plus jeune parc du réseau québécois. Il est par conséquent en période de développement intensif.

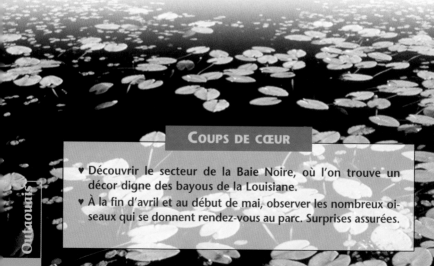

COUPS DE CŒUR

♥ Découvrir le secteur de la Baie Noire, où l'on trouve un décor digne des bayous de la Louisiane.

♥ À la fin d'avril et au début de mai, observer les nombreux oiseaux qui se donnent rendez-vous au parc. Surprises assurées.

Outaouais

EN UN CLIN D'ŒIL

À FAIRE : Environ 10 km de randonnée pédestre et 16 km pour le vélo. Activités d'interprétation de la nature, de la fin juin au début septembre. Activités nautiques. Baignade dans la piscine du terrain de camping. En hiver : raquette et ski de fond hors piste.

SERVICES : Poste d'accueil et toilettes. Machines distributrices, location d'embarcations (canots, kayaks et chaloupes) et de vélos. Aires de pique-nique et terrain de camping.

TARIFS : Droits d'accès quotidien en vigueur dans les parcs nationaux : 3,50 $ par adulte et 1,50 $ par enfant. Droits d'accès annuel. Prix pour familles et groupes. Frais supplémentaires pour certaines activités. Carte des sentiers et journal du parc gratuits au poste d'accueil.

ACCÈS : De Montréal, prendre l'autoroute 50, puis la route 148, direction Plaisance. Suivre les panneaux indicateurs.

INFOS : (819) 427-5334, 1-877-752-4726
www.sepaq.com

Outaouais

Situé à 20 minutes du Parlement d'Ottawa, le parc de la Gatineau occupe une place prépondérante en Outaouais. Son territoire de 363 km² présente plusieurs points d'intérêt. À commencer par sa faune, parmi laquelle on retrouve 230 espèces d'oiseaux, dont 18 sont susceptibles d'être désignées menacées ou vulnérables comme l'aigle royal et la chouette lapone. Le parc compte également deux héronnières.

Même diversité du côté des mammifères. Sur la cinquantaine d'espèces identifiées au parc, 13 sont susceptibles d'être désignées menacées ou vulnérables, dont le carcajou et la chauve-souris argentée. On y retrouve une importante population de cerfs de Virginie, de castors du Canada (environ 2000), d'ours noir (200), ainsi qu'une meute de loups gris. Plusieurs espèces de reptiles et d'amphibiens, certaines rares au Québec (couleuvre d'eau, tortue des bois, tortue mouchetée, salamandre à quatre orteils), peuvent aussi être identifiées.

Dans ces conditions, il va de soi que la flore des lieux est tout aussi riche. Là encore, on y retrouve quantité de plantes et d'arbres menacés ou vulnérables au Québec.

Plusieurs de ces plantes croissent sur l'un des sites les plus intéressants du parc : l'escarpement d'Eardley. Orientée sud-ouest, la falaise jouit d'un micro-climat. La plus importante population de genévrier de Virginie au Québec s'y trouve. C'est aussi à cet endroit que les cerfs de Virginie passent l'hiver.

Outre l'observation de la faune et de la flore, les activités abondent au parc de la Gatineau. L'hiver venu, l'endroit est l'un des plus importants centres de ski de fond en Amérique du Nord avec son réseau de 200 km. On y pratique aussi la raquette et le camping d'hiver. Le reste de l'année, 165 km de randonnée pédestre pour tous les goûts attendent les marcheurs. Le sentier du mont King (344 m) offre plusieurs points de vue sur la vallée de l'Outaouais. Aussi : 90 km de pistes de vélo, baignade, camping et canot-camping. Également à découvrir : plusieurs phénomènes naturels dignes d'intérêt comme le lac Pink (un lac de coloration verte) et la caverne Lusk.

Il est aussi possible de visiter le vaste domaine Mackenzie-King, résidence d'été et refuge de l'ancien premier ministre du Canada. Magnifiques jardins sur place.

COUPS DE CŒUR

♥ Découvrir les nombreuses espèces fauniques et florales du parc, dont plusieurs sont susceptibles d'être désignées menacées ou vulnérables.

♥ Emprunter le sentier du Mont King, d'une longueur de 2,5 km (environ 60 min) pour avoir un coup d'œil sur la vallée de l'Outaouais.

À FAIRE : Réseau de sentiers de 165 km pour la randonnée pédestre, 90 km pour le vélo, baignade, canot-camping, équitation, pique-nique. L'hiver : 200 km pour le ski de fond, 25 km pour la raquette. Été comme hiver : séjours en refuge et camping. Les initiés pratiquent le deltaplane et le parapente à partir du belvédère Champlain (se renseigner avant de s'y rendre).

SERVICES : Poste d'accueil et toilettes. Nombreuses activités d'interprétation de la nature, exposition, restauration au secteur du lac Philippe, location de matériel (embarcations, vélos de montagne, skis de fond, raquettes), aires de pique-nique.

TARIFS : L'accès aux sentiers est gratuit, mais le tarif est de 8 $ pour la plupart des terrains de stationnement, sauf celui du centre des visiteurs. Autres frais, notamment pour le ski de fond. L'accès au domaine Mackenzie-King coûte 8 $ par voiture. Carte des sentiers vendue 4,95 $ au centre d'accueil des visiteurs.

ACCÈS : Le centre des visiteurs est situé au 33, chemin Scott à Chelsea. Autoroute 5, sortie 12.

INFOS : (819) 827-2020, 1-800- 465-1867
www.capitaleducanada.gc.ca/gatineau

Outaouais

Royaume du canot-camping avec son réseau de 800 km, la réserve faunique de la Vérendrye pullule de plans d'eau. L'endroit compte quelque 4000 lacs, des dizaines de rivières et deux importants réservoirs : Dozois et Cabonga. On retrouve entre autres dans cet immense réseau hydrographique le doré jaune, le brochet du nord, le touladi et l'achigan à petite bouche.

S'étendant sur les régions de l'Outaouais et de l'Abitibi, ce gigantesque territoire de 13 000 km^2 permet la pratique d'activités variées de plein air et d'observation. Au total, les randonneurs ont accès à 12 km de sentiers, chacun d'une longueur variant de 1 à 2 km et tous de niveau facile. Par exemple, le sentier d'interprétation de la Forêt mystérieuse du lac de la Vieille a pour attrait des plantes insectivores en pleine tourbière. Nombreuses informations sur le phénomène des tourbières. Les panneaux d'interprétation du sentier des Chutes du lac à Roland informent sur l'adaptation des animaux et des plantes à leur milieu.

S'il y a quelques années, les visiteurs étaient presque assurés de croiser un orignal, ce dernier se fait plus discret, même si la population y est encore importante. Les forêts de la réserve sont composées de feuillus au sud et de conifères au nord. Elles abritent une quarantaine d'espèces de mammifères, dont le cerf de Virginie, l'ours noir, le loup gris, le castor du Canada et la martre d'Amérique ainsi que plus de 150 espèces d'oiseaux, comme la gélinotte huppée et le tétras du Canada.

Le poste d'accueil du secteur sud présente une exposition permanente avec animaux naturalisés. La réserve compte 47 terrains de campings (plus de 1250 sites). Il est aussi possible d'y louer des chalets. Plage en bordure du lac Jean-Paré. Le centre de service Le Domaine offre entre autres des activités d'animation et des aires de jeux ainsi que des services de restauration et de location d'embarcations. N'oubliez pas que vous êtes sur un territoire de chasse et de pêche.

COUPS DE CŒUR

- ♥ Découvrir le sentier d'interprétation de la Forêt mystérieuse et ses plantes insectivores.
- ♥ Explorer la faune et la flore aquatiques sur les innombrables plans d'eau.

En un clin d'œil

À FAIRE : Canot-camping (800 km), randonnée pédestre (12 km), interprétation de la nature et baignade.

SERVICES : Services de restauration, de dépanneur et de location d'embarcations au Domaine. Aussi à cet endroit, animation, aire de jeux et poste d'essence. 1250 sites de camping et 36 chalets à louer. Exposition (secteur sud).

TARIFS : Pas de droits d'accès, mais des frais peuvent être imposés selon les activités. Carte de la réserve gratuite au poste d'accueil.

ACCÈS : La route 117 traverse la réserve. Il y a des postes d'accueil, entre autres aux accès nord et sud. Ceux-ci sont ouverts de mai à septembre.

INFOS : (819) 438-2017
www.sepaq.com

La forêt ancienne La Blanche propose une visite au cœur de sept écosystèmes forestiers exceptionnels, dont au moins deux sont plus faciles à observer à partir du réseau de sentiers pédestres. On y voit par exemple des arbres, comme un bouleau jaune (merisier), qui ont atteint l'âge vénérable de 350 ans. À l'automne 2004, le gouvernement du Québec a accordé le statut de réserve écologique à cette forêt qui est composée en bonne partie de feuillus, entre autres d'érables à sucre et de hêtres à grandes feuilles. Pas étonnant que des plantes menacées ou vulnérables, comme le ginseng à cinq folioles ou l'ail des bois, poussent librement dans cet environnement.

Une trentaine de lacs sont dispersés sur le territoire de la forêt, mais seuls sept d'entre eux sont accessibles par les sentiers. Ils attirent le grand héron, le plongeon huard ainsi que différentes espèces de canards. Au total, 168 espèces d'oiseaux ont été dénombrées dans la forêt La Blanche, aussi connue sous le nom de Centre éducatif forestier de l'Outaouais. Parmi elles : la populaire mésange à tête noire, mais aussi le sizerin flammé et la paruline azurée, une espèce susceptible d'être désignée menacée ou vulnérable. Présence d'une héronnière.

Les gros mammifères comme le cerf de Virginie, l'orignal et l'ours noir sont présents dans cette forêt de 20 km^2 qui offre 15 km de sentiers pour la randonnée pédestre. La grande majorité des sentiers sont faciles, même pour les tout-petits. Des panneaux d'interprétation sont aménagés le long des sentiers. Des activités sont organisées pour les groupes scolaires, mais aussi de façon ponctuelle les week-ends en saison pour le grand public. Consulter l'horaire. Un petit musée présente différentes expositions sur la forêt. Le site, géré par un organisme sans but lucratif depuis 1998, est ouvert à longueur d'année. L'hiver, on y pratique le ski nordique (14 km) et la raquette (7 km). Il faut obligatoirement s'inscrire au pavillon d'accueil avant d'aller dans les sentiers.

COUPS DE CŒUR

- ♥ Voir un bouleau jaune de 350 ans en bordure d'un sentier.
- ♥ Admirer l'explosion de couleurs des feuillus à l'automne.
- ♥ Découvrir le musée et ses expositions sur la forêt.

- **À faire :** Randonnée pédestre (15 km, faciles), ski nordique (14 km), raquette (7 km). Interprétation de la nature.

- **Services :** Bâtiment d'accueil et toilettes. Activités d'interprétation. Location de raquettes. Aire de pique-nique. Musée. Vente de rafraîchissements et de collations.

- **Tarifs :** 3 $ par adulte et 2 $ par enfant. L'été, le site est ouvert de 9 h à 20 h. Du début septembre à la fin mai, le site est ouvert les vendredis, samedis, dimanches et lundis, de 9 h à 17 h. Une carte des sentiers est disponible gratuitement au poste d'accueil.

- **Accès :** La Forêt La Blanche est située au 300, chemin Saddler, à Mayo. On y accède par la route 315, dans les environs de Buckingham.

- **Infos :** (819) 281-6700
  www.lablanche.ca

Outaouais

Capsules nature

⑤ Forêt de l'Aigle

Les pins dominent à la Forêt de l'Aigle, située à Messines. Ils occupent plus de 60 % du territoire et on peut les admirer de façon originale, c'est-à-dire en les observant du haut des airs, à partir d'un «sentier» suspendu. Ouvert de mai à novembre (et sur réservation), celui-ci permet un coup d'œil étonnant sur cette forêt de 140 km². D'autres sentiers, au sol, permettent d'observer l'une ou l'autre des 110 espèces d'oiseaux identifiées dans la Forêt de l'Aigle. Plus rare à certains endroits au Québec, la paruline des pins y est très présente, tout comme le tétras du Canada. Certains sentiers, dont le Marais (5 km), le Hibou (2,6 km) et le Barrage (4,1 km) favorisent l'auto-interprétation. Les dépliants explicatifs sont disponibles au pavillon Black Rollway. Différents belvédères sont aménagés. Autres activités possibles : visites guidées pour les groupes, camping, canot-camping sur la rivière de l'Aigle. Le pavillon Black Rollway possède un dortoir, un restaurant et une station d'essence. Des chalets sont aussi offerts en location. L'hiver, la raquette et la motoneige y sont très populaires. Port du dossard orangé pendant la saison de chasse (en automne). À 330 km de Montréal, la Forêt de l'Aigle est accessible par la route 105. Environ 50 km de sentiers sont réservés aux VTT.
Infos : (819) 449-7111 ou www.cgfa.ca

⑥ Parc du Lac-Leamy

Le parc du Lac-Leamy est un immense espace vert urbain qui appartient en bonne partie à la Commission de la capitale nationale, mais également, entre autres, à la ville de Gatineau et à une filiale de Loto-Québec. Situé sur un site archéologique, il est accessible à divers endroits. Très prisés des ornithologues amateurs, les lieux abritent quelque 190 espèces d'oiseaux, particulièrement des passereaux. Aussi présents : le canard branchu, le grand pic et le grand-duc d'Amérique. Mangeoires et nichoirs sur place. L'écureuil noir, le castor du Canada et le rat-musqué commun y sont également observés. Le lac compte une intéressante végétation aquatique et des frayères sur son pourtour. La Ville de Gatineau exploite dans son secteur un centre de plein air, de même qu'un service de location : canots, kayaks, rabaskas, patins à roues alignées, vélos, skis de fond, raquettes et patins. Parmi les autres choses à faire au Parc du Lac-Leamy : baignade, activités nautiques, randonnée pédestre, vélo et piques-niques. L'hiver, les lieux sont fréquentés par les fondeurs, les raquetteurs et les promeneurs. Service de restauration.
Infos : 1-800-465-1867 ou au centre de plein air, (819) 595-8132.

⑦ Parc du Lac-Beauchamp

Avec un lac, des marais et une forêt, le parc du Lac-Beauchamp est l'un des sites privilégiés de Gatineau, où les observateurs d'oiseaux se donnent rendez-vous. Le Club des ornithologues de l'Outaouais qualifie d'ailleurs l'endroit de «joyau naturel». Selon les recensements effectués, le site compte quelque 160 espèces d'oiseaux, dont certaines y nichent,

comme le canard noir, l'épervier brun, le martin-pêcheur d'Amérique et le chevalier grivelé. Le parc, propriété de la ville de Gatineau, a une superficie de 172 hectares. On y retrouve une forêt mixte et un réseau de sentiers pour la randonnée pédestre. L'accès est gratuit. Plusieurs activités au programme en toutes saisons : piques-niques, baignade, promenade en embarcation (canot, kayak, pédalo), ski de randonnée, glissade, raquette et patin. Pavillon principal sur le site. Le parc est situé au 745, boulevard Maloney Est (route 148).
Infos : (819) 669-2548.

⑧ Marais de Touraine

Si vous êtes de passage à Gatineau, pourquoi ne pas faire un saut au marais de Touraine, une minuscule zone humide de moins d'un kilomètre carré qui réserve néanmoins des surprises. Le Club des ornithologues de l'Outaouais a contribué aux aménagements réalisés par les autorités municipales il y a quelques années. C'est le gonflement d'un ruisseau qui sépare deux quartiers qui est à l'origine du marais, lieu de prédilection de la sauvagine. L'endroit compte deux sites d'observation. Sitelle à poitrine rousse, tangara écarlate, chouette rayée et butor d'Amérique, entre autres, y sont observés fréquemment. Il est aussi très facile d'y croiser quelques canards. On accède au marais par l'escalier situé à l'arrière du terrain de stationnement de l'école secondaire l'Érablière, à Gatineau, ou par le sentier récréatif qui se trouve à l'extrémité de la rue Rayol.
Infos : Ville de Gatineau ou http://coo.ncf.ca/

⑨ Parc Oméga

Zieuter un orignal ou un bison par la fenêtre de sa voiture, c'est entre autres ce que permet de vivre le parc Oméga. Un circuit de 10 km en voiture offre aux visiteurs la possibilité de s'approcher des quelques dizaines d'espèces d'animaux qui vivent dans le parc. Trois sentiers pédestres. Ouvert toute l'année. Entrée payante. Casse-croûte, boutique, aire de pique-nique. Situé route 323 Nord, à Montebello.
Infos: (819) 423-5487 ou www.parc-omega.com

⑩ Centre d'interprétation du cerf de Virginie

Aménagé dans l'un des plus importants ravages de cerfs de Virginie au Québec, ce centre permet d'en apprendre davantage sur ce gracieux animal. Plus d'une quinzaine de kilomètres de sentiers pédestres. Présentation multimédia. Visites autoguidées et commentées. Aires de pique-nique. Camping sauvage. Ouvert toute l'année, sauf durant la saison de la chasse. Situé au 2, chemin du Barrage, à Sainte-Thérèse-de-la-Gatineau.
Infos: (819) 449-6666.

⑪ Souvenirs sauvages

Les ours noirs vous fascinent et vous intriguent? Voilà une bonne occasion de mieux les connaître et surtout de les observer. Souvenirs sauvages organise à Montebello des safaris photo à l'ours noir dans un mirador surélevé (et protégé des moustiques) en compagnie de guides expérimentés. Tous les jours de mai à septembre. Tarification.
Infos: (819) 986-6877 ou www.souvenirssauvages.com

⑫ Aventure Laflèche

Un parc aérien (de type arbre en arbre) et de la spéléologie au même endroit, c'est ce que propose Aventure Laflèche. Après avoir flirté avec les cimes des arbres, les visiteurs sont invités à explorer l'une des plus grandes grottes naturelles du Bouclier canadien. Réservations nécessaires. Entrée payante. Situé au 255, route Principale, à Val-des-Monts.
Infos: 1-877-457-4033 ou www.aventurelafleche.ca

En cas de pluie

13 Musée canadien de la nature
Situé à Ottawa, sur l'autre rive de la rivière des Outaouais, ce musée est un incontournable pour quiconque s'intéresse aux sciences naturelles. Expositions sur la terre, les dinosaures, les oiseaux, les mammifères, etc. Visites guidées, cinéma, ateliers, conférences. Vaste projet de rénovation en cours jusqu'en 2009. Vérifier la programmation. Entrée payante. Situé au 240, rue McLeod.
Infos : 1-800-263-4433 ou www.nature.ca

Outaouais

1 Parc national de la Jacques-Cartier

2 Réserve faunique de Portneuf

3 Réserve nationale de faune du Cap Tourmente

4 Domaine Maizerets

5 Réserve faunique des Laurentides

6 Forêt Montmorency

7 Réserve naturelle des Marais-du-Nord

8 Marais Léon-Provancher

9 Centre d'interprétation du parc de la Falaise et de la chute Kabir Kouba

10 Canyon Sainte-Anne

11 Site d'interprétation et de plein air Les Sept Chutes

12 Jardin Roger-Van den Hende

13 Jardin zoologique du Québec

14 Parc Aquarium du Québec

15 Parc de la Chute-Montmorency

16 Musée de géologie René-Bureau

Québec

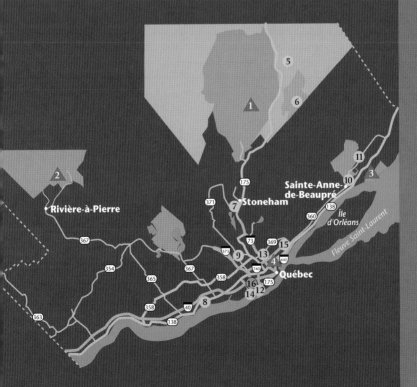

Un panorama saisissant vous attend à ce parc national situé à 30 minutes de Québec. Car c'est au creux d'un spectaculaire encaissement rocheux de 550 m que coule la rivière Jacques-Cartier, l'âme des lieux. Étendu sur 670 km², ce territoire situé dans le massif des Laurentides est le royaume de l'orignal, l'animal emblème du parc. Les chances d'observer cet imposant mammifère sont d'ailleurs bonnes, particulièrement aux abords de la rivière Jacques-Cartier. Fait inusité pour cette région, l'orignal partage le territoire avec deux autres membres de la famille des cervidés : le cerf de Virginie et le caribou des bois. Il est également possible de croiser renard roux, loutre de rivière, ours noir et loup gris. Plus d'une centaine d'espèces d'oiseaux y ont été recensées. Les multiples ressources de la rivière attirent entre autres la chouette rayée et le balbuzard pêcheur.

Trois types de forêts se succèdent dans le parc : feuillus (dans la vallée), mixte (de 400 à 650 m) et boréale (à plus de 700 m d'altitude).

Les randonneurs peuvent découvrir cet étagement de la végétation en parcourant le réseau de sentiers pédestres de 100 km. Les Loups (10 km aller-retour) est l'un des sentiers les plus fréquentés pour les points de vue qu'il offre. L'Éperon (une boucle de 5,5 km) mérite aussi d'être découvert. Trois sentiers d'interprétation : le Confluent, l'Aperçu et Sautauriski.

L'activité de prédilection demeure cependant la descente de la rivière (26 km). La Jacques-Cartier est reconnue comme rivière-école pour le canot et le kayak. Randonnées d'une ou deux journées possibles. Les moins expérimentés pourront contourner les passages plus agités de la rivière en empruntant des sentiers de portage. Le canot est également accessible aux familles (taux de location à l'heure). Aussi au programme : canot-camping et vélo de montagne (167 km). L'hiver, 21 km de raquette et 55 km de ski nordique (courtes et longues randonnées). Traîneau à chiens. Hébergement en camping, chalet ou tente de prospecteur.

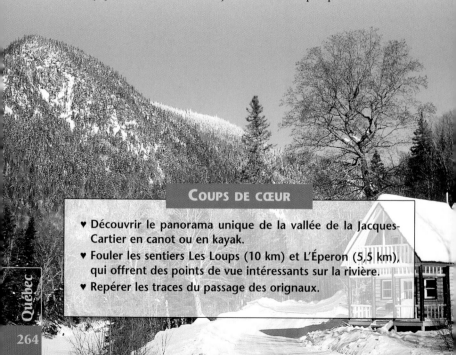

COUPS DE CŒUR

- ♥ Découvrir le panorama unique de la vallée de la Jacques-Cartier en canot ou en kayak.
- ♥ Fouler les sentiers Les Loups (10 km) et L'Éperon (5,5 km), qui offrent des points de vue intéressants sur la rivière.
- ♥ Repérer les traces du passage des orignaux.

En un clin d'œil

🚶 **À faire :** Canot, kayak, canot-camping, randonnée pédestre (100 km), interprétation de la nature, vélo de montagne (167 km). L'hiver : raquette (21 km), ski nordique (55 km) de courte ou de longue randonnée. Traîneau à chiens.

🏠 **Services :** Bâtiment d'accueil, toilettes, restauration légère, location d'embarcations (canots, kayaks, mini-rafts), boutique nature, service de navette et de transport de bagages (l'hiver), exposition, activités d'interprétation de la nature.

💲 **Tarifs :** 3,50 $ par adulte et 1,50 $ par enfant. Frais supplémentaires pour l'hébergement, la location d'embarcations, etc. Prix pour familles et groupes. Droits d'accès annuels. Le parc est ouvert à longueur d'année. Carte-renseignements vendue 3 $ au poste d'accueil.

🚗 **Accès :** Par la route 175. Le parc est situé à environ 40 km de Québec.

ℹ️ **Infos :** (418) 890-6527, 1-800-665-6527
www.sepaq.com

La chasse et la pêche ne sont plus les seules activités qui font la réputation des réserves fauniques du Québec. À preuve, le plein air et l'observation de la nature en famille constituent actuellement la moitié du menu offert aux visiteurs de la réserve de Portneuf, un territoire de 775 km^2 qui compte 375 lacs et 11 rivières.

La population d'orignaux y est en augmentation depuis quelques années. Les derniers recensements font état de 4,5 orignaux par tranche de 10 km^2. Il n'est pas rare d'apercevoir, en bordure des plans d'eau, ce mammifère, également appelé élan du Canada. Au printemps, dans certains secteurs, il est possible d'observer des ours noirs. Ces derniers sont appâtés, les femelles et les oursons en particulier, question de les éloigner des chalets et du camping du lac Bellevue. Aucune activité n'est organisée ; les observations d'ours se font sans guide. Informations disponibles au poste d'accueil. Les coyotes et les renards, à la recherche de nourriture, fréquentent aussi ces sites.

Parmi les autres observations possibles : gélinotte huppée, tétras du Canada, héron vert, plongeon huard, canard branchu, petite nyctale et bruant à gorge blanche. La réserve offre environ 10 km de sentiers balisés (et faciles) pour la randonnée pédestre. Parmi les principaux points d'attraits : les chutes de la Marmite et du lac Manchot, ainsi que le sentier de la Coulée Creuse (2,5 km, facile). Vue sur les montagnes. Le secteur situé à l'est de la rivière Batiscan est par ailleurs plus montagneux et présente des parois d'escalade pour les grimpeurs chevronnés, tandis que celui qui se trouve à l'ouest est plus propice aux observations.

L'été, il est possible de camper à l'un des quelque 50 sites du camping du lac Bellevue. Aussi à faire : baignade, canot-camping (65 km, de niveaux débutant à expert) et descente en bateau pneumatique. L'hiver, le réseau de 50 km de sentiers pour le ski de fond est entretenu. Le ski nordique avec coucher en refuge est possible. La raquette (9 km), la glissade sur pneumatique et le patin complètent les activités offertes. Location d'une quarantaine de chalets.

COUPS DE CŒUR

♥ Découvrir les chutes de la réserve : de la Marmite et du lac Manchot.
♥ Apprécier la tranquillité du secteur du lac Travers.
♥ Emprunter le sentier de la Coulée Creuse pour le point de vue sur les montagnes.

EN UN CLIN D'ŒIL

À FAIRE : Randonnée pédestre (10 km), baignade, canot-camping (65 km), descente en bateau pneumatique, escalade. Ski de fond (50 km), ski nordique avec coucher en refuge, raquette (9 km), glissade sur pneumatique et patin durant l'hiver.

SERVICES : Poste d'accueil et toilettes. La location de canots et de chaloupes est possible au camping du lac Bellevue. Aussi sur place : vente de glace, de bois de chauffage et d'eau de source. Casse-croûte en hiver à l'entrée de la réserve. Location de chalets.

TARIFS : Entrée gratuite, mais des frais sont imposés pour les activités pratiquées. Carte des sentiers disponible au poste d'accueil.

ACCÈS : De Québec, emprunter l'autoroute 40, direction ouest, sortie 281. Suivre la route 365 Nord jusqu'à Saint-Raymond, puis la route 367 Nord jusqu'à Rivière-à-Pierre. De Montréal, emprunter l'autoroute 40 en direction est et prendre la sortie 254. Suivre la route 354 Est jusqu'à Saint-Raymond, puis route 367 Nord jusqu'à Rivière-à-Pierre.

INFOS : (418) 323-2021
www.sepaq.com

Québec

S ite Ramsar (zone humide d'importance internationale), la réserve nationale de faune du Cap Tourmente est reconnue pour les milliers d'oies des neiges qui y font halte pendant leurs migrations. Cela dit, la réserve, créée en 1969, permet également plusieurs autres observations intéressantes en toutes saisons.

Près de 300 espèces d'oiseaux y ont été recensées, dont la chouette lapone et le faucon pèlerin, une espèce vulnérable. Un couple de faucons niche depuis plusieurs années dans la falaise qui fait face au fleuve Saint-Laurent. Le colibri à gorge rubis se laisse observer à loisir près du centre d'accueil, où se trouvent des abreuvoirs à son attention. L'été, environ 150 nichoirs sont à la disposition de l'avifaune. Les oiseaux qui passent l'hiver ici peuvent se nourrir à l'une des 40 mangeoires aménagées pour le plaisir des randonneurs qui fréquentent l'endroit.

Le passage des oies des neiges demeure cependant un objet de fascination pour petits et grands.

Plus nombreuses à l'automne (à la mi-octobre) qu'au printemps, les oies se nourrissent de scirpe d'Amérique, un végétal présent en grande quantité en bordure du fleuve. N'oubliez pas vos jumelles. Il est possible d'en louer au poste d'accueil. Toutefois, quelques lunettes d'approche sont à la disposition de tous dans la cache face au marais, au bout du sentier Bois-Sent-Bon.

La diversité du Cap Tourmente se manifeste aussi dans les bois, où 22 types de peuplements forestiers ont été dénombrés. L'ours noir, le vison d'Amérique, le cerf de Virginie et le porc-épic y sont présents. Les lieux se laissent découvrir par le biais d'un réseau de sentiers de 20 km. Un belvédère au sommet de la falaise (150 m) offre un point de vue sur le majestueux fleuve Saint-Laurent et ses îles. Des visites guidées sont possibles. Des activités d'interprétation sont organisées de façon ponctuelle. À l'accueil, le chic centre d'interprétation présente une exposition sur les oies des neiges et sur la vie dans les différents écosystèmes de la réserve (marais, plaines et forêts).

COUPS DE CŒUR

- ♥ Parcourir le sentier Bois-Sent-Bon, qui mène du poste d'accueil au fleuve Saint-Laurent, pour découvrir les multiples visages des lieux.
- ♥ Observer les milliers d'oies des neiges se restaurer avant de reprendre leur route.
- ♥ Grimper le sentier de la Falaise et admirer le paysage depuis le belvédère.

EN UN CLIN D'ŒIL

À FAIRE : Observation des oies des neiges, présentes en grand nombre lors des flux migratoires, mais aussi l'une des 300 espèces d'oiseaux répertoriées sur la réserve. Randonnée pédestre (20 km).

SERVICES : Poste d'accueil et centre d'interprétation (avec toilettes), service de restauration légère, aire de pique-nique, exposition, présentations audio-visuelles, activités d'interprétation. Location de jumelles.

TARIFS : 6 $ par adulte, 5 $ pour les jeunes de 13 ans ou plus, gratuit pour les enfants de moins de 13 ans. Carte des sentiers gratuite au poste d'accueil. Le site est ouvert toute l'année, mais le centre d'interprétation est ouvert d'avril à octobre.

ACCÈS : La réserve nationale de faune du Cap Tourmente est située au 570, chemin du Cap-Tourmente, à Saint-Joachim. Pour y accéder, emprunter la route 360 à partir de la route 138.

INFOS : (418) 827-4591
www.qc.ec.gc.ca/faune/faune/html/rms_ct.html.

Québec

Le Domaine Maizerets est une oasis de verdure située en plein cœur de Québec, dans le quartier Limoilou. Propriété du Séminaire de Québec durant plus de 250 ans, le domaine, qui avait une vocation agricole au départ, a été acquis par la Ville de Québec en 1979. Celle-ci a conservé les 27 hectares de végétation et entrepris de restaurer les bâtiments qui témoignent du riche passé des lieux, comme la grange-étable et la chapelle.

Le Domaine Maizerets a de quoi étonner avec sa petite île Saint-Hyacinthe, sa zone marécageuse, ainsi que son arboretum de près d'un millier d'arbres, 15 000 arbustes et quantité de vivaces. À ne pas manquer : la volière à papillons, ouverte de la mi-juin au début septembre. Des dizaines d'espèces indigènes et des papillons à différents stades de développement (chenilles, chrysalides, etc.) se trouvent sous un même toit. La fin de la saison estivale est marquée par une envolée de monarques, qui entreprennent leur longue migration vers le Sud. Ce grand parc compte aussi un jardin d'eau et un labyrinthe végétal.

Si les mammifères qu'on y retrouve n'étonnent pas tellement par leur diversité (raton laveur, écureuil, etc.), il en va autrement du côté des oiseaux. Plus d'une centaine d'espèces ont été identifiées. Parmi les visiteurs ailés qui retiennent l'attention : le harfang des neiges (en hiver), la petite nyctale, la petite buse, etc. De nombreux oiseaux aquatiques sont aussi au rendez-vous, comme des hérons et des canards.

Le Domaine Maizerets est ouvert 12 mois par année et l'accès est gratuit. L'été, l'endroit est un lieu de repos pour certains, une aire de jeux pour d'autres, mais le contact avec la nature y est toujours privilégié. Un réseau de 11 km de sentiers est aménagé pour la randonnée pédestre. Panneaux d'interprétation. Piste cyclable aux portes du Domaine. L'hiver, on y pratique le ski de fond (5 petites pistes), la raquette (7 km) et la randonnée pédestre. Nombreuses activités (fêtes de quartier, ateliers de mycologie, astronomie, etc.) organisées de façon ponctuelle. Service de location d'équipement sportif.

COUPS DE CŒUR

♥ Explorer la volière à papillons pour découvrir les nombreuses espèces colorées qui y volent en toute liberté.

♥ Se perdre quelques instants dans le labyrinthe de thuyas.

♥ Découvrir le marécage et la vie qui y grouille.

- **À FAIRE :** Randonnée pédestre (11 km). Découverte de l'arboretum et de la volière à papillons. Aire de jeux. Piscine. Piste cyclable aux portes du Domaine. L'hiver : ski de fond, raquette, randonnée pédestre, patin. Nombreuses activités de toutes sortes.

- **SERVICES :** Stationnement, bâtiment d'accueil, restauration minimale, aire de pique-nique. Location d'équipements : skis de fond, patins, raquettes, patins à roues alignées.

- **TARIFS :** L'accès est gratuit. Frais pour le service de location. Une carte du site est disponible gratuitement au poste d'accueil.

- **ACCÈS :** Le Domaine Maizerets est situé au 2000, boulevard Montmorency. On s'y rend par l'autoroute de la Capitale et le boulevard Henri-Bourrassa.

- **INFOS :** (418) 641-6335
www.societedudomainemaizerets.com

Québec

Capsules nature

5 Réserve faunique des Laurentides

Passage obligé entre les régions de Québec et du Lac-Saint-Jean, la réserve faunique des Laurentides est un vaste territoire de 7861 km^2 surtout reconnu pour son réseau de ski de fond totalisant 190 km au Camp Mercier. Les mordus de la raquette ont, quant à eux, 15 km de sentiers pour s'éclater. Les chutes de neige sont toujours abondantes dans cette région du Québec. En été, quoique plus limitées, certaines activités en nature sont offertes, comme le canot-camping sur les rivières Métabetchouane (niveau intermédiaire) et Aux Écorces (niveau expert). Il n'y a pas de sentiers pédestres dans la réserve. Les randonneurs doivent se rendre au parc national de la Jacques-Cartier (dans la partie sud du territoire), où le réseau de sentiers est de 100 km. Les immenses forêts de résineux et la sapinière à bouleau blanc de la réserve faunique des Laurentides abritent l'orignal, le caribou des bois, l'ours noir, le loup gris, le lynx du Canada, le renard roux et la gélinotte huppée, entre autres. Les plongeons huards fréquentent les plans d'eau de l'endroit. Comme dans toutes les réserves de la province, la chasse et la pêche sont des activités prisées. Soyez vigilants durant la saison de chasse. Deux terrains de camping (130 emplacements, la plupart sans services) et 135 chalets en location. Les tarifs varient selon les activités. La route 175 traverse la réserve faunique.
Infos : 1-800-665-6527 ou www.sepaq.com

6 Forêt Montmorency

À quelque 70 km de Québec, à deux pas du parc national de la Jacques-Cartier, le territoire de la forêt Montmorency est la propriété de l'Université Laval, qui y mène des activités de recherche et d'enseignement. Les lieux sont néanmoins ouverts au public pour la randonnée pédestre (18 km, de faciles à difficiles, comptant de nombreux belvédères), le vélo de montagne dans les chemins forestiers et l'observation de la nature. L'hiver, la forêt boréale, où les chutes de neige sont abondantes, permet la pratique du ski de fond, du ski nordique, de la raquette et du patin. Panneaux d'interprétation dans les sentiers, notamment sur la foresterie. Orignal, ours noir, loup gris habitent la sapinière à bouleau blanc qui caractérise l'endroit. Activités d'interprétation, camps scientifiques et classes nature organisés. Hébergement et restauration sur place. Refuges en forêt. Entrée gratuite, mais des frais sont imposés pour les activités. On accède à la forêt par la route 175 Nord.
Infos : (418) 848-2046 ou www.sbf.ulaval.ca/fm

7 Réserve naturelle des Marais-du-Nord

Les Marais du Nord, situés sur la rive nord du lac Saint-Charles, jouissent d'une grande biodiversité végétale et animale. Près de 5 km de sentiers (faciles) permettent d'aller à la rencontre des quelque 155 espèces d'oiseaux recensées sur place, du grand héron au bihoreau gris, en passant par le balbuzard pêcheur et la mésange à tête noire. Les marais sont une halte prisée lors des flux migratoires. La bernache du Canada,

les garrots et le canard souchet y font un arrêt. Aussi à découvrir : la luxuriante végétation aquatique (pontédérie cordée, rubaniers, sagittaires, etc.) et différents peuplements forestiers. Randonnées guidées en canot-rabaska sur réservation. Tour d'observation et rampe de mise à l'eau pour canot. On envisage de rendre le site accessible en hiver. Activités thématiques. Tarifs : 3 $ par adulte, 1 $ par enfant de 6 à 17 ans et gratuit pour les enfants de 5 ans ou moins. Accès : de Québec, autoroute 73 Nord, sortie 167, direction Lac-Delage. Le centre est situé au 1101, chemin de la Grande-Ligne, à Stoneham.
Infos : (418) 849-9844 ou http://apel.ccapcable.com

Québec

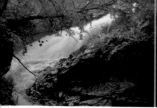

⑧ Marais Léon-Provancher

Propriété de la Société Provancher, un organisme voué depuis 1919 à la préservation des milieux naturels et de l'environnement, le marais Léon-Provancher est l'un des incontournables de la région de Québec. Quelque 209 espèces d'oiseaux y ont été inventoriées, dont plusieurs nichent sur place : râle de Virginie, butor d'Amérique, héron vert, bécassine des marais, etc. De nombreuses espèces de canards fréquentent l'endroit. Un couple d'érismatures rousses y a même déjà niché. Le marais compte huit sentiers qui totalisent environ 8 km. L'un des sentiers présente des aménagements fauniques en expérimentation, comme un hibernacle à couleuvres et une cheminée à martinets. Des panneaux d'interprétation longent ce même sentier. Une partie du territoire borde le fleuve Saint-Laurent. À l'entrée du site, un tableau d'affichage présente de l'information sur le marais, ainsi que la liste des oiseaux à observer. Toilettes sèches. Aire de pique-nique. Visites guidées sur réservation. L'entrée est gratuite, mais les contributions volontaires sont appréciées. On accède au marais par la route 138. L'entrée du site est située entre les municipalités de Saint-Augustin-de-Desmaures et de Neuville.
Infos : (418) 877-6541 ou www.provancher.qc.ca

⑨ Centre d'interprétation du parc de la Falaise et de la chute Kabir Kouba

Comme au Canyon Sainte-Anne, le site de la chute Kabir Kouba (expression algonquienne qui signifie « rivière aux mille détours ») est situé à la jonction du Bouclier canadien et des Basses-Terres du Saint-Laurent. L'endroit présente ainsi d'intéressantes particularités géologiques. La chute, d'une hauteur de 28 m, s'écoule entre des falaises qui atteignent par endroits 42 m de haut. Le passage du temps (et de l'eau) a créé des marmites de géants et contribué à la formation de fossiles de quelques centaines de millions d'années. Vestiges encore visibles des moulins et de la centrale hydroélectrique qui ont été construits en bordure de la rivière à la fin du 19e et au début du 20e siècle. Un sentier de 1,5 km avec belvédères permet de découvrir ces attraits. Ont été observés sur place : grand-duc d'Amérique (qui niche dans les corniches du parc de la Falaise), martin-pêcheur d'Amérique, raton laveur, écureuils (gris, roux et noir), diverses salamandres, etc. Centre d'interprétation avec collections de fossiles, de minéraux et d'insectes. Visite guidée (payante). Aire de pique-nique. Service de restauration. Ouvert de la mi-mai à la fin octobre. Accès gratuit au centre d'interprétation. Le centre est au 103, rue Racine, à Québec (arrondissement Loretteville).
Infos : (418) 842-0077 ou www.chutekabirkouba.com

⑩ Canyon Sainte-Anne

Le Canyon Sainte-Anne présente un grand intérêt sur le plan géomorphologique. Le site, ouvert au public depuis 32 ans, est le résultat du passage du temps, qu'on mesure en centaines de millions d'années.

Les mouvements de la croûte terrestre, les périodes de glaciation et l'érosion ont façonné ce paysage. Partie du parc national des Grands-Jardins, la rivière Sainte-Anne-du-Nord fait un saut de 74 m dans le canyon Sainte-Anne. Différents belvédères et aménagements, comme des passerelles suspendues, permettent d'admirer le panorama et la vigueur de cette impressionnante chute. À voir : l'énorme marmite de géants qui atteint 22 mètres de diamètre. Des panneaux d'interprétation identifient la flore locale. Plusieurs espèces d'oiseaux sont observées sur place : juncos ardoisés, balbuzards pêcheurs, divers pics, parulines, etc. Visite guidée avec naturaliste. Service de navette et de restauration. Aire de pique-nique. Accessible par la route 138. Ouvert de mai à octobre. Tarifs : 6,95 $ par adulte et 2,40 $ par enfant.
Infos : (418) 827-4057 ou www.canyonste-anne.qc.ca

Québec

⑪ Site d'interprétation et de plein air Les Sept Chutes

La rivière Sainte-Anne-du-Nord a un parcours tumultueux. Avant de se jeter au fond d'une gorge au Canyon Sainte-Anne, elle dévale une série de sept chutes, un peu plus au nord, dans la municipalité de Saint-Ferréol-les-Neiges. Un barrage et une centrale hydroélectrique, encore en service, y ont été aménagés au début du 20e siècle. Visite guidée offerte. Le site compte 5 km de sentiers pour la randonnée pédestre. Ceux-ci permettent d'accéder aux quelque 20 belvédères aménagés. Le site est boisé et abrite une flore variée. On y retrouve entre autres le magnifique sabot de la vierge et différentes espèces de champignons. Les ornithologues amateurs peuvent observer la buse à queue rousse, la grive des bois, la gélinotte huppée et le commun geai bleu. L'endroit a pris un virage familial il y a quelques années. Une nouvelle zone « aqua-jeux » a été aménagée pour les enfants. Mini-rafting possible. Aire de pique-nique, restauration, aire de jeux. Ouvert de mai à octobre. Tarifs : 6,95 $ par adulte, 4,95 $ pour les enfants de 13 à 17 ans et 3,95 $ pour les enfants de 5 à 12 ans. Le site des Sept Chutes est situé au 4520, avenue Royale (route 360), à Saint-Ferréol-les-Neiges.
Infos : (418) 826-3139 ou www.septchutes.com

⑫ Jardin Roger-Van den Hende

Rattaché à l'Université Laval, ce jardin de six hectares sert à des fins pédagogiques, de recherche et de vulgarisation. Il regroupe plus de 2000 espèces et cultivars. Il est ouvert au public tous les jours du début mai à la fin octobre. Visites guidées sur demande. Entrée gratuite. Situé au 2480, boulevard Hochelaga, à Sainte-Foy (derrière le magasin Archambault du boulevard Laurier).
Infos : (418) 656-3410 ou www.fsaa.ulaval.ca/jardin/

⑬ Jardin zoologique du Québec

Modernisé il y a quelques années, le Jardin zoologique du Québec a décidé de miser sur les oiseaux et les jardins. Mammifères, insectes et reptiles des quatre coins de la planète sont également au rendez-vous. Visitez la serre océanienne et la petite ferme. Aire de jeux et de restauration. Ouvert toute l'année. Entrée payante. Situé au 9300, rue de la Faune, à Charlesbourg.
Infos : 1-888-622-0312 ou www.spsnq.qc.ca/

⑭ Parc Aquarium du Québec

Comme le Jardin zoologique, le Parc Aquarium du Québec a fait peau neuve. Il présente les écosystèmes du fleuve Saint-Laurent et du monde polaire. Parmi les attractions : les ours blancs et les phoques du Groenland dans leur bassin extérieur respectif. Tunnel vitré qui plonge les visiteurs au cœur de l'océan Pacifique. Bassins-contacts. Présentation multimédia. Entrée payante. Ouvert à longueur d'année. Situé au 1675, avenue des Hôtels, à Sainte-Foy.
Infos : 1-866-659-5264 ou www.spsnq.qc.ca/

15 Parc de la Chute-Montmorency

Grande chute de 83 m de haut (30 m de plus que les chutes Niagara) située en face de l'île d'Orléans. Réseau de sentiers pédestres, utilisé aussi pour la raquette en hiver. Passerelle qui surplombe la chute. Téléphérique. Vélo. Escalade de glace et glissade. Aires de jeux et de pique-nique. Casse-croûte. Manoir avec restaurant gastronomique. Entrée gratuite, mais stationnement payant. Accessible par l'autoroute 40, sortie 322.
Infos: (418) 663-3330 ou www.sepaq.com

En cas de pluie

16 Musée de géologie René-Bureau

Situé sur le campus de l'Université Laval à Québec, ce musée regroupe une collection imposante de spécimens représentatifs du patrimoine géologique (roches, minéraux et fossiles) à l'échelle planétaire. Cette collection est présentée dans des vitrines murales au quatrième étage du pavillon Adrien-Pouliot (qui ressemble à une église). Visite gratuite. Horaire variable.
Infos: (418) 656-2131, poste 8127
www.ggl.ulaval.ca/contenu-fra/musee/

1 **Parc national du Saguenay**
2 **Parc national des Monts-Valin**
3 **Parc national de la Pointe-Taillon**
4 **Centre d'interprétation des battures et de réhabilitation des oiseaux (CIBRO)**

5 **Parc marin du Saguenay-Saint-Laurent**
6 **Parc de la Rivière-du-Moulin**
7 **Sentier régional du lac Kénogami**
8 **Centre de plein air Bec-Scie**
9 **Magie du Sous-Bois**
10 **Marais du lac Duclos**
11 **Zoo sauvage de Saint-Félicien**
12 **Parc Aventures Cap Jaseux**
13 **Caverne Trou de la fée**
14 **Grands Jardins de Normandin**
15 **Centre d'interprétation des mammifères marins (CIMM)**
16 **Musée de la Nature**

Saguenay-Lac-Saint-Jean

Ce parc national est un vrai joyau. Non seulement compte-t-il le seul fjord du Québec méridional, mais les bélugas en ont fait une aire de mise bas. La rivière Saguenay coule au fond de ce fjord, l'un des plus longs au monde. Outre le blanc cétacé, plusieurs autres mammifères marins (rorquals, phoque commun, etc.) fréquentent les eaux de la profonde rivière. Quantité d'oiseaux (dont le faucon pèlerin, l'emblème du parc, une espèce protégée qui niche sur les falaises, y sont également observables.

Le parc national du Saguenay, d'environ 283 km², longe les deux rives de la rivière Saguenay entre Tadoussac (à l'est) et le début de la Baie des Ha! Ha! (à l'ouest). Il se divise en trois secteurs (chacun avec un poste d'accueil et un centre d'interprétation) : baie du Moulin-à-Baude, baie Sainte-Marguerite et baie Éternité. Le parc peut être parcouru grâce à un réseau de sentiers pédestres de 132 km (courtes et longues randonnées). Un paradis de la marche avec vues extraordinaires sur le fjord.

Le secteur baie du Moulin-à-Baude est situé près de Tadoussac, au confluent de la rivière Saguenay et du fleuve Saint-Laurent. Il offre plusieurs sentiers pédestres d'où l'on peut observer les plus grands mammifères marins de la planète et bon nombre d'oiseaux (cormorans, canards, sternes, mouettes, etc.). À ne pas manquer : les impressionnantes dunes de sable et le centre d'interprétation sur le sujet (La Maison des dunes) à la sortie de Tadoussac.

Le secteur baie Sainte-Marguerite, situé un peu plus à l'ouest sur la rive nord du Saguenay, est pour sa part l'endroit par excellence pour observer le béluga, le seul cétacé qui habite le fleuve à longueur d'année. Depuis un belvédère (facilement accessible ; prévoir 2 h de marche aller-retour), vous pourrez contempler, si la chance vous sourit, ce blanc mammifère avec ses petits. Centre d'interprétation accessible au départ du sentier. Enfin, le secteur baie Éternité, situé à l'extrémité ouest du parc, offre les meilleures vues sur les falaises (jusqu'à 350 m, dont le cap Éternité) qui composent le fjord. Exposition permanente sur la géologie et la faune du parc. Un bateau-taxi relie les deux rives.

En saison, le parc national du Saguenay propose une panoplie d'activités d'interprétation sous forme de causeries, de capsules théâtrales, de marches guidées, de croisières et de sorties en kayak de mer. Quatorze emplacements de camping accueillent les kayakistes tout le long du fjord. Deux autres sites de camping (secteurs Sainte-Marguerite et Éternité totalisant 131 emplacements), de même que dix chalets (baie Éternité) et cinq refuges (le long des sentiers) attendent les visiteurs. En hiver, ski nordique et raquette.

COUPS DE CŒUR

- ♥ Admirer l'un des plus longs fjords au monde et sa population de bélugas.
- ♥ S'extasier devant des falaises de 350 m de hauteur.

À FAIRE : Randonnée pédestre (132 km), observation de mammifères marins et d'oiseaux. Kayak de mer, vélo, pique-nique, cueillette de fruits, escalade, ski, raquette, etc.

SERVICES : Trois postes d'accueil avec centre d'interprétation et toilettes. Camping (131 emplacements avec ou sans services), location de chalets (10) et de refuges (5). Casse-croûte et dépanneur (en saison). Croisières d'observation, activités d'interprétation avec naturalistes, boutique nature, rampe de mise à l'eau, etc.

TARIFS : Entrée au parc : 3,50 $ par adulte et 1,50 $ par enfant. Frais supplémentaires pour le camping, les croisières, les locations, etc. Carte des sentiers offerte gratuitement aux postes d'accueil. Tarifs pour groupes et familles. Droit d'accès annuel. Le parc est ouvert toute l'année.

ACCÈS : Le parc est accessible des deux côtés de la rivière Saguenay, entre Tadoussac et La Baie, par la route 170 (rive sud) et par la route 172 (rive nord).

INFOS : 1-877-272-5229, 1-877-737-3783 (réservations) www.sepaq.com

Saguenay–Lac-Saint-Jean

L'imposant massif des monts Valin compte une quinzaine de sommets de plus de 900 m. L'hiver y arrive plus tôt et s'en retourne plus tard qu'ailleurs dans la région. Les plus hauts sommets sont donc enneigés d'octobre à mai. Les chutes de neige peuvent atteindre jusqu'à 5,5 m annuellement dans certaines parties du parc. En hiver, pour un dépaysement absolu, il est possible de louer un igloo et d'y passer la nuit.

Preuve que l'endroit a conservé son côté sauvage, l'emblème animalier de ce parc national de 154 km² est le lynx du Canada, un mammifère carnivore difficilement observable. La grive de Bicknell, une espèce susceptible d'être désignée menacée ou vulnérable, fait partie des 117 espèces d'oiseaux observées sur place. Tout laisse croire, selon des responsables du parc, que le garrot d'Islande (friand de lacs de tête) fréquenterait les lieux. Loups gris, coyotes, ours noirs, orignaux, martres d'Amérique et parfois caribous des bois ont été vus sur le territoire des monts Valin. Le parc abrite par ailleurs quelque 427 espèces végétales propres, en majorité, à la flore boréale. En automne, les forêts mixtes offrent un spectacle haut en couleurs.

Créé en 1998, le parc national des Monts-Valin est l'un des plus jeunes parcs du réseau. On projette de développer les infrastructures, qui sont néanmoins assez complètes. Pour l'heure, environ 28 km de sentiers pédestres permettent d'accéder à différents secteurs, dont celui de la rivière Valin (près du poste d'accueil), un cours d'eau sinueux que le visiteur se doit de parcourir en canot. Un peu plus au nord, les sentiers mènent aux différents sommets du parc, comme le Pic de la Hutte (900 m), où un belvédère offre une vue spectaculaire sur la région du Saguenay.

L'autre site à explorer, le secteur des Lacs, est situé complètement dans la partie nord du parc. Des lacs à une altitude de 700 m sont peuplés de truites mouchetées indigènes. Location de chalets en bordure des plans d'eau, dont le lac Martin-Valin. En hiver, certains chalets deviennent des refuges. D'ailleurs, en hiver, «momies» et «fantômes» (surnoms donnés aux arbres ensevelis sous la neige) vous ensorcelleront. La «Vallée des fantômes», une région isolée du parc, est accessible en raquette ou bien (sur réservation) en véhicule à chenillettes.

COUPS DE CŒUR

♥ Explorer un massif montagneux qui compte une quinzaine de sommets culminant à 900 m et où les chutes de neige peuvent atteindre 5,5 m par endroits.

♥ Parcourir la très sinueuse rivière Valin.

♥ Dormir dans un igloo.

EN UN CLIN D'ŒIL

À FAIRE : Randonnée pédestre (28 km), observation de la faune et de la flore, canot, canot-camping. Raquette et ski nordique (50 km), ski de fond (parcours de 2 à 12 km), etc.

SERVICES : Poste d'accueil avec toilettes et service de location d'équipement de plein air. Cinq sites de camping rustique pour le canot-camping. Chalets, refuges, tentes de prospecteurs et igloos à louer. Activités guidées. Location d'embarcations. Transport en chenillettes (en hiver).

TARIFS : Entrée au parc : 3,50 $ par adulte et 1,50 $ par enfant. Frais supplémentaires pour l'hébergement, la location d'équipement, etc. Carte des sentiers offerte gratuitement au poste d'accueil. Tarifs pour groupes et familles. Droit d'accès annuel. Le parc est ouvert à longueur d'année.

ACCÈS : Le parc national des Monts-Valin est accessible à partir du village de Saint-Fulgence, situé sur la route 172. Du village, prendre le rang Saint-Louis sur 17 km jusqu'à l'entrée du parc.

INFOS : (418) 674-1200, 1-800-665-6527 (réservations) www.sepaq.com

Saguenay-Lac-Saint-Jean

3

Composé entièrement de sable et situé sur un ancien delta laissé par ce qui fut jadis une mer, ce parc est une presqu'île de 92 km² baignée au sud par l'immense lac Saint-Jean et au nord par la rivière Péribonka. Divisé en deux secteurs (nord et sud), l'endroit compte l'une des plus belles plages de sable (longue de 15 km) du Québec, dont certaines sections sont surveillées pour la baignade. Le centre du parc abrite des tourbières qui favorisent la croissance de plusieurs espèces d'orchidées et de plantes insectivores. L'utilisation du vélo est recommandée pour sillonner les tourbières. On peut également s'y rendre à pied, mais cela représente plusieurs kilomètres de marche. Le parc national de la Pointe-Taillon, avec ses 45 km de sentiers cyclables qui ceinturent le territoire, est un véritable paradis pour les cyclistes. Location de vélos et même de remorques pour transporter vos bagages.

Les espèces fauniques retenant le plus l'attention sur le site sont l'orignal et le castor du Canada, lesquels sont facilement observables (encore une fois lorsqu'on emprunte la piste cyclable). Les nombreux milieux humides (marais, marécages, tourbières) expliquent en partie pourquoi l'emblème animalier du parc est la libellule. À ce jour, 131 espèces d'oiseaux y ont été recensées. La sauvagine (le canard noir en tête) se fait une joie de fréquenter les lieux, surtout lors des flux migratoires. On note par ailleurs la présence occasionnelle de la grue du Canada. On dit que ce grand échassier nicherait sur le territoire du parc.

Le centre d'interprétation et de services (le poste d'accueil principal) présente une exposition permanente baptisée « Les pieds dans l'eau ». Cette exposition interactive, qui ne manquera pas d'amuser les enfants, porte sur les milieux humides. Quelques îlots comptant plusieurs panneaux d'interprétation ont été installés le long de la piste cyclable. Des animateurs sont également présents au parc entre le 24 juin et le 1er septembre. Le parc national de la Pointe-Taillon compte, entre autres services, trois aires de camping rustique (pour tentes seulement), accessibles à pied ou à vélo. Casse-croûte avec salle à manger et terrasse, de même qu'un service de location d'embarcations. À voir : l'île Bouliane, située à l'ouest du parc.

COUPS DE CŒUR

- ♥ Parcourir une plage de sable de 15 km, l'une des plus belles au Québec.
- ♥ Mouliner sur la piste cyclable de 45 km qui traverse différents écosystèmes, dont une tourbière.

EN UN CLIN D'ŒIL

À FAIRE : Randonnée pédestre sur la piste cyclable, vélo (45 km), observation de la faune et de la flore. Canot, kayak et baignade.

SERVICES : Poste d'accueil avec toilettes. Location de vélos et de remorques (adaptables aux vélos pour bagages), d'embarcations, de chaises longues et de parasols. Trois aires de camping rustique. Activités d'interprétation. Casse-croûte, salle à manger et terrasse. Boutique nature. Exposition permanente.

TARIFS : Entrée au parc : 3,50 $ par adulte et 1,50 $ par enfant. Frais supplémentaires pour l'hébergement, la location d'équipement, etc. Carte des sentiers offerte gratuitement au poste d'accueil. Tarifs pour groupes et familles. Droit d'accès annuel. Le parc est ouvert de mai à octobre.

ACCÈS : Le parc est situé sur la rive nord du lac Saint-Jean. Accès à la plage par le secteur Taillon. On s'y rend par la route 169.

INFOS : (418) 347-5371, 1-800-665-6527 (réservations) www.sepaq.com

Saguenay-Lac-Saint-Jean

Zone de sédimentation, la batture est la partie du rivage que la marée descendante laisse à découvert. Les battures de Saint-Fulgence, situées en bordure de la rivière Saguenay, au pied des monts Valin, présentent une végétation typique des marais saumâtres et salés. Désormais protégé, ce site est un cas exceptionnel pour une région dominée par les forêts de conifères. Résultat : des plantes de milieux salés, notamment la spartine pectinée et le scirpe d'Amérique y poussent en abondance, ce qui a pour effet d'attirer une avifaune des plus diversifiées.

À ce jour, plus de 300 espèces d'oiseaux ont été observées dans les environs de Saint-Fulgence, dont le très peu commun râle jaune. Importante halte migratoire pour la sauvagine (10 000 oies des neiges y transitent bon an mal an), le site est également un endroit privilégié où nichent des espèces comme la foulque d'Amérique, l'érismature rousse, le garrot à oeil d'or et la marouette de Caroline. On accède aux battures de Saint-Fulgence en empruntant le sentier de la Digue (environ 2 km aller-retour) situé à côté du bâtiment d'accueil du CIBRO.

Un autre sentier de 1 km permet d'accéder aux neuf volières utilisées pour la réadaptation des quelque 100 oiseaux de proie blessés que le CIBRO prend sous son aile annuellement. Grand-duc d'Amérique, buse à queue rousse et chouette rayée sont autant d'espèces que le Centre recueille, soigne et remet en liberté. Une chance unique pour le visiteur d'en apprendre davantage sur ces mystérieux prédateurs du ciel. Nombre de petits mammifères (surtout au printemps) sont également pris en charge par l'équipe du CIBRO. Exposition permanente au bâtiment d'accueil, à la fois sur les battures et la réadaptation des oiseaux. Le réseau de sentiers pédestres totalise près de 4 km. Le Centre est ouvert du début mai à la fin octobre. Le prix d'entrée est plus élevé en haute saison (du 24 juin au 29 août). Guides naturalistes sur place en saison. Il y a un terrain de camping à moins de 6 km, à Cap Jaseux.

COUPS DE CŒUR

♥ Explorer des battures abritant une flore exceptionnelle et où plus de 300 espèces d'oiseaux ont été répertoriées.

♥ Visiter un centre de réhabilitation où des rapaces sont soignés avant d'être remis en liberté.

En un clin d'œil

À FAIRE : Randonnée pédestre (4 km) pour l'observation de la faune et de la flore ; activités d'interprétation, visite de volières pour oiseaux de proie en voie de réadaptation.

SERVICES : Bâtiment d'accueil. Toilettes. Exposition permanente sur les battures et la réadaptation des oiseaux de proie. Aire de pique-nique. Belvédère. Service de guide. Boutique. Accès aux personnes à mobilité réduite.

TARIFS : 6 $ pour les adultes, 5 $ pour les aînés et les enfants de 13 à 18 ans, 3,50 $ pour les enfants de 5 à 12 ans, gratuit pour les enfants de moins de 5 ans et 21 $ par famille. Le CIBRO est ouvert du début mai à la fin octobre.

ACCÈS : Le Centre est situé à Saint-Fulgence (près de l'église) sur la route 172 (rive nord de la rivière Saguenay), à une centaine de kilomètres de Tadoussac et à environ 15 km de Saguenay (Chicoutimi).

INFOS : (418) 674-2425
www.ville.st-fulgence.qc.ca/cibro

Saguenay–Lac-Saint-Jean

Capsules nature

5 Parc marin du Saguenay-Saint-Laurent

Géré conjointement par les gouvernements du Québec et du Canada, ce parc est le premier au Québec à protéger et à mettre en valeur le milieu marin exclusivement. D'une superficie de 1138 km², ce parc s'étend sur la rivière Saguenay et une partie de l'estuaire du Saint-Laurent: un milieu d'une grande diversité biologique. Sur la rive nord du fleuve, le parc va de La Malbaie aux Escoumins et englobe la région du fjord. La rive sud s'étire de Kamouraska à Trois-Pistoles. Nous ne ferons pas ici la description de tous les sites du parc marin, répartis dans quatre régions touristiques (Saguenay-Lac-Saint-Jean, Charlevoix, Côte-Nord, Bas-Saint-Laurent) couvertes par ce guide. Mammifères marins (rorquals, bélugas, phoques), oiseaux et flore marine sont au palmarès des éléments célébrés au parc marin du Saguenay-Saint-Laurent. Parmi les nombreux attraits à visiter: le Centre Archéo-Topo (aux Bergeronnes), le Centre d'interprétation et d'observation de Pointe-Noire (à Baie-Sainte- Catherine), le Musée du Fjord (à La Baie), etc. Entrée payante selon les endroits.
Infos: (418) 235-4703, poste 0, ou www.parcmarin.qc.ca

Saguenay-Lac-Saint-Jean

6 Parc de la Rivière-du-Moulin

Le slogan de ce parc urbain situé au cœur de Chicoutimi est « Découvrez la nature en pleine ville ». On ne peut guère trouver expression plus appropriée pour résumer ce site qui offre 20 km de sentiers pour la randonnée pédestre et le vélo (hybride et de montagne). Les sentiers sont pour la plupart en milieu forestier, où il est possible d'apercevoir grand pic, gélinotte huppée et plusieurs espèces de parulines. Cerf de Virginie, lièvre d'Amérique et vison d'Amérique, entre autres, s'ajoutent à la liste des espèces fauniques de l'endroit. L'accès aux sentiers, dont certains petits segments longent la rivière du Moulin, est gratuit. Toutefois, des frais sont exigés pour la visite du centre d'interprétation, qui contient notamment des aquariums, vivariums, herbiers et collections d'insectes. Guides naturalistes sur place en saison. L'exposition n'est pas présentée en hiver, mais le bâtiment d'accueil (avec toilettes et réfectoire) demeure ouvert aux visiteurs. Location d'embarcations et surveillance du plan d'eau. La baignade est cependant interdite. Aires de pique-nique. Adeptes de raquette et fondeurs (20 km tracés) sont les bienvenus durant la saison froide. Le parc de la Rivière-du-Moulin est situé au 1687, rue des Roitelets, près du poste de la SQ et du centre commercial.
Infos : (418) 698-3235.

⑦ Sentier régional du lac Kénogami

Ce site offre deux choix : 10 km de sentiers pédestres au sommet du mont Lac-Vert (qui est aussi une station de ski) ou 45 km de longue randonnée sur la rive sud du lac Kénogami. Une tour de 14 m au sommet du mont Lac-Vert (240 m) offre une vue imprenable sur le lac Saint-Jean. Aussi dans ce secteur : panneaux d'interprétation, 16 km pour le vélo de montagne, etc. L'automne, accès au sommet de la montagne en télésiège. Le sentier du lac Kénogami relie les municipalités d'Hébertville (ouest) et de Laterrière (est). Le sentier traverse des forêts boréales et mixtes abritant entre autres cerfs de Virginie, castors du Canada et ours noirs. Une nacelle fixée à un câble d'acier doit obligatoirement être utilisée (sauf l'hiver) pour franchir (sur une distance de 100 m) la rivière Pikauba. Cinq sites de camping rustique (7 $ par nuit) et trois refuges (10 $ par nuit), avec toilettes sèches. Les randonneurs mettent environ trois jours pour compléter le parcours. En hiver, les extrémités du sentier permettent la pratique de la raquette. L'accès au site est gratuit. Toutefois, il faut débourser 4 $ pour acheter la carte des sentiers (disponible au mont Lac-Vert et aux bureaux d'information touristique d'Hébertville et de Laterrière). Hébertville est située sur la route 169 au sud d'Alma, tandis que Laterrière se trouve sur la route 174 au sud de Saguenay (Chicoutimi).
Infos : 344-4000, poste 38, ou 1-888-344-1101.

⑧ Centre de plein air Bec-Scie

Un canyon long d'un kilomètre, profond de 60 m et au fond duquel coule la rivière à Mars caractérise ce parc situé près de la ville de La Baie. Un sentier de 3 km jalonné de nombreux belvédères longe le canyon, dominé par une impressionnante chute. Le réseau pédestre (composé de sentiers faciles à difficiles) totalise près de 40 km. En hiver, et c'est là l'une des marques de commerce du centre, un parcours de 75 km attend les fondeurs. Parmi les quelque 30 espèces d'oiseaux répertoriées, le bec-scie et le harle couronné seraient plus faciles à observer en face du poste d'accueil, où le débit de la rivière est plus faible. Buse à queue rousse, grand pic et grand héron sont également des habitués de l'endroit. Une dizaine de panneaux d'interprétation ponctuent le sentier du canyon. Aussi : circuit de 9 km pour le vélo de montagne. Entrée payante. Frais supplémentaires pour le ski en hiver. Il y a trois refuges (où il est possible de passer la nuit) le long des sentiers. Grand bâtiment d'accueil. Restaurant et bar sur place. Le centre est ouvert toute l'année. Toutefois, au début du printemps et à la fin de l'automne (pendant environ un mois), les sentiers sont fermés au public. Accès : prendre la route 170 ouest à partir de La Baie, puis rouler sur le chemin de la Chute sur 3 km jusqu'à l'entrée du centre.
Infos : (418) 697-5132.

⑨ Magie du Sous-Bois

Cette petite oasis florale située à Dolbeau-Mistassini abrite entre 150 et 200 variétés de fleurs, arbres et arbustes. Une cinquantaine de panneaux d'interprétation, disséminés sur les 10 km de sentiers pédestres (faciles et intermédiaires), vous aideront à parfaire vos connaissances en botanique. Domaine privé d'une centaine d'hectares (qui compte aussi un petit lac), l'endroit est fréquenté par 70 espèces d'oiseaux (jaseur d'Amérique, chardonneret jaune, bruants, etc.) et quelques mammifères. Musée sur le bleuet et autocueillette de bleuets et de framboises. Boutique sur place où l'on vend des produits agroalimentaires. Le site a d'ailleurs le statut de «kiosque à la ferme». Des bancs, des tables de pique-nique et des abris (avec et sans moustiquaires) ont été disposés le long des sentiers. Pas de camping sur place (pas encore!), mais possibilité (sur réservation) de dormir dans un tipi. La propriétaire des lieux offre même un service de massothérapie! Des frais sont exigés pour accéder aux sentiers, de même que pour la visite du musée et l'autocueillette. Ouvert de mai à octobre. En hiver (de janvier à mars), on peut y pratiquer la raquette et la marche (3 km dans les deux cas). Accès: emprunter la route 169 Sud de Dolbeau-Mistassini jusqu'au 801, 23e avenue.
Infos: (418) 276-8926.

⑩ Marais du lac Duclos

Site d'intérêt pour les ornithologues amateurs, le marais du lac Duclos est accessible au grand public depuis à peine deux ans. Pas moins de 130 espèces de volatiles y ont été recensées, dont le butor d'Amérique, la gallinule poule-d'eau, le grèbe à bec bigarré, le busard Saint-Martin et le grand héron. Quantité de reptiles et d'amphibiens fréquentent les deux marais et la tourbière. Ours noir, orignal, pékan et coyote figurent aussi sur la longue liste des animaux de l'endroit. Une passerelle de 250 m de long surplombe le premier marais, près du poste d'accueil. Huit kilomètres de sentiers pédestres (intermédiaires à difficiles) sillonnent ce territoire en milieu montagneux. D'ailleurs, dans la partie nord du site, un deuxième marais en altitude est niché au fond d'un cap rocheux. Vue impressionnante sur la région du Saguenay. Pas de services ni de toilettes. Panneaux de signalisation et d'interprétation. Le marais du lac Duclos est ouvert de mai à novembre. Les responsables de l'endroit suggèrent de ne pas fréquenter les sentiers en hiver, même si ceux-ci demeurent accessibles en raquettes. Carte des sentiers disponible à l'hôtel de ville de Saint-Charles-de-Bourget. Entrée gratuite. Le poste d'accueil du marais est situé sur la route Racine, à environ 2 km de Saint-Charles.
Infos: (418) 672-2624. Le site Internet du marais est extrêmement détaillé et vaut une visite: www.saglac.qc.ca/~bourget

⑪ Zoo sauvage de Saint-Félicien

Rebaptisé Zoo «sauvage» de Saint-Félicien, l'endroit abrite 1000 animaux représentant 80 espèces. Les animaux sont ici en semi-liberté et vous pouvez, à bord d'un train grillagé, les observer à loisir. Aussi : sentiers pédestres, exposition, films, etc. Situé au 2230, boul. du Jardin, à Saint-Félicien. Entrée payante. Horaires d'été et d'hiver.
Infos : 1-800-667-5687 ou www.borealie.org

⑫ Parc Aventures Cap Jaseux

Le cap Jaseux offre aux visiteurs une expérience «air-terre-eau». Au programme, en vrac : activités d'arbre en arbre, excursion et école de kayak de mer, croisières, sentiers pédestres et multiples possibilités d'hébergement (cabine en bois rond, refuges, camping, maison dans un arbre, etc.). Ouvert de la mi-mai à la mi-octobre. Entrée payante. Situé sur le chemin de la Pointe-aux-Pins, à Saint-Fulgence.
Infos : (418) 698-6673, 1-877-698-6673 ou www.capjaseux.com

⑬ Caverne Trou de la fée

Phénomène géologique impressionnant, cette caverne résulte d'une cassure de la croûte terrestre. Adeptes de spéléologie et néophytes en la matière y trouveront leur compte. Visites guidées. Aussi : 6 km de sentiers pédestres avec vue sur cascades agitées, ancien barrage et centrale hydroélectrique. Ouvert de la mi-juin au début septembre. Entrée payante. Situé sur la 7ᵉ avenue à Desbiens.
Infos : (418) 346-1242, (418) 346-5632 ou
www.membres.lycos.fr/troudelafee/

⑭ Grands Jardins de Normandin

Un jardin de 17 hectares où le nombre et la diversité des végétaux vous laisseront bouche bée. Jardin d'hémérocalles comptant 1500 variétés. Plus de 60 000 plantes annuelles. Un potager décoratif de 10 000 m² avec herbes culinaires et aromatiques, de même que plusieurs espèces de plantes médicinales. Situé dans la municipalité de Normandin. Ouvert de juin à septembre. Entrée payante.
Infos : 1-800-920-1993 ou www.lesgrandsjardinsnormandin.com

En cas de pluie

⑮ Centre d'interprétation des mammifères marins (CIMM)

Le Centre présente une exposition qui, assurément, vous aidera à parfaire vos connaissances en matière de baleines. Des spécialistes répondront à vos questions et vous indiqueront les meilleurs endroits pour observer ces mammifères. Projections de films. Entrée payante. Tous les jours de juin à septembre. Situé au 108, rue de la Cale-Sèche, à Tadoussac. Infos : (418) 235-4325.

⑯ Musée de la Nature

Situé à Sainte-Rose-du-Nord, l'un des plus beaux villages du Québec, ce musée a un petit côté insolite avec, entre autres, ses collections de champignons d'arbres, ses sculptures et ses deux requins des eaux polaires (qu'on peut toucher) capturés sous la glace devant le village. Ouvert toute l'année. Entrée payante. Situé au 199, rue de la Montagne. Infos : (418) 675-2348.

Liste des bureaux régionaux d'information touristique

Tourisme Abitibi-Témiscamingue
170, avenue Principale,
bureau 103
Rouyn-Noranda, Québec
J9X 4P7
☎ (819) 762-8181 ou
    1-800-808-0706
www.48nord.qc.ca

Tourisme Baie-James
(Nord-du-Québec)
66, boulevard Springer C.P. 270
Chapais, Québec
G0W 1H0
☎ (418) 745-3969 ou
    1-888-745-3969
www.municipalite.baie-james.qc.ca

Tourisme Bas-Saint-Laurent
148, rue Fraser
Rivière-du-Loup, Québec
G5R 1C8
☎ (418) 867-3015 ou
    1-800-563-5268
www.tourismebas-st-laurent.com

Tourisme Cantons-de-l'Est
20, rue Don-Bosco Sud
Sherbrooke, Québec
J1L 1W4
☎ (819) 820-2020 ou
    1-800-355-5755
www.cantonsdelest.com

Tourisme Centre-du-Québec
20, boulevard Carignan Ouest
Princeville, Québec
G6L 4M4
☎ (819) 364-7177 ou
    1-888-816-4007 poste 300
www.tourismecentreduquebec.com

Tourisme Charlevoix
495, boulevard de Comporté
La Malbaie, Québec
G5A 3G3
☎ (418) 665-4454 ou
    1-800-667-2276
www.tourisme-charlevoix.com

Tourisme Chaudière-Appalaches
800, autoroute Jean-Lesage
Lévis (Saint-Nicolas), Québec
G7A 1E3
☎ (418) 831-4411 ou
    1-888-831-4411
www.chaudapp.qc.ca

Tourisme Duplessis
312, avenue Brochu
Sept-Îles, Québec
G4R 2W6
☎ (418) 962-0808 ou
    1-888-463-0808
www.tourismecote-nord.com

Tourisme Gaspésie
357, route de la Mer
Sainte-Flavie, Québec
G0J 2L0
☎ (418) 775-2223 ou
    1-800-463-0323
www.tourisme-gaspesie.com

Tourisme Îles-de-la-Madeleine
128, chemin Principal, C.P. 1028
Cap-aux-Meules, Québec
G0B 1B0
☎ (418) 986-2245 ou
    1-877-624-4437
www.tourismeilesdelamadeleine.com

Tourisme Lanaudière
3645, rue Queen
Rawdon, Québec
J0K 1S0
☎ (450) 834-2535 ou
    1-800-363-2788
www.tourisme-lanaudiere.qc.ca

Tourisme Laurentides
14142, rue de la Chapelle
Mirabel, Québec
J7J 2C8
☎ (450) 436-8532,
    (514) 990-5625 (de Montréal)
1-800-561-6673
www.laurentides.com

Tourisme Laval
2900, boulevard Saint-Martin Ouest
Laval, Québec
H7T 2J2
☎ (450) 682-5522 ou
   1-877-465-2825
www.tourismelaval.com

Tourisme Manicouagan
337, boulevard LaSalle,
bureau 304
Baie-Comeau, Québec
G4Z 2Z1
☎ (418) 294-2876 ou
   1-888-463-5319
www.routedesbaleines.ca

Tourisme Mauricie
777, 4ᵉ rue
Shawinigan, Québec
G9N 1H1
☎ (819) 536-3334 ou
   1-800-567-7603
www.icimauricie.com

Tourisme Montérégie
11, chemin Marieville
Rougemont, Québec
J0L 1M0
☎ (450) 469-0069,
   (514) 990-4600 (de Montréal)
   1-866-469-0069
www.tourisme-monteregie.qc.ca

Tourisme Montréal
1555, rue Peel, bureau 600
Montréal, Québec
H3A 3L8
☎ (514) 844-5400 ou
   1-877-266-5687
www.tourisme-montreal.org

Tourisme Outaouais
103, rue Laurier
Hull, Québec
J8X 3V8
☎ (819) 778-2222 ou
   1-800-265-7822
www.tourisme-outaouais.ca

Tourisme Québec (ville et région)
835, avenue Wilfrid-Laurier
Québec, Québec
G1R 2L3
☎ (418) 641-6290 ou
   1-877-266-5687
www.regiondequebec.com

Tourisme Saguenay-Lac-Saint-Jean
455, rue Racine Est, bureau 101
Saguenay, Québec
☎ (418) 543-9778 ou
   1-877-253-8387
www.tourismesaguenaylacsaint
jean.qc.ca

Bibliographie

ESPACES. *Le Guide du Plein air au Québec : 450 destinations quatre saisons.* 2ᵉ éd. Montréal : Collection Espaces, 2003. 242 p.

FÉDÉRATION QUÉBÉCOISE DE LA MARCHE. *Répertoire des lieux de marche au Québec.* 5ᵉ éd. Montréal : Éditions Bipède, 2004. 492 p.

FORTIN, Daniel et Michel FAMELART. *Arbres, arbustes et plantes herbacées du Québec et de l'Est du Canada.* 2ᵉ éd. Saint-Laurent : Éditions du Trécarré, 1990. 315 p.

MARIE-VICTORIN, Frère. *Flore Laurentienne.* 3ᵉ éd. Montréal : Les Presses de l'Université de Montréal, 1995. 1083 p.

MUSÉE DU SÉMINAIRE DE SHERBROOKE. *Le Québec au naturel.* Québec : Les Publications du Québec, 1992. 195 p.

PAQUIN, Jean. *Guide photo des oiseaux du Québec et des Maritimes.* Waterloo : Éditions Michel Quintin, 2003. 480 p.

PRESCOTT, Jacques et Pierre RICHARD. *Mammifères du Québec et de l'est du Canada,* 2ᵉ éd. Waterloo : Éditions Michel Quintin, 2004.

RODRIGUE, David et Jean-François DESROCHES. *Amphibiens et reptiles du Québec et des Maritimes.* Waterloo : Éditions Michel Quintin, 2004. 288 p.

TANGUAY, Serge. *Guide des sites naturels du Québec.* Waterloo : Éditions Michel Quintin, 1988. 251 p.

Tableau des activités et services par site

E = embarcations
N = skis, raquettes
V = vélos

Site	randonnée pédestre	longue randonnée	vélo	baignade	canot et kayak	canot-camping	escalade	ski de fond	ski nordique	raquette	patin	glissade	camping d'hiver	accueil	toilette	aire de pique-nique	interprétation de la nature	boutique	location d'équipement	camping	refuge	chalet	rampe de mise à l'eau
Abitibi-Témiscamingue																							
Parc national d'Aiguebelle	•		•		•	•		•	•	•			•	•	•	•	•	•	E	•	•	•	•
Refuge Pageau	•	•												•	•	•	•						
Marais Antoine	•													•	•	•	•						
Marais Laperrière	•							•						•	•								
Centre éducatif forestier du lac Joannès	•		•	•										•	•	•	•						
Îles Duparquet					•														E				•
Île aux Hérons	•				•																		
Collines Kékéko	•	•								•													
Sentier de l'École buissonnière	•									•													
Parc botanique À fleur d'eau	•													•	•	•	•	•					
Centre thématique fossilifère														•	•		•						
Baie-James / Nord-du-Québec																							
Réserves fauniques Assinica et des Lacs Albanel-Mistassini-et-Waconichi	•					•							•	•	•	•	•	•	E	•		•	•
Zone récréative du lac Matagami	•			•		•								•	•		•		E-N	•			
Sentier écologique de Radisson	•							•		•										•			
Parc Obalski	•		•	•				•						•	•	•			E				
Sentier du lac Cavan	•							•															

	ACTIVITÉS D'ÉTÉ ET D'AUTOMNE								ACTIVITÉS D'HIVER					SERVICES									
	randonnée pédestre	longue randonnée	vélo	baignade	canot et kayak	canot-camping	escalade	ski de fond	ski nordique	raquette	patin	glissade	camping d'hiver	accueil	toilette	aire de pique-nique	interprétation de la nature	boutique	location d'équipement	camping	refuge	chalet	rampe de mise à l'eau
Mont Springer	•														•								
Centre d'intérêt minier de Chibougamau														•	•								
Bas-St-Laurent																							
Parc national du Bic	•		•		•				•	•			•	•	•	•	•	•	N-V	•			•
Réserve nationale de faune de la baie de L'Isle-Verte	•														•	•	•						
Archipel des îles du Pot-à-l'Eau-de-vie et île aux Lièvres	•														•		•			•		•	
Île aux Basques	•																•					•	
Société écologique des battures du Kamouraska	•			•	•		•			•				•		•	•			•			
Site ornithologique du marais de Gros-Cacouna	•		•					•								•	•						
Sentiers d'interprétation du littoral et de la rivière Rimouski	•									•						•	•						
Île Saint-Barnabé	•															•	•						
Canyon des portes de l'enfer	•		•											•	•	•	•	•	V	•			
Parc des Chutes et de la Croix lumineuse	•									•						•	•						
Les Sept-Chutes de Saint-Pascal et la montagne à Coton	•									•													
Sentier national		•																		•	•		
Centre d'interprétation de l'anguille														•	•								
Animafaune, le moulin des découvertes	•													•	•								

Légende :
E = embarcations
N = skis, raquettes
V = vélos

Cantons-de-l'Est

	ACTIVITÉS D'ÉTÉ ET D'AUTOMNE							ACTIVITÉS D'HIVER						SERVICES									
	randonnée pédestre	longue randonnée	vélo	baignade	canot et kayak	canot-camping	escalade	ski de fond	ski nordique	raquette	patin	glissade	camping d'hiver	accueil	toilette	aire de pique-nique	interprétation de la nature	boutique	location d'équipement	camping	refuge	chalet	rampe de mise à l'eau
Parc national du Mont-Mégantic	•	•	•					•	•	•		•	•	•	•	•	•	•	N	•	•		
Parc national du Mont-Orford	•	•	•	•	•			•		•			•	•	•	•	•	•	E-N	•	•		
Parc national de la Yamaska	•		•	•	•				•	•		•		•	•	•	•	•	E-N	•			•
Sentiers frontaliers	•	•	•							•			•	•	•	•	•			•	•		
Parc d'environnement naturel de Sutton	•	•								•										•			
Parc Harold F. Baldwin	•																						
Île du Marais	•						•								•	•							
Mont Ham	•		•					•		•	•		•			•	•	•		•			
Centre d'interprétation de la nature du Lac Boivin	•							•		•				•	•	•	•	•					
Station de montagne Au Diable Vert	•							•		•			•	•	•	•			N	•	•		
Réserve écologique de la Vallée-du-Ruiter	•																						
Mont Pinacle (Frelighsburg)	•														•	•							
Refuge naturel Baie-Missisquoi	•																						
Parc de la Gorge de Coaticook	•		•					•		•				•	•	•				•			
Mont Hereford (East Hereford)	•																						
Centre de la nature de Farnham	•							•		•					•	•	•						
Sentiers pédestres Cambior	•																•						

	ACTIVITÉS D'ÉTÉ ET D'AUTOMNE							ACTIVITÉS D'HIVER						SERVICES									
	randonnée pédestre	longue randonnée	vélo	baignade	canot et kayak	canot-camping	escalade	ski de fond	ski nordique	raquette	patin	glissade	camping d'hiver	accueil	toilette	aire de pique-nique	interprétation de la nature	boutique	location d'équipement	camping	refuge	chalet	rampe de mise à l'eau
Marais de la rivière Saint-François	•														•		•						
Forêt habitée de Dudswell	•									•					•	•	•						
Marais Duquette	•															•							
Sentier de la promenade	•																						
Étang Streit (Saint-Armand)	•							•			•					•							
Centre d'interprétation de la nature de l'étang Burbank	•													•		•	•						
Marais Maskinongé	•							•		•							•						
Parc écoforestier de Johnville	•									•					•	•	•						
Bois Beckett	•									•							•						
Sentier du Morne	•									•					•	•	•						
Sentiers de l'Estrie	•	•								•				•	•	•	•			•	•		
Zoo de Granby	•													•	•	•		•					
Estrie-Zoo	•													•	•								
Zoo et refuge d'oiseaux exotiques Icare	•													•	•	•							
Mine Cristal Québec	•													•	•								
Mines Capelton	•													•	•								
Parc du Domaine-Howard	•													•	•	•	•						
Arbre en arbre	•													•	•	•							

E = embarcations
N = skis, raquettes
V = vélos

	ACTIVITÉS D'ÉTÉ ET D'AUTOMNE							ACTIVITÉS D'HIVER						SERVICES									
	randonnée pédestre	longue randonnée	vélo	baignade	canot et kayak	canot-camping	escalade	ski de fond	ski nordique	raquette	patin	glissade	camping d'hiver	accueil	toilette	aire de pique-nique	interprétation de la nature	boutique	location d'équipement	camping	refuge	chalet	rampe de mise à l'eau
Centre-du-Québec																							
Centre d'interprétation de Baie-du-Febvre	•							•						•	•	•	•	•					
Centre de la biodiversité du Québec	•													•	•	•	•	•					
Passerelle écologique de l'Anse-du-Port	•															•	•						
Boisé du Séminaire	•							•															
Parc du Mont Arthabaska	•	•	•					•		•				•	•	•							
Lac du réservoir Beaudet	•	•	•		•														E				
Parc écologique Godefroy	•			•				•		•	•			•		•	•						
Parc régional de la rivière Gentilly	•		•					•	•	•				•	•	•				•			
Parc Marie-Victorin	•								•					•	•		•						
Centre d'interprétation de la canneberge	•													•	•	•							
Charlevoix																							
Parc national des Grands-Jardins	•	•	•		•				•	•			•	•	•	•	•	•	N-V	•	•	•	
Parc national des Hautes-Gorges-de-la-Rivière-Malbaie	•	•	•		•		•		•					•	•	•	•	•	E-V	•	•		
Sentier des Caps	•	•						•	•	•			•	•		•	•	•	N	•	•		
Traversée de Charlevoix	•	•	•					•	•	•				•	•	•			N	•	•	•	
Sentiers de Baie Sainte-Catherine	•									•							•						
Sentiers à Liguori	•													•			•						

302

	randonnée pédestre	longue randonnée	vélo	baignade	canot et kayak	canot-camping	escalade	ski de fond	ski nordique	raquette	patin	glissade	camping d'hiver	accueil	toilette	aire de pique-nique	interprétation de la nature	boutique	location d'équipement	camping	refuge	chalet	rampe de mise à l'eau
	ACTIVITÉS D'ÉTÉ ET D'AUTOMNE							**ACTIVITÉS D'HIVER**						**SERVICES**									
Parc d'Aventure en montagne Les Palissades	•						•							•	•	•	•						
Centre d'interprétation et d'observation de Pointe-Noire	•	•												•	•	•							
Jardins de Cap-à-l'Aigle	•													•	•								
Centre écologique de Port-au-Saumon	•														•		•						
Chaudière-Appalaches																							
Parc national de Frontenac	•	•	•	•	•	•			•	•				•	•	•	•	•	E-V	•		•	•
Parc régional Massif du Sud	•	•	•					•		•				•	•	•	•		N-V	•	•		
Parc régional des Appalaches	•	•	•	•	•	•		•		•				•	•	•	•		E	•	•	•	•
Sentiers pédestres des 3 Monts de Coleraine	•	•								•				•			•			•			
Battures de l'Isle-aux-Grues	•		•											•			•						
Centre des migrations de Montmagny	•		•											•	•		•						
Domaine Joly-De-Lotbinière	•													•	•	•	•						
Parc des Chutes-de-la-Chaudière	•		•											•	•								
Domaine de la Seigneurie	•			•											•	•	•						
Sentier de la Haute Etchemin et lac Caribou	•						•			•					•	•	•			•			
Mont Grand Morne	•													•	•	•	•						•
Pavillon de la faune	•													•	•	•	•						
Ferme la Colombe	•													•	•								

Légende:
E = embarcations
N = skis, raquettes
V = vélos

	randonnée pédestre	longue randonnée	vélo	baignade	canot et kayak	canot-camping	escalade	ski de fond	ski nordique	raquette	patin	glissade	camping d'hiver	accueil	toilette	aire de pique-nique	interprétation de la nature	boutique	location d'équipement	camping	refuge	chalet	rampe de mise à l'eau
Duplessis (Côte-Nord)																							
Réserve de parc national du Canada de l'Archipel-de-Mingan	●				●									●	●	●	●			●			
Parc national d'Anticosti	●		●		●					●				●	●	●	●		E-V	●		●	
Réserve faunique de Port-Cartier-Sept-Îles	●			●	●	●								●	●	●	●	●	E	●		●	
Parcs et îles de Sept-Îles	●			●				●		●				●	●	●	●			●			
Monts Daviault et Severson	●									●							●						
Sentiers de Natashquan	●			●																			
Parc de la rivière aux Rochers	●									●				●			●			●			
Sentiers Magpie	●														●	●				●			
Centre nature Gallix	●													●	●	●						●	
Centre de recherche et d'interprétation de la Minganie														●	●		●						
Gaspésie																							
Parc national de la Gaspésie	●	●			●	●		●	●	●			●	●	●	●	●	●	E-N	●	●	●	
Parc national de l'île-Bonaventure-et-du-Rocher-Percé	●				●									●	●	●	●	●					●
Parc national de Miguasha	●													●	●	●	●	●					
Parc national du Canada Forillon	●	●	●	●	●			●		●			●	●	●	●	●	●		●			
Réserve faunique de Matane	●	●			●			●	●	●				●	●	●	●	●	V-E			●	
Réserve faunique des Chic-Chocs	●	●	●						●	●				●	●	●	●	●	E			●	

	ACTIVITÉS D'ÉTÉ ET D'AUTOMNE							ACTIVITÉS D'HIVER						SERVICES									
	randonnée pédestre	longue randonnée	vélo	baignade	canot et kayak	canot-camping	escalade	ski de fond	ski nordique	raquette	patin	glissade	camping d'hiver	accueil	toilette	aire de pique-nique	interprétation de la nature	boutique	location d'équipement	camping	refuge	chalet	rampe de mise à l'eau
Réserve faunique de Port-Daniel	•			•										•	•	•			E	•		•	
Mont Saint-Pierre	•	•	•	•										•	•	•	•		E	•			
Parc régional de la seigneurie du lac Matapédia	•	•		•						•									E	•			
Centre d'interprétation de la Baie-des-Capucins	•													•	•	•	•			•			
Pointe-à-la-Renommée	•														•	•					•		
Barachois	•																						
Poste d'observation pour la montée du saumon	•													•	•	•	•						
Jardins de Métis	•													•	•		•	•					
Mine d'agates du mont Lyall														•	•		•						
Centre d'interprétation du cuivre														•	•		•						
Bioparc de la Gaspésie	•													•	•	•	•						
Îles-de-la-Madeleine																							
Réserve nationale de faune de la Pointe-de-l'Est	•													•	•		•						
Réserve écologique de l'île-Brion	•				•									•	•		•				•		
La Bouillée de bois (Cap-aux-Meules)	•																•						
Sentier le Barachois (Cap-aux-Meules)	•															•	•						
Parc des Buck (Cap-aux-Meules)	•							•		•						•							
Parc des Bois brûlés (Havre-Aubert)	•							•		•	•			•	•		•						

E = embarcations
N = skis, raquettes
V = vélos

	Activités d'été et d'automne							Activités d'hiver						Services									
	randonnée pédestre	longue randonnée	vélo	baignade	canot et kayak	canot-camping	escalade	ski de fond	ski nordique	raquette	patin	glissade	camping d'hiver	accueil	toilette	aire de pique-nique	interprétation de la nature	boutique	location d'équipement	camping	refuge	chalet	rampe de mise à l'eau
Big Hill (île d'Entrée)	•																						
Centre d'interprétation Les portes de l'Est														•	•		•						
Lanaudière																							
Réserve écologique des tourbières de Lanoraie	•																						
Forêt Ouareau	•	•			•			•	•	•				•	•	•	•						
Réserve faunique Mastigouche	•			•	•	•		•		•				•	•	•	•	•	E-V	•	•	•	
Îles de Berthier	•			•	•			•		•				•	•	•			E	•	•		
Parc régional des Chutes Monte-à-Peine-et-des-Dalles	•													•		•	•						
Parc régional des Sept-Chutes	•													•		•	•						
Camp mariste	•		•							•	•			•		•	•						
Sentier des étangs	•		•														•			•			
Sentier national	•	•						•		•				•							•		
Jardins du Grand-Portage	•														•								
Arbraska	•													•	•								
Laurentides																							
Parc national d'Oka	•	•	•	•	•			•		•	•	•	•	•	•	•	•	•	E-V	•			
Parc national du Mont-Tremblant	•	•	•	•	•	•		•	•	•			•	•	•	•	•	•	E-N	•	•	•	
Réserve faunique de Papineau-Labelle	•				•	•			•					•	•	•	•	•	E	•	•	•	•

	ACTIVITÉS D'ÉTÉ ET D'AUTOMNE							ACTIVITÉS D'HIVER						SERVICES									
	randonnée pédestre	longue randonnée	vélo	baignade	canot et kayak	canot-camping	escalade	ski de fond	ski nordique	raquette	patin	glissade	camping d'hiver	accueil	toilette	aire de pique-nique	interprétation de la nature	boutique	location d'équipement	camping	refuge	chalet	rampe de mise à l'eau
Forêt récréotouristique de la montagne du Diable	•	•			•			•	•	•				•	•	•				•	•		
Parc régional de la Rivière-du-Nord	•		•		•			•		•		•		•	•	•	•		E	•	•		
Parc régional du Bois de Belle-Rivière	•			•				•		•		•		•	•	•	•			•	•		
Centre touristique et éducatif des Laurentides	•	•			•	•		•		•				•	•	•	•		E	•			
Club de plein air Saint-Adolphe d'Howard	•										•								N	•			
Parc du Domaine Vert	•		•	•				•	•	•	•	•		•	•	•						•	
Parc de la rivière Doncaster	•		•					•		•	•			•	•	•							
Lac Héron	•																						
Nominingue et parc écologique Le Renouveau	•		•					•		•				•	•	•	•				•		
Domaine Saint-Bernard	•		•	•				•	•	•				•	•	•	•		E		•		
Parc d'escalade et de randonnée de la Montagne d'Argent	•						•			•				•	•	•							
Parc linéaire Le P'tit Train du Nord			•					•		•										•	•		
Réserve faunique Rouge-Matawin					•	•		•		•	•		•	•		•							
Manicouagan (Côte-Nord)																							
Monts Groulx	•	•						•	•	•										•			
Parc nature de Pointe-aux-Outardes	•			•				•		•				•	•	•	•						
Centre d'observation et d'interprétation de Cap-de-Bon-Désir	•													•	•	•	•	•					
Centre boréal du Saint-Laurent	•							•		•													

Légende :

- E = embarcations
- N = skis, raquettes
- V = vélos

	ACTIVITÉS D'ÉTÉ ET D'AUTOMNE							ACTIVITÉS D'HIVER						SERVICES									
	randonnée pédestre	longue randonnée	vélo	baignade	canot et kayak	canot-camping	escalade	ski de fond	ski nordique	raquette	patin	glissade	camping d'hiver	accueil	toilette	aire de pique-nique	interprétation de la nature	boutique	location d'équipement	camping	refuge	chalet	rampe de mise à l'eau
Sentier de la Rivière-aux-Rosiers	•																						
Sentiers de Manicouagan	•		•	•						•										•			
Domaine de l'ours noir	•									•										•			
Centre d'interprétation des marais salés	•													•	•	•	•						
Sentiers des moulins et Promenade de la baie des Escoumins	•													•	•		•						
Sentiers de la rivière Amédée	•		•					•						•			•						
Banc de sable de Portneuf-sur-Mer																							
Centre de découverte du milieu marin														•	•	•	•						
Maison de la faune														•	•		•	•					
Mauricie																							
Parc national du Canada de la Mauricie	•	•	•	•	•	•		•		•			•	•	•	•	•	•	E	•			•
Réserve faunique du Saint-Maurice	•		•	•	•	•								•	•	•			E	•	•	•	
Parc de la rivière Batiscan	•			•	•			•		•				•	•	•	•		E	•			
Parc de l'île Saint-Quentin	•		•	•	•					•	•	•		•	•	•	•		E				
Parc des chutes de la Petite rivière Bostonnais	•																						
Observation de l'ours noir et de l'orignal					•									•			•						
Sentier de la Petite rivière Bostonnais	•									•													
Petit Nirvana	•									•				•	•								

308

	ACTIVITÉS D'ÉTÉ ET D'AUTOMNE							ACTIVITÉS D'HIVER						SERVICES									
	randonnée pédestre	longue randonnée	vélo	baignade	canot et kayak	canot-camping	escalade	ski de fond	ski nordique	raquette	patin	glissade	camping d'hiver	accueil	toilette	aire de pique-nique	interprétation de la nature	boutique	location d'équipement	camping	refuge	chalet	rampe de mise à l'eau
Parc de l'île Melville	•		•	•	•			•		•				•	•	•			E	•			•
Zoo de Saint-Édouard	•													•	•	•	•						
Domaine de la forêt perdue	•									•	•			•	•	•							
Montérégie																							
Parc national des îles-de-Boucherville	•		•		•			•		•				•	•	•	•	•	E-N-V				
Parc national du Mont-Saint-Bruno	•									•				•	•	•		•	N				
Réserve nationale de faune du lac Saint-François	•				•					•				•	•								
îles de Sorel	•				•				•					•	•	•							
Centre de la nature du Mont Saint-Hilaire	•							•		•				•	•	•	•	•	N				
Union québécoise de réhabilitation des oiseaux de proie	•													•	•	•	•	•					
L'escapade – Les sentiers du mont Rigaud	•													•	•	•							
Parc régional des îles de Saint-Timothée	•			•	•			•		•				•	•	•	•						
Parc régional de Saint-Bernard-de-Lacolle	•							•		•	•	•			•	•			E				
Refuge faunique Marguerite-D'Youville	•													•			•						
Centre écologique Fernand-Seguin	•															•	•						
Bois Robert (Beauharnois)	•															•	•						
Parc archéologique de la Pointe-du-Buisson	•													•			•						
Mont Saint-Grégoire	•																						

Légende : E = embarcations · N = skis, raquettes · V = vélos

	ACTIVITÉS D'ÉTÉ ET D'AUTOMNE							ACTIVITÉS D'HIVER						SERVICES									
	randonnée pédestre	longue randonnée	vélo	baignade	canot et kayak	canot-camping	escalade	ski de fond	ski nordique	raquette	patin	glissade	camping d'hiver	accueil	toilette	aire de pique-nique	interprétation de la nature	boutique	location d'équipement	camping	refuge	chalet	rampe de mise à l'eau
Récré-O-Parc de Ville Sainte-Catherine	•		•	•				•		•				•	•	•							
Parc Safari	•													•	•	•	•	•					
Jardin Daniel A. Séguin	•																						
Montréal et Laval																							
Parc du Mont-Royal	•		•					•		•	•	•		•	•	•	•		E-V-N				
Parc-nature de la Pointe-aux-Prairies	•		•					•		•		•		•	•	•	•		V-N				
Parc-nature du Bois-de-l'Île-Bizard	•		•	•	•			•						•	•		•		E-V-N				•
Parc-nature du Cap-Saint-Jacques	•		•	•				•						•		•	•	•	E-N				•
Parc-nature du Bois-de-Liesse	•							•		•		•		•	•	•	•		V-N				
Parc de la Rivière des Milles-Îles	•				•			•		•	•	•		•	•	•	•		E				
Parc des Rapides	•				•									•			•						
Parc-nature de l'Île-de-la-Visitation	•		•	•				•				•		•	•	•	•						
Domaine Saint-Paul	•																•						
Arboretum Morgan	•													•	•	•	•						
Ecomuseum	•													•			•	•					
Centre de la nature de Laval	•			•			•	•		•	•	•		•	•	•	•		E-N				
Bois Papineau	•							•		•				•	•		•						
Jardin botanique de Montréal	•													•	•		•	•					

	ACTIVITÉS D'ÉTÉ ET D'AUTOMNE							ACTIVITÉS D'HIVER						SERVICES									
	randonnée pédestre	longue randonnée	vélo	baignade	canot et kayak	canot-camping	escalade	ski de fond	ski nordique	raquette	patin	glissade	camping d'hiver	accueil	toilette	aire de pique-nique	interprétation de la nature	boutique	location d'équipement	camping	refuge	chalet	rampe de mise à l'eau
Biosphère	•													•	•		•						
Outaouais																							
Parc national de Plaisance	•		•	•	•			•		•				•	•	•	•		E-V	•			
Parc de la Gatineau	•	•	•	•	•	•		•		•			•	•	•	•	•		E-V-N	•			
Réserve faunique de la Vérendrye	•			•	•	•								•	•	•	•	•	E	•	•		
Forêt La Blanche	•									•				•	•	•			N			•	
Forêt de l'Aigle	•					•			•	•				•	•	•	•			•		•	
Parc du Lac-Leamy	•		•	•				•		•	•			•	•	•			E-V-N				
Parc du Lac-Beauchamp	•			•				•			•	•		•	•	•							
Marais de Touraine	•																						
Parc Oméga	•												•	•	•	•	•	•					
Centre d'interprétation du cerf de Virginie	•													•		•	•			•			
Souvenirs sauvages	•													•			•						
Aventure Laflèche	•						•							•			•						
Québec																							
Parc national de la Jacques-Cartier	•				•	•		•	•	•			•	•	•	•	•	•	E	•		•	
Réserve faunique de Portneuf	•			•	•	•	•	•	•	•		•		•	•	•	•		E	•	•	•	
Réserve nationale de faune du Cap Tourmente	•													•	•	•	•						

311

Légende:

E = embarcations
N = skis, raquettes
V = vélos

	ACTIVITÉS D'ÉTÉ ET D'AUTOMNE							ACTIVITÉS D'HIVER						SERVICES									
	randonnée pédestre	longue randonnée	vélo	baignade	canot et kayak	canot-camping	escalade	ski de fond	ski nordique	raquette	patin	glissade	camping d'hiver	accueil	toilette	aire de pique-nique	interprétation de la nature	boutique	location d'équipement	camping	refuge	chalet	rampe de mise à l'eau
Domaine Maizerets	•			•				•		•	•			•	•	•	•		N				
Réserve faunique des Laurentides			•		•	•		•		•				•	•	•				•		•	
Forêt Montmorency	•							•	•	•	•			•	•	•	•						
Réserve naturelle des Marais-du-Nord	•				•										•	•	•						•
Marais Léon-Provancher	•													•	•	•	•						
Centre d'interprétation du parc de la Falaise et de la chute Kabir Kouba	•													•	•	•	•						
Canyon Sainte-Anne	•													•	•	•	•						
Site d'interprétation et de plein air Les Sept Chutes	•													•	•	•	•	•					
Jardin Roger-Van den Hende	•													•	•	•							
Jardin zoologique du Québec	•													•	•	•		•					
Parc Aquarium du Québec	•													•	•	•	•	•					
Parc de la Chute-Montmorency	•		•				•			•		•		•	•	•	•	•					
Saguenay–Lac-Saint-Jean																							
Parc national du Saguenay	•		•		•	•	•		•	•				•	•	•	•	•	N	•	•	•	•
Parc national des Monts-Valin	•				•	•			•	•			•	•	•	•	•		N-E	•	•	•	
Parc national de la Pointe-Taillon	•		•	•	•									•	•	•	•		E-V	•			
Centre d'interprétation des battures et de réhabilitation des oiseaux (CIBRO)	•													•	•		•	•					
Parc marin du Saguenay-Saint-Laurent														•			•						

	ACTIVITÉS D'ÉTÉ ET D'AUTOMNE							ACTIVITÉS D'HIVER						SERVICES									
	randonnée pédestre	longue randonnée	vélo	baignade	canot et kayak	canot-camping	escalade	ski de fond	ski nordique	raquette	patin	glissade	camping d'hiver	accueil	toilette	aire de pique-nique	interprétation de la nature	boutique	location d'équipement	camping	refuge	chalet	rampe de mise à l'eau
Parc Rivière-du-Moulin	•		•		•			•		•				•	•	•	•		E				
Parc régional du lac Kénogami	•	•	•							•				•	•	•	•			•	•		
Centre de plein air Bec-scie	•	•	•					•		•				•	•	•	•						
Magie du Sous-Bois	•									•				•	•	•	•	•					
Marais du lac Duclos	•																•						
Zoo sauvage de Saint-Félicien	•													•	•	•	•	•					
Parc Aventures Cap Jaseux	•				•									•	•					•			
Caverne Trou de la fée	•													•	•	•	•	•					
Grands Jardins de Normandin	•													•	•	•	•						

Crédits photographiques

Couverture : Parcs Canada, Jacques Pleau : photo principale
Stéphane Champagne : M1, couverture arrière
Parc régional de la Rivière-du-Nord : M2
Michel Quintin : M3
Daniel Dupont : rabat arrière

Solange Allard : 177
Patrick Asch : 229
Attention FragÎles : 151 (M1)
La bande à Bonn'Eau : 157 (M3)
Jean Bédard, Sauvagîles : 39
JF Bergeron, Enviro Foto : 88, 95, 96-97, 97 (M2), 99, 99 (M1, M2)
JF Bergeron, Sépaq : 53, 250, 251
Claude Bouchard : 38, 46 (M2)
Benoît Boudreau : 151, 151 (M3)
Pierre Brasseur : 225
Canyon Sainte-Anne : 275
Jean-Claude Caron : 40
Centre boréal du Saint-Laurent : 193, 193 (M1)
Centre de la biodiversité du Québec : 83
Centre de plein air Bec-Scie : 291 (M2)
Centre d'interprétation Kabir Kouba : 274 (M1, M2, M3)
Centre touristique et éducatif des Laurentides : 183 (M1)
Benoît Chalifour : 13
Stéphane Champagne, Agence Québec-Presse : 19 (M1), 29 (M2), 35, 41, 43, 45, 45 (M1 et M2), 46 (M1), 48-49, 56, 58, 60, 61, 62, 65, 66, 67, 69, 69 (M1, M2), 70, 70 (M1, M2, M3), 73, 73 (M3), 74 (M1, M2, M3), 77, 77 (M1, M2, M3), 81, 85, 85 (M2, M3), 86-87, 97 (M1), 100, 105, 107, 113 (M1, M2), 114 (M3), 115, 130, 135, 136, 139 (M2, M3), 140 (M1, M3), 156, 157 (M1, M2), 158, 163, 165 (M2, M3), 167, 167 (M1, M2), 178, 180, 183 (M3), 190, 191, 193 (M2, M3), 194 (M2), 195, 196-197, 197 (M1, M2), 204, 205, 208 (M2), 209, 212, 218, 219, 220, 221, 226 (M1, M2), 227, 229 (M1), 232, 233, 234, 236, 237, 238, 239, 240, 241, 242, 245, 256, 269, 271, 273 (M3), 277, 289 (M1), 296-297
CIBRO : 287
Comité touristique de la MRC d'Asbestos : 64
Steve Deschênes, Sépaq : 91, 137, 154, 160, 161, 165, 183 (M2), 266, 267
Steve Donovan, Tourisme Baie-James : 25
Daniel Dufour : 30-31
Alain Dumas, Sépaq : 120
Alain Dumas : 125, 143, 144, 283
Pierre Dunnigan : 29, 32, 59, 111, 139, 147, 152-153, 185, 248, 253, 255, 262, 273, 278, 288-289
Daniel Dupont : 21 (M1), 37, 42, 46 (M3), 73 (M1), 80, 85 (M1), 86 (M3), 118, 125 (M1, M3), 139 (M1), 181, 184 (M3), 194 (M1, M3), 202, 207 (M2), 223, 226 (M3), 245 (M2), 246 (M2), 259 (M1, M3), 273 (M1), 286, 291 (M1, M3)
Mathieu Dupuis : 16, 17, 19, 22
Mathieu Dupuis, Sépaq : 8, 10, 11
Forêt La Blanche : 257
Forêt d'enseignement et de recherche du lac Duparquet : 19 (M3)
Forêt Ouareau : 159
Sylvie Gagnon, Canards Illimités : 15
Dominic Gendron : 225 (M1)

Index

Abitibi-Témiscamingue, 8

Animafaune, le moulin
des découvertes, 47

Aquarium des Îles, 152

Arboretum Morgan, 245

Arbraska, 166

Arbre en arbre, 77

Arche des papillons, 229

Archipel des Îles du Pot-à-l'eau-de-vie
et île aux Lièvres, 38

Aster, la station scientifique
du Bas-Saint-Laurent, 47

Aventure Laflèche, 260

Baie-James, 22

Banc de sable de Portneuf-sur-Mer, 196

Barachois, 141

Bas-Saint-Laurent, 32

Battures de l'Isle-aux-Grues, 110

Big Hill, 151

Biodôme de Montréal, 247

Bioparc de la Gaspésie, 143

Biosphère, 247

Bois Beckett, 74

Bois Papineau, 246

Bois Robert (Beauharnois), 226

Boisé du Séminaire, 84

Camp mariste, 164

Cantons-de-l'Est, 48

Canyon des portes de l'enfer, 45

Canyon Sainte-Anne, 274

Caverne Trou de la fée, 292

Centre boréal du Saint-Laurent, 192

Centre d'histoire naturelle
de Charlevoix, 99

Centre d'information de la centrale
Robert-Bourassa, 31

Centre d'intérêt minier
de Chibougamau, 30

Centre d'interprétation Archéo-Topo, 197

Centre d'interprétation
de Baie-du-Febvre, 80

Centre d'interprétation de l'anguille
de Kamouraska, 47

Centre d'interprétation
de Baie-des-Capucins, 140

Centre d'interprétation
de la canneberge, 87

Centre d'interprétation de la nature
de l'étang Burbank, 73

Centre d'interprétation de la nature
du lac Boivin, 66

Centre d'interprétation des battures
et de réhabilitation des oiseaux, 286

Centre d'interprétation des mammifères
marins, 293

Centre d'interprétation
des marais salés, 194

Centre d'interprétation du cerf
de Virginie, 260

Centre d'interprétation du cuivre, 142

Centre d'interprétation du parc de la
Falaise et de la chute Kabir Kouba, 274

Centre d'interprétation du phoque, 152

Centre d'interprétation et
d'observation de Pointe-Noire, 98

Centre d'observation et d'interprétation
de Cap-de-Bon-Désir, 192

Centre d'interprétation Les portes
de l'Est, 152

Centre de découverte
du milieu marin, 196

Centre de la biodiversité du Québec, 82

Centre de la nature de Farnham, 71

Centre de la nature de Laval, 246

Centre de la nature du
Mont Saint-Hilaire, 220

Centre de plein air Bec-Scie, 290

Centre de recherche et d'interprétation
de la Minganie, 125

Centre des migrations
de Montmagny, 112

Centre-du-Québec, 78

Centre écologique de Port-au-Saumon, 98

Centre écologique Fernand-Seguin, 226

Centre éducatif forestier du lac Joanès, 18

Centre nature Gallix, 124

Centre thématique fossilifère, 21

Centre touristique et éducatif
des Laurentides, 182

Charlevoix, 88

Chaudière-Appalaches, 100

Cité de l'énergie, 209

Club de plein air de
Saint-Adolphe d'Howard, 182

Collines Kékéko, 20

Domaine de la forêt perdue, 209

Domaine de la Seigneurie, 113

Domaine de l'ours noir, 194

Domaine Joly-De-Lotbinière, 112

Domaine Maizerets, 270

Domaine Saint-Bernard, 184

Domaine Saint-Paul, 244

Duplessis, 116

Écomusée d'Anticosti, 125
Ecomuseum, 246
Estrie-Zoo, 76
Étang Streit, 72
Exotarium, 185
Explorama, 143
Ferme la Colombe, 115
Forêt de l'Aigle, 258
Forêt habitée de Dudswell, 72
Forêt La Blanche, 256
Forêt Montmorency, 272
Forêt Ouareau, 158
Forêt récréotouristique de la montagne
  du Diable, 176
Gaspésie, 126
Grands Jardins de Normandin, 292
Île aux Basques, 40
Île aux Hérons, 19
Île du Marais, 62
Îles Duparquet, 18
Île Saint-Barnabé, 44
Îles-de-la-Madeleine, 144
Îles de Berthier, 162
Îles de Sorel, 218
Insectarium de Montréal, 247
Jardin botanique de Montréal, 247
Jardin Daniel A. Séguin, 228
Jardin Roger-Van den Hende, 276
Jardin zoologique du Québec, 276
Jardins de Cap-à-l'aigle, 98
Jardins de Métis, 142
Jardins du Grand-Portage, 166
La Bouillée de bois, 150
Lac du réservoir Beaudet, 85
Lac Héron, 183
Lanaudière, 154
Laurentides, 168
Laval, 230
L'escapade - Les sentiers
  du mont Rigaud, 224
Les Sept-Chutes de Saint-Pascal
  et la montagne à Coton, 46
Magie du Sous-Bois, 291
Maison de la faune, 196
Manicouagan, 186
Marais Antoine, 14
Marais de la rivière St-François, 71
Marais de Touraine, 259
Marais du lac Duclos, 291
Marais Duquette, 72
Marais Laperrière, 16

Marais Léon-Provancher, 274
Marais Maskinongé, 74
Mauricie, 198
Miel de Chez-nous, 167
Mine Cristal Québec, 76
Mine d'agates du mont Lyall, 142
Mines Capelton, 76
Montérégie, 210
Mont Ham, 64
Mont Hereford (East Hereford), 70
Mont Grand Morne, 114
Mont Pinacle (Frelighsburg), 68
Montréal, 230
Mont Saint-Grégoire, 227
Mont Saint-Pierre, 139
Mont Springer, 30
Monts Daviault et Severson, 123
Monts Groulx, 188
Musée canadien de la nature, 261
Musée de géologie René-Bureau, 277
Musée de la Nature, 293
Musée de la nature et des sciences
  de Sherbrooke, 77
Musée de l'érable, 87
Musée minéralogique de
  l'Abitibi-Témiscamingue, 21
Musée minéralogique et minier
  de Thetford Mines, 115
Nominingue et parc écologique
  Le Renouveau, 184
Nord-du-Québec, 22
Observation de l'ours noir et
  de l'orignal, 206
Outaouais, 248
Parc Aquarium du Québec, 276
Parc archéologique de
  la Pointe-du-Buisson, 226
Parc Aventures Cap Jaseux, 292
Parc botanique À fleur d'eau, 20
Parc d'Aventure en montagne
  Les Palissades, 98
Parc d'environnement naturel
  de Sutton, 58
Parc d'escalade et de randonnée
  de la Montagne d'Argent, 184
Parc de l'île Saint-Quentin, 206
Parc de l'île Melville, 208
Parc de la Chute-Montmorency, 277
Parc de la Gatineau, 252
Parc de la gorge de Coaticook, 70
Parc de la rivière aux Rochers, 124

Parc de la rivière Batiscan, 204
Parc de la rivière Doncaster, 183
Parc de la rivière des Mille-Îles, 242
Parc de la Rivière-du-Moulin, 289
Parc des Bois brûlés, 151
Parc des Buck, 150
Parc des Chutes-de-la-Chaudière, 113
Parc des chutes de la Petite rivière
  Bostonnais, 206
Parc des Chutes et de
  la Croix lumineuse, 46
Parc des Rapides, 244
Parc du Domaine Vert, 183
Parc du Domaine-Howard, 76
Parc du Lac-Leamy, 258
Parc du Lac-Beauchamp, 258
Parc du Mont Arthabaska, 84
Parc du Mont-Royal, 232
Parc écoforestier de Johnville, 74
Parc écologique Godefroy, 86
Parc Harold F. Baldwin, 60
Parc linéaire Le P'tit train du nord, 185
Parc Marie-Victorin, 87
Parc marin du
  Saguenay-Saint-Laurent, 288
Parc national d'Aiguebelle, 10
Parc national d'Anticosti, 120
Parc national d'Oka, 170
Parc national de Frontenac, 102
Parc national de l'Île-Bonaventure-
  et-du-Rocher-Percé, 130
Parc national de la Gaspésie, 128
Parc national de la Jacques-Cartier, 264
Parc national de la Pointe-Taillon, 284
Parc national de la Yamaska, 54
Parc national de Miguasha, 132
Parc national de Plaisance, 250
Parc national des Grands-Jardins, 90
Parc national des Hautes-Gorges-
  de-la-Rivière-Malbaie, 92
Parc national
  des Îles-de-Boucherville, 212
Parc national des Monts-Valin, 282
Parc national du Bic, 34
Parc national du Canada
  de la Mauricie, 200
Parc national du Canada Forillon, 134
Parc national du Mont-Mégantic, 50
Parc national du Mont-Orford, 52
Parc national du Mont-Saint-Bruno, 214
Parc national du Mont-Tremblant, 172

Parc national du Saguenay, 280
Parc nature de Pointe-aux-Outardes, 190
Parc Obalski, 28
Parc Oméga, 260
Parc régional de la rivière Gentilly, 86
Parc régional de la Rivière-du-Nord, 178
Parc régional de la seigneurie
  du lac Matapédia, 140
Parc régional de Saint-Bernard-
  de-Lacolle, 224
Parc régional des Appalaches, 106
Parc régional des Chutes
  Monte-à-Peine-et-des-Dalles, 164
Parc régional des îles
  de Saint-Timothée, 224
Parc régional des Sept-Chutes, 164
Parc régional du Bois de
  Belle-Rivière, 180
Parc régional Massif du Sud, 104
Parc Safari, 228
Parc-nature de l'Île-de-la-Visitation, 244
Parc-nature de la Pointe-aux-Prairies, 234
Parc-nature du Bois-de-l'Île-Bizard, 236
Parc-nature du Bois-de-Liesse, 240
Parc-nature du Cap-Saint-Jacques, 238
Parcs et îles de Sept-Îles, 122
Passerelle écologique
  de l'Anse-du-Port, 84
Pavillon de la faune, 115
Petit Nirvana, 208
Pointe-à-la-Renommée, 141
Poste d'observation pour la montée
  du saumon, 142
Québec, 262
Récré-O-Parc de
  Ville Sainte-Catherine, 228
Refuge faunique
  Marguerite-D'Youville, 225
Refuge naturel Baie Missisquoi, 69
Refuge Pageau, 12
Réserve de parc national du Canada
  de l'Archipel-de-Mingan, 118
Réserve écologique de l'Île-Brion, 148
Réserve écologique de
  la Vallée-du-Ruiter, 68
Réserve écologique des tourbières
  de Lanoraie, 156
Réserve faunique de la Vérendrye, 254
Réserve faunique de Matane, 136
Réserve faunique de Port-Cartier-
  Sept-Îles, 122
Réserve faunique de Port-Daniel, 138

Réserve faunique de Portneuf, 266
Réserve faunique des Chic-Chocs, 138
Réserve faunique des Laurentides, 272
Réserve faunique Mastigouche, 160
Réserve faunique de Papineau-Labelle, 174
Réserve faunique Rouge-Matawin, 185
Réserve faunique du Saint-Maurice, 202
Réserves fauniques Assinica et des
   Lacs Albanel-Mistassini et Waconichi, 24
Réserve nationale de faune
   de la baie de l'Isle-Verte, 36
Réserve nationale de faune
   de la Pointe-de-l'Est, 146
Réserve nationale de faune
   du Cap Tourmente, 268
Réserve nationale de faune
   du lac Saint-François, 216
Réserve naturelle des Marais-du-Nord, 272
Saguenay-Lac-Saint-Jean, 278
Sentier de l'École buissonnière, 20
Sentier de la Haute Etchemin
   et lac Caribou, 114
Sentier de la Petite rivière Bostonnais, 207
Sentier de la promenade, 72
Sentier de la Rivière-aux-Rosiers, 192
Sentier des Caps, 94
Sentier des étangs, 165
Sentier du lac Cavan, 29
Sentier du Morne, 75
Sentier écologique de Radisson, 28
Sentier le Barachois, 150
Sentier national, 46, 166
Sentier régional du lac Kénogami, 290
Sentiers à Liguori, 97
Sentiers de Baie Sainte-Catherine, 96
Sentiers de la rivière Amédée, 195
Sentiers de l'Estrie, 75
Sentiers de Manicouagan, 193
Sentiers de Natashquan, 123
Sentiers des moulins et Promenade
   de la baie des Escoumins, 194
Sentiers d'interprétation du littoral
   et de la rivière Rimouski, 44
Sentiers frontaliers, 56
Sentiers Magpie, 124
Sentiers pédestres Cambior, 71
Sentiers pédestres des trois
   Monts de Coleraine, 108
Site d'interprétation et de plein air
   Les Sept Chutes, 276
Site ornithologique du marais
   de Gros-Cacouna, 44

Société d'écologie de la batture
   du Kamouraska, 42
Souvenirs sauvages, 260
Station de montagne Au Diable vert, 68
Traversée de Charlevoix, 96
Union québécoise de réhabilitation
   des oiseaux de proie, 222
Zone récréative du lac Matagami, 26
Zoo de Granby, 76
Zoo de Saint-Édouard, 209
Zoo sauvage de Saint-Félicien, 292
Zoo et refuge d'oiseaux exotiques
   Icare, 76

GUIDES NATURE QUINTIN

MICHEL LEBOEUF

CD INCLUS

GUIDE D'INITIATION

DÉCOUVRIR LES OISEAUX
du Québec et des Maritimes

ÉDITIONS MICHEL QUINTIN

AMPHIBIENS ET REPTILES
DU QUÉBEC ET DES MARITIMES

Jean-François Desroches • David Rodrigue

ÉDITIONS MICHEL QUINTIN

GUIDE PHOTO DES
OISEAUX DU QUÉBEC
ET DES MARITIMES

Jean Paquin

ÉDITIONS MICHEL QUINTIN

DÉCOUVRIR LES BALEINES
et autres mammifères marins

DU QUÉBEC ET DE L'EST DU CANADA

PIERRE RICHARD
JACQUES PRESCOTT

ÉDITIONS MICHEL QUINTIN

MAMMIFÈRES DU QUÉBEC
ET DE L'EST DU CANADA

Jacques Prescott • Pierre Richard

ÉDITIONS MICHEL QUINTIN

2ᵉ ÉDITION